Aus Freude am Lesen

btb

Hanns-Josef Ortheil

Das Verlangen nach Liebe

Roman

btb

Nicht du bist vorbereitet
und nicht ich,
einander zu begegnen.

Federico García Lorca

FSC

Mix

Produktgruppe aus vorbildlich
bewirtschafteten Wäldern und
anderen kontrollierten Herkünften

Zert.-Nr. GFA-COC-1223
www.fsc.org
© 1996 Forest Stewardship Council

Verlagsgruppe Random House FSC-DEU-0100
Das FSC-zertifizierte Papier *Munken Print* für dieses Buch
liefert Arctic Paper Munkedals AB, Schweden.

1. Auflage
Genehmigte Taschenbuchausgabe Oktober 2009,
btb Verlag in der Verlagsgruppe Random House GmbH, München
Copyright © 2007 by Luchterhand Literaturverlag, München
Einem Unternehmen der Verlagsgruppe Random House GmbH
Umschlaggestaltung: semper smile
unter Verwendung eines Motivs von Umschlaggemälde: Vallotton, Felix, 1865–1925. »Nu a l'echarpe verte« (liegender Akt mit gruenem Seidenschal), 1914. Oel auf Leinwand, 112 x 145 cm. La Chaux-de-Fons, Musee des Beaux-Arts.
(c) akg-images
Druck und Einband: CPI – Clausen & Bosse, Leck
KS · Herstellung: SK
Printed in Germany
ISBN 978-3-442-73843-4

www.btb-verlag.de

I

ICH SAH sie am frühen Nachmittag jenes Tages, an dem ich in Zürich angekommen war. Ich hatte mein Hotel gerade verlassen und war die schmale, schattige Straße hinüber zum See gegangen, auf dessen Anblick ich mich schon eine Weile gefreut hatte. Inmitten der an seinem Ufer entlang laufenden Kastanienallee war ich stehengeblieben und hatte den Anblick genossen: Die sanften, auf und ab schwingenden, schon leicht ins Dunkle gefärbten Hügel des gegenüberliegenden Ufers, das zu den Alpenketten der Ferne ausholende Graublau der stillen Wasserfläche, den Abdruck der auf ihr herumgeisternden Sonnenstreifen, die sich wie matte, breite Pinselstriche quer über diesen diffusen Grund legten. Ich hatte ausgeatmet, spürbar und erleichtert, diese Ankunft war noch schöner, als ich es erhofft hatte, die Szenerie, das Wetter und ein ruhiger Herbst spielten mit, im Normalfall wäre ich sofort zu einem langen Spaziergang am Seeufer entlang aufgebrochen, denn so hatte ich es ja geplant: gehen, weit gehen, langsam eindringen in dieses mir von vielen früheren Besuchen vertraute Terrain, nach einer oder zwei Stunden irgendwo am Ufer ein Glas Wein, und dann, vielleicht, mit einem Schiff wieder zurück.

Mein letzter Blick aber streifte die langen, parallel zum Ufer stehenden Holz-Bänke, auf deren Sonnenplätzen die jungen Paare saßen, Liebende, dicht aneinandergelehnt oder in den ältesten, zeitlosen Posen einander umschlingend, ich hatte diese Bilder nicht länger betrachten wollen, als mein Blick bei einer einzelnen Person hängenblieb, die zwischen all diesen Paaren langgestreckt und anscheinend schlafend auf dem harten Holz lag. Ich erkannte sie sofort, *sie war es*, sie lag da, als hätten wir uns vor wenigen Stunden nur kurz getrennt, um uns genau hier wieder zu begegnen. Ich spürte, wie mich dieser Anblick durchfuhr, ich erstarrte und fühlte mein Herz schlagen, es konnte doch nicht sein, daß sie sich so wenig verändert hatte, ich hatte sie seit beinahe achtzehn Jahre nicht mehr gesehen. Ihrem Kopf hatte sie den braunen Lederrucksack untergeschoben, den sie schon früher immer dabeigehabt hatte, ein Bein hatte sie über das andere geschlagen und die Hände über dem Gesäß gefaltet, regungslos lag sie mit geschlossenen Augen da, die langen, blonden, leicht ins Rötliche changierenden Haare rahmten ihr schmales, strenges und oft so konzentriert wirkendes Gesicht. Achtzehn Jahren, rechnete ich noch einmal nach, beinahe achtzehn Jahre hast Du sie nicht mehr gesehen, nie hast Du die geringsten Anstalten gemacht, ihr erneut zu begegnen, und doch hast Du beinahe täglich einmal an sie gedacht, momentweise, wenn Dich irgendeine Kleinigkeit an das frühere, gemeinsame Dasein erinnerte.

Das gemeinsame Dasein ..., ja, so hatte sie es immer genannt, ihre Formulierung war mit der Zeit zu einer stehenden Wendung in den acht Jahren unserer Liebe geworden, ein

Dasein ..., *gemeinsam*, so unpathetisch und schlicht und eben gerade deshalb so wahr. Denn in der Tat, es war ein gemeinsames Dasein gewesen, das wir geführt hatten, wir hatten uns, ohne jedoch zusammen zu wohnen, beinahe täglich gesehen und alle Ferienzeiten miteinander verbracht, jeder von uns hatte immer genau gewußt, was der andere gerade tat und wo er sich befand. Seit wir uns durch einen Zufall zu Beginn unserer Studienzeiten getroffen hatten, hatten wir uns nicht mehr getrennt, wir waren, wie es in Kinderbüchern heißt, »unzertrennlich« gewesen, ein junges, von der Liebe berauschtes Paar, das nie auch im Entferntesten daran dachte, voneinander zu lassen. Daß es dann doch, ganz plötzlich und unvorhersehbar, zur Trennung gekommen war, hatte mich völlig aus der Bahn geworfen, ich hatte den schweren Schock lange Zeit nicht überwinden können, wie es ihr ergangen war, hatte mich nicht mehr interessiert, denn sie hatte diese Trennung verursacht, sie allein, ich werde davon später einmal erzählen.

An jenem Nachmittag aber, als ich sie wiedersah, dachte ich daran nicht, ich war viel zu sehr mit ihrem Anblick und meiner Erregung beschäftigt, erhitzt stand ich eine Weile still auf dem Fleck und machte dann, beinahe wie in Trance, ein paar Schritte zurück und seitwärts in die Allee, als müßte ich mich ins Dickicht schlagen oder ein Versteck finden, das mir erlaubte, mit diesem Anblick fertig zu werden. Zum Glück schlief sie, zum Glück hatte sie mich nicht bemerkt, ich hatte also ein wenig Zeit, mich auf diese unerwartete Begegnung einzustellen und zu überlegen, wie ich vorgehen wollte. Und so setzte ich mich auf eine der viel bequemeren und meist leeren Bänke, die sich etwas weiter vom Ufer entfernt in der Allee befanden. Ohne ihre Lehne zu berühren, nahm ich vorn auf der Kante Platz, als wollte ich gleich weiter und als handle es sich nur um einen flüchtigen Halt, der mir erlaubte, meine Taschen zu ordnen oder etwas zu rauchen.

Und wahrhaftig zog ich auch sofort die kleine Schachtel mit den kubanischen Zigarillos, von denen ich immer eine dabeihatte, hervor und legte sie neben mich auf die Bank, um dann in den Manteltaschen nach der flachen, kleinen Digitalkamera und dem winzigen Fernglas zu kramen, die mich ebenfalls bei vielen Spaziergängen begleiten. Auch sie legte ich neben mir auf der Bank ab, dann steckte ich mir ein Zigarillo an, was wäre, dachte ich, wenn der Wind den Rauch zu ihr herübertrüge und der Duft sie weckte?, wahrhaftig rauchte ich noch immer dieselben Zigarillos wie in den fernen Tagen unserer gemeinsamen Jahre, es war dieselbe Größe und Marke, manchmal hatte auch sie sich eines der kleinen, dunklen Dinger angesteckt, unsere Gemeinsamkeit war so weit gegangen, daß wir selbst die sonst unscheinbarsten Dinge miteinander geteilt hatten. Dann griff ich nach dem Fernglas und stellte es ein und betrachtete sie jetzt ganz aus der Nähe, in allen Details: Ja, sie hatte noch immer diese am oberen Bogen leicht geröteten, stark hervortretenden Backenknochen, ja, da war noch immer diese von der vielen Bewegung im Freien leicht gebräunte und straffe Haut, und gut zu erkennen waren auch die breiten, auffälligen Lippen, die ich niemals geschminkt gesehen hatte, niemals. Sie trug einen langen, fast bis zum Boden reichenden Mantel mit schwarzen, in dichter Reihe aufeinanderfolgenden Knöpfen, und feste, flache Schuhe, auch sie war anscheinend zu einem längeren Spaziergang unterwegs.

Ach, wie oft waren wir früher gemeinsam gegangen, das stundenlange, ziellose Streifen durch Städte und Landschaften war unsere große Passion gewesen, ein nicht enden wollendes, aufmerksames Gehen zu allen Tages- und Jahreszeiten, ein Bestaunen der Welt, ein Einkehren hier und dort und ein ebenfalls nicht enden wollendes Sprechen, Erzählen und Phantasieren. Als ich daran dachte, wurde mir plötzlich ganz leicht, es war doch so einfach, jetzt aufzustehen und zu ihr hinüberzugehen und sie zu berühren wie früher und ihr einen Kuß zu geben und mit ihr dann weiter und weiter an diesem herbstlichen See entlangzugehen, auf dem jetzt, am frühen Nachmittag, die Segelboote kreuzten, die großen Segel so stolz und für das Herabdämmern des Abends bereit, wenn das Sonnengold sich in ihre weißen Flächen flüchtete und dort verfing. Aber nein, dachte ich, auf keinen Fall, Du geduldest Dich jetzt, Du wartest, bis sie erwacht, vielleicht liegt sie hier, um auf ihre eigentliche Begleitung zu warten, vielleicht kommt einer daher, mit dem sie ihr Leben jetzt teilt, und dann läßt Du sie ziehen, ohne Dich ihr zu zeigen, Du läßt sie ziehen, hörst Du!, zu erkennen geben wirst Du Dich nicht, erst muß Du genauer Bescheid wissen, Du mußt wissen, was sie hierherführt und was im einzelnen sie in dieser Stadt vorhat.

Ich legte das Fernglas wieder zur Seite und machte mehrere Fotos, indem ich den Zoom immer wieder veränderte, dann betrachtete ich die Bilder nacheinander auf dem Display, es sah aus, als habe sie ein Fotograf genau an dieser Stelle postiert, das Sonnenlicht lag wie ein Spot auf ihrer langgestreckten Gestalt und hinterließ einige markante Schatten, so daß die Bilder ganz stimmig erschienen. Auch fremde Betrachter, da war ich mir sicher, hätten diese Bilder als stimmig empfunden, denn seit ich Judith kannte, war sie von Männern wie Frauen mehr oder minder heimlich betrachtet und oft wohl auch bewundert worden, sie war eine Person, die bereits beim ersten Anblick auffiel, nicht durch ihre Kleidung oder andere Äußerlichkeiten, sondern einzig durch ihre schlichte, ja altertümlich schlicht wirkende schöne Gestalt, die sie mit nur sehr wenigen Attributen versah und betonte. Schon bei unserer ersten Begegnung war sie mir wie die weibliche Figur eines alten Bildes erschienen, sofort hatte ich damals Bilder und Zeichnungen mit ihr in Verbindung gebracht und war daher gar nicht erstaunt gewesen, als sie mir später erzählte, daß sie Kunstgeschichte studierte, Kunstgeschichte im ersten Semester.

Ich hatte sie in einem Frankfurter Konzertsaal, wo ich zufällig neben ihr gesessen hatte, kennengelernt, dorthin war ich gegangen, weil ein Star der pianistischen Szene Schumanns Klavierkonzert spielte und ich selbst Pianist werden wollte. Ich studierte im zweiten Semester an der Musikhochschule, für mich gab es damals nur das Klavier, morgens vier Stunden, am Nachmittag noch einmal zwei, damals hatte ich davon geträumt, einer der ganz Großen zu werden, einer der Meister, zu dessen Konzerten man sich Hunderte von Kilometern weit auf den Weg macht. Zufällig also war ich mit ihr ins Gespräch geraten, wir waren beide allein und vertieften uns in das Konzert-programm, in der Musik hatte sie keine großen Kennt-nisse, dafür aber, wie ich schnell bemerkte, in der bilden-den Kunst sehr fundierte. Ich hatte mir nicht vorstellen können, wie ein Mensch ihres Alters bereits solche Kennt-nisse haben konnte, Schulen vermitteln so etwas ja nicht, höchstens wirkliche und tiefer gehende Passionen bringen dergleichen hervor. Diese Passionen für die Kunst hatte ihr Vater, den ich erst einige Jahre nach Beginn unseres Zusammenseins kennengelernt hatte, sehr früh geweckt, ihr Vater war Althistoriker und sehr viel älter als sie, er lehrte als Professor an der Universität Frankfurt und hatte irgendwann seine erheblich jüngere Assistentin geheira-tet, die zu den Zeiten, als ich ihr begegnete, als Sachbuch-Lektorin in einem Frankfurter Verlag angestellt war. Be-reits in der Kindheit hatte er Judiths Talent gefördert, sie hatte rasch gut und sicher zeichnen gelernt und ein auffal-lend starkes Interesse an Bildern gezeigt, ihr Vater und sie verstanden sich gut, wie ich überhaupt in ihrem Eltern-haus ein völlig einvernehmliches Leben des einzigen Kin-des mit seinen Eltern erlebt hatte. Judith hatte mir diesen Eindruck später bestätigt, nein, es hatte die üblichen Aus-einandersetzungen zwischen ihr und den Eltern wahrhaf-tig kaum gegeben, nein, sie hatte die gängigen pubertären Krisen nicht so stark wie ihre Freundinnen durchlebt, ich war einfach zu sehr beschäftigt, hatte sie damals gesagt, beschäftigt?, womit?, na, mit der Kunst und mit meinem Vater, in seinen Semesterferien haben wir oft weite Rei-sen zu zweit unternommen, Reisen zu Orten der Kunst, wie ihr Vater es immer genannt hatte, Reisen nach Frank-reich, Italien, Griechenland oder Spanien.

Der schmale, hochgewachsene und sich immer sehr gerade haltende, beinahe kahlköpfige Mann hatte auch mir sehr gefallen, er strahlte eine durch nichts zu erschütternde Ruhe und Sicherheit aus und lebte in der weiträumigen Wohnung im Frankfurter Westend im Grunde doch nur in einem einzigen Zimmer, das wie ein Studentenzimmer aussah, winzig, dunkel, mit Regalen ringsum an den hohen Wänden und einer schmalen, im Kopfbereich leicht erhöhten Liege, auf der er liegend Vergil, Horaz oder Catull las. Er liebte die römischen Autoren mehr als die griechischen, er hielt sie für eleganter und virtuoser. Als er mich einmal darauf ansprach, geriet ich ins Stocken, weil ich bei solchen Vergleichen nicht mithalten konnte, er bemerkte es wohl, spielte es aber nicht gegen mich aus, sondern nahm mich einfach mit in sein Zimmer, wo er mir ein paar Zeilen vorlas, mit hoher, leicht bebender Stimme, wie ein Jüngling, der etwas Privates und ganz und gar zu Herzen Gehendes preisgibt. Judiths Mutter dagegen hatte ich nicht sehr häufig gesehen, sie lebte wohl mehr im Verlag als zu Hause, wo es vormittags ein junges Dienstmädchen gab, das den Haushalt versorgte und sich um all seine Details kümmerte.

Als ich Judith traf, hatten sich beide Elternteile bereits ihre ganze Kindheit und Jugend lang viel mit ihr beschäftigt, irgendwie merkte man ihr so etwas an, ich hätte aber nicht exakt sagen können, wodurch, vielleicht fiel es mir auch nur auf, weil ich selbst in ganz anderen Verhältnissen aufgewachsen war. Mein Vater war, als ich drei Jahre alt war, an einem Herzinfarkt gestorben, so daß ich keine Erinnerung an ihn hatte, statt dessen gab es nur all die

Fotoalben, die meine Mutter angelegt hatte, Alben mit kleinen Schwarz-Weiß-Fotografien, penibel datiert und beschriftet, auf denen man den immer leicht verspannt und überanstrengt wirkenden Mann in allen nur erdenklichen Dirigentenposen sehen konnte, bei Proben im Rollkragenpullover, bei Konzerten im engen, ihm nicht besonders gut sitzenden Frack, er hatte einfach immer eine Spur zu leidend ausgesehen, zu vergrübelt, an der Musik eher zehrend, im Gegensatz zu so vielen anderen Dirigenten, die von der Musik gemästet, gepäppelt und mit lauter angenehmen Facetten des Lebensgenusses belohnt und von Jahr zu Jahr dicker und fülliger wurden. Zu diesem Genuß hatte mein Vater niemals gefunden, schon seine Konzertprogramme hatten mir das bewiesen, Brahms, Bruckner, Mahler – das waren seine Komponisten gewesen, die ganze Spätromantik loderte auf eine krankhafte Weise in seinem schmächtigen Körper, damit hatte er es zum Generalmusikdirektor in einigen mittelgroßen Städten gebracht, ganz hoch hinauf, bis München, Frankfurt oder Berlin, aber hatte es niemals gereicht.

Vater war einfach nicht extrovertiert genug …, mit solchen Wendungen hatte meine Mutter den fehlenden letzten Karrieresprung entschuldigt, sie hatte Vater verehrt, unbedingt, hingebungsvoll und mit einer ewigen Jungmädchenbegeisterung, sie hatte ihn auf seinen Tourneen begleitet und in der sonstigen Zeit ihre Klavierschüler unterrichtet, denn sie war eine typische Klavierlehrerin, ganz so, wie man sie sich vorstellt, eine strenge, kompromißlose, wenig nachgebende Person, die sich nach Vaters Tod ganz dem einzigen Kind gewidmet hatte. So war ich allein, betreut und versorgt nur von meiner Mutter, aufgewachsen, Verwandte und Freunde hatten bei uns keine große Rolle gespielt, wir lebten bescheiden von Vaters Pension und Erbe, aber es fehlte uns nichts, wir waren zufrieden, und ich kam mit Mutter auf sehr unkomplizierte Weise zurecht, weil sie keinerlei Ehrgeiz kannte, sondern mich unterstützte und in jenen Jahren, als ich längst nicht mehr von ihr unterrichtet wurde, darauf verzichtete, sich einzumischen.

Meine vorherrschende Erinnerung an das Leben mit meiner Mutter ist denn auch die Stille, wie still ist es doch hier!, dachte ich immer wieder, wenn ich nach Reisen in unsere kleine Wohnung zurückkam, ausgeputzt von der Stille waren diese stets perfekt aufgeräumten Zimmer, in denen man immerzu auf Menschen zu warten schien, erwartungsvoll könnte man diese Stille auch nennen, letztlich aber handelte es sich wohl um ein Warten auf die Wiederkehr meines Vaters, dessen Tod meine Mutter ihr Leben lang nicht verwunden hatte. Da sie all die Jahre mehr mit ihm als mit mir beschäftigt war, war ich keineswegs ihr kleiner Prinz gewesen, nein, ich war ihr freundlicher Begleiter im still ertragenen Leid geworden, eine Nebenfigur, die etwas Trost und Freude bescherte, zum Glück aber nie im Mittelpunkt stand.

Als ich das Zigarillo ausdrücken wollte, sah ich plötzlich, daß Judith erwachte, sie richtete den Oberkörper auf und fuhr sich mit der Rechten durchs Haar, dann schaute sie auf die Uhr und streifte gleich darauf den Rucksack über, jetzt hatte sie es anscheinend eilig, denn sie stand sofort auf und ging los, zurück zur Quaibrücke und damit zurück zu den älteren Teilen der Stadt. Sie ging so rasch, als habe sie sich zuviel Zeit gelassen oder als habe sie noch einen dringenden Abendtermin, ihr unerwartet plötzlicher Aufbruch zwang mich daher zum Handeln, ich dachte nicht lange nach, sondern packte meine paar Sachen in die Seitentaschen des Mantels und lief hinter ihr her. Leicht gebückt und in mich gekrümmt, lief ich am äußersten Rand der Kastanienallee entlang, während sie einen Weg unten am See nahm, ich kam kaum hinter ihr her, so ein Tempo machte sie plötzlich, ihr langes Haar wippte auf ihren Schultern, auch hatte sie bereits kurz nach dem Aufstehen den langen Mantel vorne geöffnet, so daß er ihren Körper flatternd umwehte. Dieses leichte Flattern des Mantels, Judiths energisches gezieltes Gehen – das waren erneut Bilder, die mich an die früheren Jahre erinnerten und daher berührten, am liebsten hätte ich sie jetzt gefilmt, wie sie die Quaibrücke ansteuerte und dann ganz selbstverständlich einen Weg dicht an der Limmat entlang hinein in die Altstadtzonen der Stadt nahm. Sie hielt sich eine Weile in der Nähe des Ufers, dann aber bog sie ab, ohne sich einen Moment zu besinnen, noch eine kleine Steigung – und sie verschwand in einem Hotel, in dem ich kurioserweise selbst vor Jahren einmal übernachtet hatte.

Ja, genau, ich erinnerte mich gut, in der Nähe der Rezeption gab es einen kleinen Teetisch, wo sich die Gäste einen Tee ihrer Wahl aufbrühen und mit aufs Zimmer nehmen konnten, durch das große alte Gebäude mit seinen verwinkelten Zimmern und schmalen Gängen wehte daher Tag und Nacht der leicht betäubende Duft verschiedenster Tee-Sorten, manchmal wurde man sogar mitten in der Nacht nicht von einem Geräusch, sondern von einem Tee-Duft wach, wenn gerade ein sehr später Gast eingetroffen war und der Versuchung nicht widerstanden hatte, sich noch einen Nachttee zuzubereiten. Unten, im Parterre, aber befand sich ein Restaurant, in dem die Gäste am Morgen frühstücken konnten, ich dachte nicht weiter nach, so schnell wollte ich mich nicht von Judith trennen, deshalb betrat ich den großen, weiten Raum durch die Restaurant-Tür und setzte mich dann in den hinteren, eher dunklen Bereich, vorerst bleibst Du auf jeden Fall in solchen Verstecken, dachte ich, im Versteck und doch in Verbindung, denn es gab keinen Zweifel, daß Judith sich jetzt nur wenige Meter und höchstens zwei, drei Etagen über mir aufhielt.

Ich bestellte ein Glas Fendant, ganz sacht begann es zu dämmern, die ersten Lichter strahlten draußen, vor der breiten Glasfront am Eingang, bereits auf, es war eine Tageszeit, die ich liebte, die Zeit einer kurzen Entspannung und eines Loslassens nach den Tätigkeiten des Tages, die Zeit des Übergangs und der Verwandlung, in der die Phantasien über den Abend und die bevorstehende Nacht bereits rege werden. Der kühle Wein tat mir gut, zu diesen Stunden gehörte ganz unbedingt das erste Glas Wein, ein Glas, das sehr langsam, Schluck für Schluck, getrunken werden wollte, im Wellen-Rhythmus der Gedanken und Träume, die sich jetzt einstellten, ganz von allein.

Sie würde die Tür ihres Zimmers vorsichtig hinter sich zuziehen, den Rucksack abstreifen und den Mantel aufs Bett werfen, sie würde hinübergehen zu den Fenstern, um sie zu schließen und beim Schließen einen kurzen Blick auf die Gasse hinunterzuwerfen, dann würde sie das lange Kleid über den Kopf streifen und ins Bad gehen. Sie würde ihre Haare hinten mit der linken Hand packen und sie mit einer Bürste in der Rechten immer wieder durchkämmen, in gleichmäßigen, kräftigen Zügen. Sie würde etwas Hautcreme auftragen und sie rasch verreiben, dann würde sie zurück in das Zimmer gehen, sich ein Glas Wasser einschenken und sich neben den Tisch setzen, auf dem die Zeitungen und Bücher liegen. Sie würde einen ersten großen und einen zweiten kleineren Schluck nehmen, sie würde versuchen, zur Ruhe zu kommen und sich einzustellen auf den Abend, dann würde sie sich zurücklehnen und noch einmal die Augen schließen, nur für ein paar Minuten.

Was phantasierst Du da?, dachte ich, was fällt Dir ein? …, ich hatte begonnen, mich in unser früheres Leben zurückzuphantasieren, so nämlich, wie ich es mir jetzt ausgemalt hatte, war es doch meist gewesen, nur daß sich neben Judith noch ein Zweiter im Zimmer aufgehalten hatte, ich, der Geliebte, der jetzt auf dem Bett liegen würde, müde vom langen Gehen während des Tages, mit geschlossenen Augen ihren Gesten und Bewegungen nachlauschend. Der Aufbruch ins Theater oder zu einem Konzert – das war jetzt die Stunde, und gerade vor solchen Aufbrüchen war sie manchmal unbekleidet aus dem Bad zurückgekommen, sie hatte die Bettdecke mit einem

Ruck zur Seite gestreift und sich in die weißen Laken ge-
schmiegt, dann aber war eine Hand zu mir, dem Träu-
menden, hinübergewandert und hatte meinen lauernden
Körper berührt und gelockt ...

Und wenn genau das jetzt ein paar Etagen über mir ablief?
Wenn sie gar nicht allein dort oben war, sondern ihren
Mann oder einen Geliebten dort oben vorfände? Einen
Moment dachte ich, es wäre am besten, das Glas Fendant
auszutrinken und den Raum sofort zu verlassen. Schluß!,
Aus!, ich hatte an diesem Nachmittag einige schöne,
überraschende Momente erlebt, das mußte genügen, denn
das Weitere ging mich nichts an und brachte vielleicht
nur neue Verletzungen mit sich. Alles, was mit ihr zu tun
hatte, war ein großer Gefahrenbereich, das wußte ich,
denn nachdem ich mich von ihr getrennt hatte, war ich
sehr krank gewesen, lange Zeit, so krank, daß mir selbst
das Klavierspiel nicht hatte helfen können.

Schluß!, sagte ich mir also, keine Psychosen mehr, nein
danke!, wirklich nicht!, ich leerte das Glas auch wahrhaftig und drehte mich nach der Kellnerin um, um sofort
zu bezahlen, als ich Judith draußen, vor der Glasfront,
erkannte. Sie trug denselben Mantel wie am Seeufer, sie
hatte die Haare gekämmt, sie trug weder eine Tasche
noch sonst ein anderes Accessoire, sie hatte die Hände
in die Seitentaschen des Mantels gesteckt und ging, jetzt
viel langsamer, ja beinahe schlendernd, die kleine Gasse
zur Limmat hinunter. Zahlen, bitte!, sofort zahlen!, rief
ich, eindeutig zu laut, da ich mich aber nicht mehr gedulden konnte, zählte ich den Betrag ab, legte ihn neben

mein Glas, gab der Kellnerin ein Zeichen und lief hinaus. Mein Gott!, wie es mich nach draußen zog, wie ich keinen Moment zögerte, und das alles nur, weil sie allein war, ja, allein, ganz allein!, mit einem kurzen Auftritt hatte sie all meine Befürchtungen und meine lächerliche Eifersucht zum Schweigen gebracht.

Sie ging den Weg an der Limmat entlang zurück, hielt sich aber an der Quaibrücke plötzlich nach rechts, wohin wollte sie? …, was sage ich?, was tue ich so, als ob es mir nicht vom ersten Moment ihres Aufbruchs aus dem Hotel klar gewesen wäre? Natürlich, sie ging hinüber zur *Tonhalle*, sie hatte eine Karte für ein Konzert, ich hatte den Namen des Pianisten doch genau im Kopf, der an diesem Abend mit vier Mozart-Sonaten auf dem mir nur zu gut bekannten Podium erschien, in gewissem Sinn war dieser Mann ja ein Konkurrent, ich hätte ihn aber nicht so bezeichnet, denn ich verstand das Klavierspiel nicht als ein Konkurrenz-Unternehmen, an so etwas dachten Agenturen und Konzertveranstalter, die einem dann später meldeten, wie viele Besucher man selbst und wie viele ein anderer Pianist angelockt hatte.

Ich ging die wenigen Schritte hinüber zu dem alten Gebäude der *Tonhalle* noch hinter ihr her, ich schaute zu, wie sie in das Foyer mit seinen roten, schweren Säulen und der unvermeidlichen Bahnhofsuhr in der Mitte der Säulenbögen trat, dann blickte ich auf das große Plakat, das den Zyklus mit allen Mozart-Sonaten, die in den nächsten Wochen und Monaten von sechs verschiedenen Pianisten gespielt wurden, ankündigte. Ich flüsterte mir die Sonatenfolge des heutigen Abends vor, dann aber ging mein Blick noch etwas weiter nach unten. Dort unten stand mein Name, in kaum einer Woche gab ich im Konzertsaal der *Tonhalle* einen Klavierabend mit Mozart-Sonaten.

2

OHNE AN eine andere Möglichkeit, den Abend zu verbringen, überhaupt nur zu denken, war ich danach sofort zurück ins Hotel und auf mein Zimmer gegangen. Ich machte es mir bequem und legte mich dann eine Weile aufs Bett, mit offenen Augen starrte ich gegen die Decke, als könnte ich so all die Szenen und Bilder einfangen und ordnen, die mich seit wenigen Stunden bedrängten. Ich dachte an das sonst leere, nur mit dem schwarzen Flügel geschmückte Podium des Konzertsaals, an die großen Kronleuchter an seiner Decke, an die ringsum verlaufenden Galerien und die rot bezogenen Stuhlreihen unten im Parkett – trotz seiner Größe war es ein intimer Saal, auf dessen Podium man sich nie verloren, sondern aufgehoben fühlte, in jederzeit spürbarem Kontakt mit den Zuhörern, die man im abgedunkelten Goldlicht seiner Konzertbeleuchtung wie einen erstarrten, auf der Stelle treibenden Schwarm kleiner, hier und da aufblitzender Fische wahrnahm, ein diffuses Heer von blinkendem Metall, Silber und Gold, nach Luft schnappend, sich räuspernd, mit angehaltenem Atem, gespannt lauernd und lauschend. Ob Judith wußte, daß ich der nächste war, der dieses Podium betreten würde? Ob sie sich bereits eine Karte besorgt hatte, um mich vielleicht sogar zu sehen und zu hören? Sicher, ja, ganz gewiß hatte sie meinen Namen bemerkt, sie war so rege und in ihrer Wahrnehmung blitzschnell, daß ihr so etwas nicht entgangen sein konnte. Und wie weiter? Was wäre, wenn sie mich nach dem Konzert in der Garderobe aufsuchte wie so viele Zuhörer, die noch ein Wort sagen, Blumen überreichen oder ein Autogramm auf einer CD haben wollten? Plötzlich stünde sie vielleicht vor mir, sie würde mich kurz umarmen und darauf warten, daß ich sie näher an mich heranzöge, ganz selbstverständlich, so, wie es uns bei unseren Treffen zur Gewohnheit geworden war.

Ich griff nach dem MP3-Player, der auf meinem Nachttisch lag, ich drückte die Play-Taste und streifte mir die Kopfhörer über, ich schloß die Augen und hörte hinein in die Sonaten Scarlattis, die zu meinen Lieblingsstücken gehören. Es sind kurze, kaum länger als fünf Minuten dauernde Stücke, die Domenico Scarlatti im frühen achtzehnten Jahrhundert am Hof von Madrid komponiert hat, angeblich gibt es genau fünfhundertfünfundfünfzig davon. Scarlatti hat all diese für das Cembalo geschriebenen Stücke nicht veröffentlicht, sondern wohl nur für sich und den Cembalounterricht, den er Kindern des Hofes erteilte, geschrieben, genau diese Zurückhaltung aber merkt man den Stücken auch an, denn vor allem auf dem Klavier wirken sie heutzutage wie ein ins Abseits gesäuseltes Sprechen, wie ein Geflüster oder eine Heimlichkeit, ja wie ein Sinnieren eines schon in die Jahre gekommenen Mannes, der sich in sehr späten Abendstunden seinen Phantasien überläßt. Ich selbst habe diese geradezu unheimlichen und mir nicht ganz geheuren Stücke vor Publikum noch niemals gespielt. Seit Vladimir Horowitz sie dann und wann an den Anfang seiner Konzertprogramme gesetzt hat, sind sie zu Geheimtips geworden, genau das aber ließ mich zögern, sie öffentlich vorzutragen, vor allem aber hat mich zurückschrecken lassen, daß ein so manieristischer Pianist wie Ivo Pogorelich einige von ihnen dann mit großem Pomp und wahrscheinlich auch noch in den exquisitesten Schlössern an der Loire eingespielt hat. Mit einigen Pianisten möchte ich nicht verglichen oder in Zusammenhang gebracht werden, Ivo Pogorelich ist so ein Fall, es ist ein Typ, den man Klavier spielen *sieht* und nicht *hört*, so exakt sitzt jede Haarwelle und so penetrant dehnt und verlangsamt er die wirkungsvollsten Passagen.

Ich ließ mich eine Weile ins Abseits dieser Musik treiben, jedes Mal spüre ich förmlich, wie sie den Raum um einen herum einschwärzt und dann verdunkelt, die Gegenstände treten langsam zurück, es gibt nur noch den leeren Raum und diesen feinen, mal dahinperlenden, mal stehenbleibenden, die Stille ausmessenden Klang. Ich lauschte, ich lag einige Zeit unbeweglich auf meinem Bett und richtete mich erst wieder auf, als die Sonaten verklungen waren. Sofort war die Erinnerung an den Nachmittag wieder da, ich konnte meine Unruhe vor mir nicht mehr verheimlichen, wie idiotisch, dachte ich, daß wir in zwei verschiedenen Hotels übernachten, es wäre so einfach, wenn sie jetzt hier, neben mir, läge, gewiß würde sie etwas lesen und gewiß würde sie fragen, was hörst Du gerade?, erzähl mir etwas über die Stücke, die Du gerade hörst, bitte, erzähl! Ich spürte, wie mir die Erinnerung zusetzte, ich wollte sofort etwas tun, irgend etwas, bloß nicht weiter in Erinnerungen schwelgen, bloß das nicht!

Und so ließ ich mir die Nummer ihres Hotels geben und rief dann bei der Rezeption an, ich nannte ihren Mädchennamen und erkundigte mich scheinheilig, ob sie sich im Hotel aufhalte, nein, war die Antwort, Frau Selow ist am frühen Abend ausgegangen, es war eine Antwort, die mich im ersten Moment beflügelte, bestätigte sie mir doch, daß Judith noch immer ihren Mädchennamen führte, verheiratet war sie also wohl nicht, was für eine Erleichterung! Kaum hatte ich das gedacht, rief ich mich jedoch auch schon wieder zur Raison, was ging es mich denn an, ob sie verheiratet war oder nicht, was zauberte ich mir da bloß wieder im Kopf zusammen? Offensichtlich gab ich mich untergründig lauernden, dunklen Phantasien hin, dabei hatte ich doch in meiner Krankheitszeit gelernt, wie man gerade solche Phantasien bekämpfte und ausschaltete. Einen Fehler aber hatte ich schon dadurch begangen, daß ich nach ihrem Abreisetag gefragt hatte, dadurch nämlich hatte ich erfahren, daß es keinen exakten Abreisetag gab und deshalb zu vermuten war, daß sie noch eine Weile bleiben werde. Gerade die sehr plötzlich sich eröffnende Aussicht, in mehr oder minder großer Nähe zu ihr einige Tage in Zürich zu verbringen, hatte mich aber derart unruhig gemacht, daß mir das Zimmer zu eng geworden war und ich es sofort verlassen mußte. Ich hatte alles stehen und liegen gelassen, nur den Mantel übergestreift und wie in großer Eile die Zimmertür abgeschlossen, im Aufzug war es dann aber geschehen, denn bei einem kurzen, unvorsichtigen Blick in den Spiegel hatte ich plötzlich ihre Abwesenheit wie einen leiblichen Schmerz empfunden, ja, ich hatte mich ein wenig zusammengekrümmt, wie ein Verletzter oder Verwundeter. Hier, in diesem engen Aufzug, hätten sich unsere Körper sofort aneinandergelehnt und still verharrt, bis sich die Aufzugtür wieder geöffnet hätte, denn in solchen Situationen hatten unsere Körper ganz von allein die Nähe des andern gesucht. Mein Gott!, dachte ich, jetzt ist es passiert, jetzt beginnst Du, Dich wieder nach ihr zu sehnen, Du erträgst das Alleinsein nicht mehr, von nun an wirst Du alles daransetzen, wieder in ihrer Nähe zu sein!

Als ich den Aufzug verließ, bemerkte ich, daß ich mich mit der Rechten im unteren Bereich des linken Arms kratzte, dort hatte es zu jucken begonnen, das alles wunderte mich aber nicht einmal, nein, ich rechnete es vielmehr zu den Symptomen der wieder einsetzenden Annäherung. Am besten war es, sich abzulenken und den Körper zu beschäftigen, richtig, ich hatte seit den Morgenstunden nichts mehr gegessen, wenigstens eine Kleinigkeit wäre doch jetzt in der Nacht, nach so vielen Stunden, gar nicht schlecht. Langsam ging ich an der Oper vorbei Richtung Bellevue-Platz, ein Restaurant aufzusuchen kam jedoch nicht in Frage, ich wollte nicht allein an einem Tisch Platz nehmen und durch dieses Alleinsein wieder in heftige Grübeleien gestürzt werden, dabei hatte ich doch in den letzten Jahren fast täglich mit größtem Genuß und einer kindlich-großen Freude allein gegessen und diese Mahlzeiten sogar zu einem Ritual mit lauter lange erprobten und durchdachten Regeln gemacht.

Als ich den Platz erreichte, erkannte ich einen schmalen, zum Teil überdachten Grillstand, der in einer Häuserlücke untergebracht war, diesen Grillstand kannte ich, ja, genau, hier gab es diese unvergleichlichen Bratwürste, wie hießen sie doch gleich, diese leicht gedrungenen Würste mit einer hellen, porenlosen, milchig wirkenden Füllung von Kalb- und Schweinefleisch. Wegen ihres intensiven und für Bratwürste ganz raren Eigengeschmacks aß man sie niemals mit Senf, sondern mit dunkelbraunen, knusprigen Bürli, die ebenfalls eine Köstlichkeit waren und in nichts mehr an das erinnerten, was man im Deutschen als Brötchen bezeichnete. Bürli nämlich waren innen flockig, porös und weich wie gewisse Pilz-Schwämme, außen aber überzogen von einer hier und da aufgeplatzten Kruste mit einer ganz unmerklich dunklen Lasur. Eine solche Bratwurst und ein solches Bürli, dazu ein kaltes Glas Bier – das war genau richtig, ich konnte meine Bestellung mit hinüber an einen der kreisrunden Tische unter einen Schirm nehmen und alles im Freien verzehren.

Als ich dann aber dort auf einem der schlichten Plastikstühle Platz und den ersten Schluck Bier zu mir genommen hatte, brachen auch hier die Erinnerungen sich wieder Bahn. Es war, als beginne immer wieder ein innerer Film zu laufen, ich konnte mich dagegen nicht wehren, denn selbst wenn ich mit Gewalt versuchte, die Bildfolge abzubrechen, begann sie kurze Zeit später erneut mit anderen Szenen. In Zürich waren wir bereits wenige Wochen nach unserem Kennenlernen gewesen, die Fahrt hierher war unsere erste gemeinsame Reise und damit ein Versuch, ob es uns gelingen würde, tagelang und ohne Unterbrechung zusammenzusein. Auf solchen Reisen war uns dieses Zusammensein dann immer wieder ohne jede Irritation gelungen, während wir in Frankfurt, unserem damaligen Wohnort, keine gemeinsame Wohnung bezogen, sondern weiter allein gelebt hatten.

Zürich also – ja genau, plötzlich sah ich uns in der hohen Haupthalle des Kopfbahnhofs mit seinen großen Bogenfenstern ankommen, wie immer reagierst Du sofort auf den Eindruck, den ein Gebäude hinterläßt, Du bleibst stehen und hältst mich am Arm fest und machst mich auf etwas aufmerksam, etwa auf das Blau, was ist das?, fragst Du, überall dieses Blau, schaust Du, der halbe Bahnhof ist in diesen dunklen Blauton getaucht, es hat, ich weiß noch nicht warum, etwas Französisches, ja, es ist ein französisches Blau, das Blau auf französischen Zigaretten-Schachteln, ein *Gauloises*- oder *Boyards-Blau*, nicht wahr? Und, schau, die Straßenbahnen da draußen, dasselbe Blau, vielleicht ergießt es sich vom Bahnhof aus in die Stadt und fließt dann durch ihre Kanäle und Straßen, komm, laß uns gleich losgehen, vielleicht ist Zürich die blaue Stadt, denn so sieht es aus. Ich selbst hatte das alles natürlich auch wahrgenommen, aber eher am Rande, ich reagierte auf visuelle Eindrücke nicht derart heftig wie sie, das Visuelle trat in meinem Fall zunächst einmal zurück, ja die genaue und intensive Beobachtung stand mir anfänglich sogar im Weg, weil ich mich in fremden Städten zunächst fallen und treiben ließ, um tief drinnen in mir jene Musik zu finden, die den neuen Eindrücken entsprach. So konnte es vorkommen, daß ich mich in der Fremde tagelang ziellos umherbewegte, bis sich langsam so etwas wie eine Musik herstellte, zunächst waren es nur Atmosphären und Klänge, dann aber konturierte sich alles und ich wußte zum Beispiel, daß ich jetzt ganz bestimmte Stücke hören oder unbedingt spielen wollte, im Falle Zürichs waren es zunächst Präludien und Fugen Schostakowitschs gewesen.

Ich nahm einen weiteren Schluck Bier, ich trank und aß, war aber vollkommen abwesend und blickte starr auf den runden Tisch. Ich sah Judith jetzt deutlich, wie sie voller Tatendrang den weiten Mantel vorn aufknöpfte, nach meiner Hand faßte, und wie wir zusammen dann ohne jedes Gepäck den Bahnhof verließen, die Bahnhofstraße aber nicht weiter beachteten, sondern am Ufer der Limmat entlang in die Stadt gingen, bis wir die Treppen zu einem kleinen Anstieg erreichten und schließlich auf dem Hochplateau des Lindenhofes, direkt über dem Fluß und hoch über den Dächern der Altstadt, den ersten Halt machten. Der Lindenhof erinnert Dich sofort wieder an Frankreich, es ist ein französischer Platz, sagst Du, durch und durch französisch ist das, schau doch, die Schach- und Boule-Spieler dort drüben, und die eng stehenden, schützenden Bäume mit dem beruhigenden Kies-Bett darunter, das hier ist eine französische Insel, laß uns doch eine Weile hierbleiben. Wir blieben, wir setzten uns auf eine Bank und schon nach kurzer Zeit strecktest Du Dich, wie Du es so gern tatst, ganz auf dieser Bank aus, den Kopf auf meinen Schoß gelehnt, die Augen geschlossen. Ich habe Dir etwas vorgelesen, was, weiß ich nicht mehr, ich hatte damals ja immer ein oder zwei Bücher dabei, es waren Zeiten, in denen wir uns täglich etwas vorlasen, ohne danach je länger darüber zu sprechen, es war so angenehm, die Stimme des anderen eine Weile ohne Unterbrechung zu hören, sich an ihren Singsang zu gewöhnen und sich zu wundern, wie dieser Singsang Anna Karenina oder den Grünen Heinrich gebar, solche Gestalten waren einem dann den ganzen Tag über sehr nah, denn man erinnerte sich genau an die Lesung, Satz für Satz war einem gegenwärtig und die Sätze lebten und schillerten dann in der fremden Umgebung und Anna Karenina und der Grüne Heinrich hielten sich mit all den Dingen und Räumen, die sie umgaben, ebenfalls darin auf. Meist war es der Hunger, der uns irgendwann aufstehen und wieder losziehen ließ, damals haben wir den Lindenhof verlassen und sind hinunter zum See gegangen und haben dort, mein Gott, ist das wahr?, in genau diesem Imbiß unsere erste Zürcher Mahlzeit zu uns genommen. Ja, genau, es könnte stimmen, schau mal, hast Du gesagt, *St. Galler Bratwürste* und *Bürli*, die Worte merke ich mir. Später, nach unserer Mahlzeit, stehst Du auf und sagst plötzlich, ich weiß es ebenfalls noch ganz genau, ils ont mangé, ensuite ils sont partis, Dein Französisch klingt ganz selbstverständlich, hell, klar, wie aus dem Lehrbuch, und ein älterer Mann am Nebentisch schaut auf und lächelt und sagt zu Dir: si hänn gässe, denn sinn si gange. Von diesem Schwyzerdütsch bist Du sofort so begeistert, daß wir uns später in einer Buchhandlung auf die Suche nach einem kleinen Wörterbuch machen, ich suche ein Wörterbuch *Schwyzerdütsch-Französisch* sagst Du zu meinem Erstaunen, und dann sitzen wir später unten am Fluß und Du liest mir vor: un orage se prépare … es isch e Gwitter im Aazug.

Ich trank das Glas leer und stand auf, der Wind rüttelte an der Dachplane des Imbisses, komm!, sagte ich da plötzlich und zu allem Überfluß sagte ich es sogar recht laut, komm!, sagte ich, und die anderen Gäste in meiner Reichweite starrten mich an, so daß ich die Peinlichkeit spürte. Ich suche meinen Hund!, sagte ich zur Entschuldigung, haben Sie vielleicht gesehen, wohin der Teufelskerl wieder verschwunden ist? Niemand antwortete mir, nur eine einzige Person schüttelte zumindest den Kopf, wahrscheinlich hielten sie mich für einen Provokateur oder für einen armen Irren, der laute Selbstgespräche führte und die Nacht auf einer Parkbank in der Nähe des Sees verbringen würde. Enchanté …, seer erfreut, sagte ich noch, um sie in ihrem Glauben zu bestärken, dann machte ich mich auf den Weg, die wenigen Meter über den Platz, hinüber zu den Parkbänken am See. Niemand war hier noch unterwegs, der See lag jetzt da wie eine schwarze Behausung, in der die letzten Lichter kurz nacheinander erstarben, ich ging noch die paar Schritte bis zu der Stelle, von der aus ich sie am Nachmittag gesehen hatte. Ich liebe Dich, sagte ich, wie zur Probe, ich habe Dich die ganzen achtzehn Jahre weiter und weiter geliebt.

3

DIE NACHT war sehr unruhig, denn ich erwachte immer wieder aus einem leichten, diffus bleibenden Schlaf, ich stand auf, öffnete ein Fenster und lag dann beinahe unbekleidet auf den weichen Decken, während ein warmer Luftzug nach dem andern in das Zimmer hineinfuhr und die dünnen Gardinen bewegte und wölbte, daß sie manchmal sogar bis zu mir ans Bett wehten. Ich versuchte, meine Gedanken mit aller Gewalt in eine andere Richtung zu lenken, ich klammerte mich an die leichte Vorfreude, die mich in der Nacht vor der ersten Konzertprobe an einem neuen Ort meist befällt, ja, durchaus, auch diesmal war diese Vorfreude da, es war die Vorfreude darauf, den großen Konzertsaal am nächsten Morgen allein betreten und ihn dann mit jedem Akkord langsam in Besitz nehmen zu können. Die Weite und Leere des Podiums macht vielen meiner Kollegen Angst, mich aber hat sie von meinen ersten öffentlichen Auftritten an eher beflügelt, ich genieße es, mit dem schwarzen Instrumenten-Tier dort wie in einer Manege zu sitzen, gerade das Gefühl, vollkommen abgeschieden zu sein und doch gleichzeitig unter gespannter Beobachtung zu stehen, läßt mich zu meinem eigenen Spiel und der höchsten Konzentration finden. Wie aber würden die Proben und vielleicht sogar das Konzert verlaufen, wenn ich all die in Bewegung geratenen Bilder nicht unter Kontrolle hatte? Ich schloß das Fenster wieder, streifte die Gardinen zurück und schaute hinunter auf die stille Straße, ich trank ein Glas Wasser und wenig später ein zweites, ich füllte den ganzen Raum mit der Geheimnis-Musik Scarlattis, indem ich zwei kleine Lautsprecher an den MP3-Player anschloß und sie an den beiden Enden des Schreibtischs postierte, ich versuchte, etwas zu lesen und las schließlich sogar laut, doch erst als draußen die ersten Helligkeitsstreifen hinter den dunklen Dachfeldern auftauchten, schlief ich plötzlich ein.

Zum Frühstück am nächsten Morgen erschien ich viel später als sonst. Der große Raum, der kurz nach Elf in einen Restaurant-Raum verwandelt wird, war beinahe leer, nur ein älteres Ehepaar konnte sich noch nicht von dem mit bunten Herbstblättern drapierten Büffet trennen und wanderte mit leeren Tellern in der Hand unschlüssig an all den belegten Platten, Brotkörben und Karaffen entlang. Ein Croissant, einen Milchkaffee, etwas Obst – mehr brauche ich am Morgen nicht, die Manie, reichhaltig und ausdauernd zu frühstücken, habe ich nie begriffen, vor allem aber mag ich die penetrante Langsamkeit und Schwere nicht, die sich nach solchen Ritualen der Zeitdehnung meistens einstellt. Gerade der Schwung des Morgens ist aber doch kostbar, was gibt es Schöneres, als mit einem solchen Schwung hinaus auf die morgendliche Straße zu eilen, fiebrig vor Aufbruchs-Lust? Ein starker Milchkaffee ist gerade richtig, um dieses Fieber anzustacheln, ein Croissant mit einer leichten Butterlasur ersetzt den ganzen Firlefanz von bestrichenen Brötchen und Broten, und die kleine Portion Weintrauben, Birnen und Äpfel ist wie ein buntes, verspieltes Zitat der Früchte des Paradieses, mit denen man im Grunde seine ganze Ernährung bestreiten könnte. Am schönsten ist danach aber der Genuß des ersten Zigarillos draußen im Freien, die Berührung der leicht bitteren Tabakblätter mit Lippen und Zunge, das Aufleuchten der Glut und der aufsteigende, sich davonkräuselnde Rauch, von dem die Nase nur eine sehr kleine Brise abbekommt – erst dieser herbe Genuß bringt das Frühstück zum Abschluß und ist so etwas wie ein letztes Signal, sich nun endgültig, mit Haut und Haar, in den Tag zu stürzen.

Ich hatte die weiße Schale mit Milchkaffee gerade geleert und wollte rasch hinaus ins Freie, als ich wegen eines Telefonats an die Rezeption gerufen wurde. Hätte mich der Anruf in meinem Zimmer erreicht, wäre ich vor dem aufdringlichen Klingelton sofort geflohen, vor den Augen des Hotelpersonals aber wollte ich mich nicht verleugnen lassen und nahm deshalb etwas unwillig das schlanke Gerät in die Hand.

– Guten Morgen, mein Lieber, wie geht es Dir?

Ich hörte sofort, daß es Tanja war, Tanja Gerke, meine Agentin, ich ging mit dem Telefon einige Schritte beiseite zu einem niedrigen Tisch mit zwei Stühlen, ich nahm Platz und schloß für einen Moment die Augen. Ich stellte mir vor, daß Tanja sich aus Köln meldete, sicher saß sie an dem langen Eichentisch in ihrem Dachstudio, sie hatte ihre Unterlagen auf der ganzen Fläche ausgebreitet und nahm sich jetzt einen ihrer Schützlinge nach dem anderen vor.

– Guten Morgen, Tanja, ich bin gerade im Aufbruch.

Ich sah sie genau, wie sie jetzt mit ihrem Bleistift ein großes, weißes Blatt mit winzigen Kreisen und Strichen bedeckte, sie saß vornübergebeugt am Tisch und fuhr sich nachlässig immer wieder mit der Rechten durchs Haar, den ganzen Vormittag trank sie Tee, unermüdlich, ohne sonst etwas zu sich zu nehmen. Ich lauschte ihrer Stimme, die nun um mich zu werben begann, fast immer schlägt sie in Gesprächen mit mir diesen unglaublich samtweichen und dunklen Ton an, sie spricht gedämpft und leise, als befinde sie sich in einem Versteck, sie flüstert mir ihre Sätze zu, es ist fast genau das, was man mit einem altmodischen Wort als »Umgarnung« bezeichnen könnte. Meist ruft sie mich, kaum daß ich in einer Stadt eingetroffen bin, an, sie tut oft so, als sorge sie sich wahrhaftig um mich und als sei sie geradezu leidenschaftlich daran interessiert, daß es mir gutgehe. Manchmal meldet sie dann auch ihren Besuch an, sie nimmt sich zwei oder drei Tage Zeit und quartiert sich in demselben Hotel ein, das sie auch für mich reserviert hat. Sie kommt, um wenigstens bei einer meiner Proben anwesend zu sein, sie setzt sich in die Mitte des leeren Konzertsaals und hört mir zu, ich möchte Dich für mich allein, ganz für mich allein …, Sätze solchen Kalibers sagt sie sehr leise und mit einer gewissen Feierlichkeit, als wäre ich ein naiver Jüngling, den man mit diesem Gesäusel noch betören kann.

Bis heute weiß ich nicht genau, was ich davon halten soll, ich verstehe mich mit Tanja sehr gut, sie trifft sich alle paar Wochen mit mir und kümmert sich sonst sehr unauffällig und vollkommen diskret um all meine Belange, verliert ihre finanziellen Interessen dabei aber keine einzige Sekunde aus den Augen. Das emotionale Spiel, das sie mit mir treibt, ist aber trotz dieser unverkennbaren Interessen nicht ohne Reiz, im Grunde wissen wir beide, was wir am anderen haben, Du bist mein bestes Pferd im Stall, sagt sie in barocken Momenten, während ich ihr dann und wann zuflüstere, daß alle ihre anderen Schützlinge mich wahrscheinlich um die besondere Nähe zu ihr beneiden. Diese Nähe, ja, genau, diese Nähe ist es, die wir bei unseren Begegnungen und Telefonaten unaufhörlich ausloten und umkreisen, seit drei, vier Jahren kommt es sogar vor, daß wir uns nach einem gemeinsam verbrachten Abend für einige nächtliche Stunden im Zimmer des andern wiederfinden, das wir im frühen Morgengrauen jedoch wieder verlassen, um am Frühstückstisch auf jeden Fall allein zu erscheinen. Gerade diese flüchtigen nächtlichen Zusammenkünfte sind ein gutes Beispiel für das Spezielle unserer Beziehung, wir sehen uns, wir verbringen die halbe Nacht miteinander, und wir sitzen dann, ohne ein einziges Wort über diese Nachtstunden zu verlieren, am Frühstückstisch wie zwei befreundete Geschäftspartner einander gegenüber.

Unsere Beziehung ist also eine Beziehung voller gegenseitiger, durchaus tiefer Sympathie, gehalten von einem harten, pragmatischen Kern, den wir nie aus den Augen verlieren. Vielleicht macht gerade diese ungewöhnliche Kombination unser Zusammensein derart anregend und stimulierend, so daß wir keinen Grund sehen, es zu ändern oder darüber lange zu sprechen. Es ist ja nicht Liebe, die uns zusammenführt, nein, wir lieben höchstens das stabile und schöne Bild, das wir abgeben, wenn wir Arm in Arm durch eine Stadt schlendern oder uns zum Essen in einem italienischen Restaurant treffen. All unsere gemeinsamen Mittag- oder Abendessen finden in italienischen Restaurants statt, auch das hat sich so ergeben und ist dann zu einem festen Ritual geworden, Tanja erkundigt sich nach einer guten Adresse und läßt ihre Beziehungen spielen, und schon finden wir uns am besten Tisch eines Restaurants wieder und werden wie Stammgäste bedient. Natürlich schmeichelt mir so etwas, ich gebe es zu, natürlich gleicht die Behandlung, die ich durch Tanja erfahre, einer großen Verwöhnung. Alles irgendwie Widrige bis hin zu den Finanzen nimmt sie mir, ohne daß wir darüber viele Worte wechseln, seit Jahren ab, genau das ist andererseits die Voraussetzung dafür, daß wir bei unseren Treffen die Rituale eines sorglosen, glücklichen Paars zelebrieren, das auf souveräne Weise miteinander umgeht und die Geheimnisse des anderen respektiert oder sie in der Unterhaltung höchstens einmal kurz streift.

Zu diesen uns beiden bekannten Geheimnissen gehört, daß ich nicht nur Tanja, sondern ab und zu auch eine ihrer vielen Freundinnen treffe. Heute könnte ich nicht mehr genau sagen, wie sich diese Zusammenkünfte ergeben haben, es begann einfach irgendwann damit, daß Tanja mir von einer guten Bekannten erzählte, die daran interessiert sei, mich nach einem Konzert zu treffen und mit mir noch ein Glas zu trinken. »Sie ist an Dir interessiert«, genau so hatte Tanja gesagt, und schon bei der ersten dieser Zusammenkünfte hatte ich begriffen, worum es ging. Tanjas Freundinnen sind meist allein lebende, häufig auch geschiedene, ja nicht selten sogar mehrfach geschiedene Frauen mit einem beruflichen oder privaten starken Interesse an Musik, Kunst oder Literatur, sie verbringen ihre Freizeit damit, »interessante« Menschen zu treffen, sich hingebungsvoll mit ihnen zu unterhalten und so ein kleines, lebendiges Netz an Kontakten aufzubauen, dessen Pflege sie unaufhörlich beschäftigt. Zur Besonderheit dieser Netze gehört eine oft große räumliche Distanz der einzelnen Mitglieder, man trifft sich alle paar Wochen an jeweils wechselnden Orten, besucht Ausstellungen und Konzerte, telefoniert in regelmäßigen Abständen miteinander und hält so den Freundeskreis aufrecht. Da ich selbst nicht gern telefoniere, habe ich mir angewöhnt, in diesen Kreisen als fleißiger Schreiber zu fungieren, ich schreibe Postkarten und Briefe, und ich schreibe alles mit der Hand, in einer, wie viele behaupten, hinreißenden, ja beinahe artifiziellen Handschrift, die meine Erzählungen, Geschichten und Nachrichten auch graphisch zu einem Ereignis macht.

So sehr mir all diese Begegnungen und Verbindungen gefallen, manchmal habe ich Tanja im Verdacht, daß sie mir ihre Bekannten und Freundinnen regelrecht zuführt und dadurch die Oberaufsicht über mein Leben behält. Natürlich opponiert gelegentlich alles in mir dagegen, derart eingebunden zu sein, diese Momente sind aber eher selten, denn meine in den frühsten Jahren noch so labile und auf die winzigsten psychischen Schwankungen reagierende Pianisten-Existenz hat durch Tanjas Planungen mit den Jahren eine Struktur und eine feste Basis erhalten, die mein Spiel reifer und besser gemacht hat. Die vielen Konzerte, die langen Tourneen – sie bringen eine große Einsamkeit mit sich, einen ewigen, ungesunden Selbstbezug, ein dauerndes Umkreisen der eigenen Stimmungen. In den ersten Jahren meiner öffentlichen Auftritte kam ich damit noch nicht zurecht, ich probte zuviel oder zuwenig, die Zeit zerlief mir, ich hastete von Konzert zu Konzert. All das änderte sich erst, als ich lernte, meine Aufenthalte in den unterschiedlichsten Städten und Regionen zu gestalten und Freundschaften einzugehen, von denen die meisten inzwischen seit vielen Jahren Bestand haben. Auch diese Freundschaften verlaufen oft nicht ohne gemeinsam verbrachte Nächte, solche intimeren Begegnungen unterliegen aber keinem Zwang, sie ergeben sich oder sie ergeben sich eben nicht. In unseren Gesprächen spielt Tanja manchmal auf solche Treffen an, anscheinend will sie mir zeigen, daß sie davon weiß, ich selbst gehe darauf aber nicht ein, ich tue, als überhörte ich, was sie da so diskret andeutet, und wechsle einfach das Thema. Insgesamt, das gebe ich zu, fühle ich mich in diesem großen Reigen auch viel zu sehr aufgehoben, als daß nörglerische Kommentare oder gar Kritik angebracht wären, mit Tanjas Hilfe habe ich vielmehr genau das gefunden, was ein Mann meines Alters und meiner Tätigkeit lebensnotwendig braucht: Einen eigenen Lebens-Rhythmus und einen Kreis von Freundinnen und Freunden, der an diesen, letztlich auf einem Einzelgängerdasein gründenden Rhythmus angeschlossen ist und ihn, wann immer ich das möchte, belebt.

Ich schaute auf die Uhr, Tanja erklärte mir gerade, daß sie entweder morgen oder übermorgen nach Zürich komme, dann ging sie kurz die weiteren Stationen meiner Tournee in den nächsten Wochen durch, das Gespräch verlief wie unsere meisten Gespräche, sie plauderte und plante, während ich zu diesem Geplauder nur einige knappe, vor allem ironische Kommentare beisteuerte. Gleichzeitig spürte ich aber nur zu gut, daß etwas anders, ja ganz anders als sonst war. Ich konnte Tanja nicht erzählen, wen ich gestern durch Zufall gesehen hatte, ich konnte und wollte es nicht, und doch hatte ich ein starkes Verlangen danach, irgend jemandem ausführlich davon zu berichten. Tanja kam dafür aber nicht in Frage, schon die bloße Erwähnung dieser Geschichte hätte unsere gesamte, gut aufeinander abgestimmte Freundschaft aus dem Lot gebracht. Von den Einzelheiten meines Lebens mit Judith wußte außer meiner Mutter kein Mensch, dieses Leben lag weit zurück, und es hatte mit Emotionen zu tun, die ich in dieser Stärke und Gewalt nie wieder erlebt hatte und auch nicht wieder hatte erleben wollen. Seit ich mich von Judith getrennt hatte, hatte ich mich nicht mehr verliebt, schon bei der schwächsten Anbahnung eines solchen Empfindens hatte ich Reißaus genommen und die Flucht ergriffen, ja ich hatte sogar ein geradezu abnormes, hochempfindliches Frühwarnsystem entwickelt, um jeder Gefährdung dieser Art von vornherein zu entgehen.

Während ich Tanja weiter zuhörte, glaubte ich aber die ganze Zeit, daß man mir das gestrige Ereignis irgendwie anmerkte, ich versuchte, so ruhig und bestimmt wie immer zu sprechen, aber es kam mir so vor, als redete ich übertrieben munter, ja geradezu ausgelassen.

– Hey, es geht Dir richtig gut, stimmt's? hörte ich sie plötzlich fragen.

– Stimmt, sagte ich, ich freu mich auf Dein Kommen, und ich freu mich auf die erste Probe gleich in der Tonhalle.

– Mann Gottes, Johannes, ich rede zu lang, ich halte Dich auf, machen wir Schluß, ich melde mich, sobald ich weiß, wann ich in Zürich lande, in Ordnung?

– In Ordnung, meine Liebe, antwortete ich, wie immer machen wir es genauso, wie Du es vorschlägst.

Ich gab das Telefon an der Rezeption zurück und ging hinaus ins Freie, am Ufer des Sees steckte ich mir eines der kubanischen Zigarillos an und machte mich auf den Weg zur Probe. Was redest Du da? dachte ich, freust Du Dich wirklich auf Tanjas Kommen oder freust Du Dich nicht?

Du freust Dich, weil ihr Kommen zu den Ordnungen Deines Lebens gehört und Du diese Ordnungen brauchst, um spielen und existieren zu können. Schon das bloße Telefonieren gerade hat diese Ordnungen stabilisiert, Du spürst es genau, Du fühlst Dich etwas befreit, der merkwürdige Druck und die Beklemmung, die seit gestern nachmittag auf Dir lasten, sind um einiges leichter geworden. Und doch mußt Du zugeben, daß etwas Dunkles in Dir rumort, das sich mit Tanja und ihrem Kommen nicht vereinbaren läßt. Etwas in Dir verlangt danach, die Geschichte von gestern fortzusetzen, und etwas in Dir sehnt sich danach, das allein und genau so zu tun, daß niemand Dir dabei in die Quere kommt. Tanja könnte Dir in die Quere kommen, Tanja ist geradezu prädestiniert dafür, Dir in die Quere zu kommen … Ich ging immer schneller, ich hörte, daß ich kurz auflachte, und blickte mich beinahe erschrocken um, um mich rasch zu vergewissern, daß niemand dieses vielleicht als seltsam zu empfindende Lachen bemerkt hatte. Ich wollte das eine unbedingt tun und das andere doch nicht lassen – auf diesen Zwiespalt lief alles hinaus, vorläufig war es aber gewiß am besten, sich einfach an das Nächstbeste zu halten und sich nicht zu viele Gedanken zu machen. Auf dem Konzertpodium der Tonhalle wartete ein schwarzer Flügel auf mich, diese starke Begegnung stand mir bevor, alle anderen Überlegungen waren demgegenüber jetzt sekundär. Vor dem Eingang der Tonhalle blieb ich einen Moment stehen. Ich holte tief Luft und warf den noch glühenden Stumpf des Zigarillos beiseite, mit dem ersten Satz der Sonate in Es-Dur, Köchelverzeichnis 282, würde ich beginnen, genau damit, und mit nichts anderem sonst.

4

DER FLÜGEL stand etwas seitlich, so daß ich ihn mit einer einzigen Bewegung in die Mitte des Podiums rückte. Eine große Vase mit einem sehr auffälligen Blumenstrauß störte mich noch, ich schob sie ganz an den Rand der leeren Fläche, dann war alles gut, ich hatte das ganze weite Terrain für mich allein und saß genau in seinem Zentrum. Den mit schwarzem Leder bezogenen Klavierhocker schraubte ich etwas höher, am gestrigen Abend hatte Christian Zacharias auf genau diesem Hocker gesessen, Christian Zacharias, dessen Spiel ich seit Jahren verfolgte und mit meinem eigenen Spiel verglich. Vor kurzem hatte er wie viele andere Pianisten vor ihm den Fehler begangen, auch als Dirigent aufzutreten, ein Auftritt als Dirigent erscheint mir für einen Pianisten nur bei sehr wenigen Stücken und nur dann möglich, wenn er selbst spielend, vom Klavier aus, das Orchester dirigiert. Zacharias aber hatte der Eifer und die Beflissenheit des Dirigentendaseins gepackt, selbst Laien mußte auf den ersten Blick auffallen, daß er nicht für das Dirigieren geschaffen war, er selbst jedoch bemerkte das anscheinend nicht, im Gegenteil, er legte alles darauf an, nun auch als Volldirigent auf den besten Podien der Welt zu bestehen und Anerkennung zu finden. Nun gut, Christian Zacharias hatte mich nun nicht mehr zu interessieren, mich hatte überhaupt nichts mehr zu interessieren, nur auf den Anfang der Sonate in Es-Dur, Köchelverzeichnis 282, kam es jetzt an.

Ich hatte diese Sonate als Einstieg in meinen Klavierabend ausgewählt, weil sie einen sehr langsamen An-
fangssatz hat. Die meisten Zuhörer erwarten von einem
Mozart-Abend, daß alles mit einem hellen, strahlenden
und lebhaften Satz beginnt, sie sind voll von dieser Erwartung und erleben dann genau das Gegenteil: Eine fast
nächtliche Klang-Stille, ein ganz und gar ruhiges und
sehr rührendes Singen. Die unerwartet ruhige Stimmung
läßt sie kurz den Atem anhalten, wo bin ich?, ist das
Mozart?, was passiert hier denn gerade?, so etwas fragen
sie sich insgeheim, der sehr leise Beginn zwingt sie, ganz
genau hinzuhören, während die Musik sie tief in ihrem
Innern erreicht und dort abholt. Früher als sonst wird es
im Saal bei diesem Beginn sehr still, genau so soll es sein,
die Zuhörer sollen lauschen und sich rasch lösen von allem, was sie gerade noch gesagt, gedacht und gehört haben. Wie viele Jahrtausende hat es gebraucht, Menschen
dahin zu bringen, gemeinsam einen großen Saal zu betreten und sich bewegungslos, still, starren Blicks Musik
anzuhören! Lange Zeit hielt man so etwas gar nicht aus,
man plauderte, während die Musik spielte, oder man hielt
höchstens ein paar Minuten still, bis eine Nummer vorbei
war. Der Anfang von Köchel 282 macht dagegen vom ersten Ton an ernst: Hörst Du?, flüstert er, hör sehr genau
hin!, lass Dir nicht das Geringste entgehen!

Ich nahm auf dem Klavierhocker Platz und ging mit einigen prüfenden Akkord-Griffen auf der Tastatur spazieren, ich reckte mich auf, wartete noch einen Moment und
begann. Ich spielte kaum dreißig Sekunden, dann brach
ich ab, ich konnte nicht weiterspielen, es ging nicht, eine

beinahe panische Unruhe machte mir zu schaffen, es war eine Unruhe, die mit jedem Ton zunahm und sich in mich hineinbohrte, als sprächen die Töne und Klänge mit mir. Von den ersten Anschlägen an empfand ich es jedenfalls so, ja es war sogar noch schlimmer, denn es kam mir so vor, als hörte ich Judith sprechen, die mich auf unendlich rührende und zu Herzen gehende Weise darum bat, auf sie zu hören. So hör doch!, so hör mir doch endlich zu! …, ein solches Flüstern und Bitten ging von der Musik aus und wollte nicht aufhören: So laß doch!, so vergiß doch endlich, was da vor so vielen Jahren geschehen, es kann doch nicht sein, daß wir einander nicht mehr verstehen, wir haben uns doch immer so gut verstanden, mühelos, seit unseren ersten Tagen …

Mit einem Ruck stand ich auf, ich ging ganz nach vorn, an den Rand des Podiums, und sprang dann mit einem kurzen Satz hinunter zu den Zuhörer-Plätzen. Ich drehte mich nicht mehr um, sondern ging zwischen den zwei nächstbesten Stuhlreihen hindurch, ich wußte nicht genau, was da tat, ich handelte instinktiv, ich wollte von dem Instrument fort, ich wollte hier unten wieder zu einem beliebigen Zuhörer werden. Schließlich setzte ich mich einfach hin, ich legte den Kopf in den Nacken und schaute zu den schwach schimmernden Kronleuchtern auf, die man während der Proben eigens brennen ließ, um mir die Illusion des Konzertauftritts zu erhalten. Ich hatte die schmerzenden Bilder also doch nicht verdrängen können, die Musik hatte die Wahrheit zum Vorschein gebracht, damit hatte ich rechnen müssen, statt dessen war ich ahnungslos in die Falle gelaufen. Jetzt also war der merkwürdige, nie ganz zu tilgende Schmerz wieder da, er hatte mich wieder gepackt, ich bekam ihn zu spüren, deshalb hielt ich mich ja mit beiden Händen so krampfhaft an den Armlehnen rechts und links fest. Also los: Damals ..., was war damals geschehen?, was schlummerte da wie ein böses Gift in der Erinnerung?

Damals ..., verdammt, damals ...: – Ich hatte für einige Tage an einem Meisterkurs in Paris teilgenommen, es waren winterliche, sehr kalte Tage gewesen, wegen der Kälte, aber auch wegen der unangenehm aggressiven Stimmung unter den Kursteilnehmern hatte ich es in Paris nicht länger ausgehalten, ich hatte den Kurs einfach abgebrochen und war in der Nacht zurück nach Frankfurt gefahren. Eigentlich hatte ich in meine Wohnung gehen wollen, um dort auszuschlafen, ich hatte mich aber so unwohl und aufgewühlt gefühlt, daß ich nicht dorthin, sondern zu Judith gegangen war. Ich besaß einen Schlüssel, ich hatte versucht, rasch und lautlos hineinzuschlüpfen, doch die Tür war von innen verriegelt gewesen, wider Erwarten von innen verriegelt. Ich hatte kurz geklingelt und leise gegen die Türe geklopft, die starke Müdigkeit, der Hunger und meine große Enttäuschung über das Mißlingen des Kurses hatten mich nervös gemacht, im Normalfall hätte ich Judith schlafen lassen und mich auf den Weg in meine Wohnung gemacht. Ich pochte lauter und heftiger, doch es dauerte eine lange Weile, bis Judith erschien. Sie öffnete die Tür einen Spalt und schaute mich an: Du? Wo kommst Du her? Wieso bist Du nicht in Paris? Während sie mich so befragte, ließ sie mich vor der Tür stehen, ich verstand nicht, warum sie das tat, innerlich empörten mich ihre Distanz und ihr prüfender Blick, den ich von ihr gar nicht kannte. Ich lehnte mich mit einigem Nachdruck gegen die Tür und schob sie zurück, Johannes!, laß das, ich möchte allein sein, ich möchte ausschlafen, verstehst Du?, sie wurde immer heftiger, aber ich gab nicht nach, ich stemmte die Tür mit aller Kraft auf und zwängte mich hinein, ich ließ meinen Koffer fallen und ging weiter, hinüber ins Bad, als bemerkte ich ihren Widerstand nicht.

Als ich die Tür des Badezimmers hinter mir geschlossen hatte und den Wasserhahn gerade aufdrehen wollte, hörte ich es, es war ein Tuscheln und Zischeln wie von Tausenden kleiner Insekten, die sich in den Fugen und Rissen der Kacheln versteckten, ich hörte es überlaut, aber ich begriff nicht, was es war, ich hielt mich am Becken fest und erstarrte, ja, es war ein immer lauter anschwellendes Gewisper, ein Sturm von häßlichen, fiependen Lauten, die wie starke Wogen über mich herfielen, Moment! …, Moment! …, sie kamen gar nicht von hier, aus dem Bad, sie kamen von draußen, dort draußen, auf dem Flur wurde getuschelt, dort draußen tuschelte Judith mit einer fremden Person und erteilte ihr Anweisungen, etwas fiel polternd zu Boden und schlitterte dann eine kurze Strecke gegen die Tür, ich nahm das alles wahr und konnte mich doch nicht bewegen, die grausamen Momente endeten mit einem dumpfen Schlag, die Tür fiel ins Schloß, der Fremde hatte sich aus dem Staub gemacht, auf und davon!, deshalb also hatte Judith mich nicht einlassen wollen!

Ich habe keine genaue Erinnerung mehr daran, was danach geschah, ich weiß nur noch, daß ich das Bad sofort wieder verließ und in Judiths überhitztes, rotes Gesicht schaute. Sie sprach leise mit mir, sie versuchte, mich an der Hand zu nehmen, mein Anblick irritierte sie, plötzlich sprach sie tröstend und ruhig, als bedürfte ich des Mitleids, ich bedurfte keines Mitleids, nein, ich doch nicht, ich bedurfte überhaupt niemandes Mitleid oder Hilfe, denn ich wußte genau, was ich nun zu tun hatte, ich hatte diese Wohnung sofort zu verlassen, und ich hatte sie zu verlassen für immer.

Unzählige Male hatte ich mich an diese schlimmen Szenen erinnert und sie vor meinem inneren Auge ablaufen lassen: Mein Anrennen gegen die Tür, Judiths nervöse Fahrigkeit, mein Erstarren im Bad, als ich etwas hörte, das ich zunächst gar nicht hören wollte und deshalb zunächst auch nicht recht einordnen konnte oder begriff, die Trance, in die ich dadurch geriet, der Schock, der mir tagelang zusetzte und mich die Flucht antreten und endlose Zugreisen durch die Umgebung Frankfurts machen ließ. Ich stand auf und ging durch den Saal bis weit nach hinten, dann setzte ich mich auf einen Platz in einer der letzten Reihen. Der Flügel erschien mir jetzt wie ein kleines, schwarzes Insekt mit einem glänzenden Rückenpanzer, von dem eine starke Bedrohung ausging. Nach dem verfluchten Erlebnis hatte ich Musik monatelang weder hören noch spielen können, jeder noch so ferne Klang hatte Erinnerungen ausgelöst und die tiefsten Empfindungsschichten berührt, erst sehr allmählich hatte ich wieder zu meinem Spiel zurückgefunden, auf beinahe therapeutischem Weg, wie ein Anfänger, der sich mit Hilfe von kleinen technischen Übungen Schritt für Schritt Zugang zu den großen Werken verschafft. Das pure Training, die Technik – das hatte mir wahrhaftig damals geholfen, auch diesmal solltest Du es genau auf diesem Weg versuchen, dachte ich, also los!, Du hast gar keine Zeit, Dich lange mit Erinnerungen zu beschäftigen oder Dich ihnen sogar ganz hinzugeben. Ich atmete tief durch, dann stand ich auf und ging sehr rasch auf das Podium zu, ich machte einen hohen Schritt hinauf und stützte mich mit den Händen ab, weiter!, nicht nachgedacht!, Platz genommen!, ich setzte mich wieder auf den lederbezogenen Hocker und begann mit den Übungen. Tonleitern, Anschlags-Übungen, Akkorde für die schwache linke und die übermüdete rechte Hand – ich hörte nicht zu, ich schaute nach oben, gegen die Decke, oder schräg zur Seite, zu den Zuhörer-Galerien ringsum, wichtig war jetzt, daß ich allein den Fingern das Spiel überließ, so lange, bis sie für sich selbst spielten und sich heiß liefen und sich eine gewisse Tollheit einstellte, die meist in ein aberwitziges Ausprobieren schwierigster Akkord-Kombinationen mündete, die sich, wenn es denn notwendig war, immer länger ausdehnen ließen ...

Ich achtete nicht mehr auf die Zeit, ich trieb es immer wilder, noch einmal von vorn, in langsamstem, in gesteigertem, in gedehntem, in schnellerem, in schnellstem Tempo!, ich ging die Tonleiter-Folgen durch, ich wanderte den ganzen Quintenzirkel ab, ich spürte, wie der zunächst warme Schweiß sich an den Schläfen abzukühlen begann, genau so mußte es sein, technische, harte Arbeit und nichts, was in irgendeiner Form an eine bekannte Komposition erinnerte. Ich kam erst wieder zu mir, als ich seitlich, in den Zuhörerreihen, eine Bewegung wahrnahm. Ich spielte weiter und blickte nach unten, ein älterer Mann in einem dunkelblauen Arbeitskittel hatte dort Platz genommen und schaute mit leicht geöffnetem Mund zu mir hinauf.

– Genug!, rief ich zu ihm hinab. Genug ist genug!

Ich ging den Schluß des ganzen Parcours noch ein letztes Mal durch, dann ließ ich alles verebben und blickte noch einmal zu meinem Zuhörer hinunter. Ich lächelte, und ich sah mit einiger Erleichterung, daß auch er zurücklächelte.

– Das war's!, rief ich. Genug für heute!

Ich wollte mich bereits erheben, aber ich zögerte noch einen Moment. Ich konnte diesen Saal so nicht verlassen, ich mußte es noch einmal riskieren. Ich zog ein Taschentuch aus der Tasche, trocknete die Hände und wischte mir kurz durchs Gesicht. Ich blähte die Backen auf und blies die Luft kräftig aus, dann reckte ich mich wieder auf und begann mit der Sonate in Es-Dur, Köchel 282. Ich spielte den Anfang noch langsamer und leiser als sonst, ich flüsterte ihn in diesen immer stiller werdenden, sich um mich herum zusammenziehenden Saal. Dieser Gesang war jetzt wie ein Kokon, der mich umgab und schützte, so war es gut, so sollte es sein!

Sie hatte sich von mir entfernt, sie saß jetzt unten, im Zuhörerraum und hörte, was ich zu erzählen hatte. Als ich nach kaum dreißig Sekunden leiser und leiser wurde, war sie verschwunden.

Ich schloß den Deckel des Instruments, bravo!, exzellent!, rief es von unten, ich tat, als wäre mir das Kompliment etwas peinlich, und zuckte kurz mit den Schultern, als

hätte das alles nicht die geringste Anstrengung gekostet. In Wahrheit aber war ich so erschöpft wie lange
nicht mehr nach einer Probe, ich schaute auf die Uhr, beinahe vier Stunden hatte ich in der *Tonhalle* verbracht, es
war kurz nach 15 Uhr, seit dem frühen Morgen hatte ich
nichts gegessen oder getrunken.

Ich verließ den Konzertsaal und ging langsam am See entlang, es war ein etwas dunstiger Herbst-Tag, so daß die
Bergspitzen, die ich gestern noch sehr deutlich in der
Ferne gesehen hatte, nicht mehr zu erkennen waren. Ich
überquerte die Quaibrücke und erreichte wieder den Bellevue-Platz, ich überlegte, wo ich zu dieser Zeit noch etwas
zu essen bekommen konnte. Einen Moment stand ich unschlüssig herum und schaute den blauen Straßenbahnen
zu, die ihre kleinen Schleifen auf dem Platz drehten, dann
fiel mir ein, daß die gute Stube der *Kronenhalle* den ganzen
Tag geöffnet war. Erleichtert, ja beinahe beschwingt, ging
ich die wenigen Meter hinüber zu dem alten Eckgebäude,
was für ein guter Gedanke war es doch, jetzt in der *Kronenhalle* zu speisen, niemand würde mich stören, vielleicht
war ich sogar der einzige Gast, der sich ganz dem Genuß
einer ausgedehnten Mahlzeit hingeben konnte.

5

WENIGE MINUTEN später saß ich an einem kleinen
Ecktisch, in der Tat, ich war fast allein, ein junges Paar
brach gerade auf, danach aber war es ganz still, die kleinen, altmodischen Tischlämpchen brannten noch und
verbreiteten eine beinahe häusliche Geborgenheits-Stim-
mung. Schon kam auch einer der älteren Kellner mit einer
weißen, frisch gestärkten Tischdecke an meinen Tisch,
ich mag diesen Moment, wenn das Tischtuch aufgelegt
wird, ich mag es, wenn es einen kurzen Augenblick über
der grünen Unterdecke aufflattert, niedersackt und sofort glattgestrichen wird, es ist wie der Auftakt zu einer
Komposition, lustvoll und zeremoniell!

– Fabelhaft!, sagte ich, und der Kellner nickte kurz, als
bedanke er sich. Ich ließ die kleine Karte kommen und bestellte etwas Wasser und ein Glas Fendant, oberhalb des
blitzenden, mit einer Rückwand aus Spiegeln versehenen
Büffets erkannte ich wieder die bekannte Bahnhofsuhr,
der ganze Saal hatte mit seinem dunklen Parkett und den
einfachen Holzstühlen noch immer etwas von einer Brasserie, die nicht nur zum Essen und Trinken, sondern auch
zum Ausruhen einlud. Ah, das tut gut, sagte ich zu dem
Kellner, ausruhen, zur Ruhe kommen …, ich streckte die
Beine unter dem Tisch aus, und der Kellner schien sofort
zu verstehen, worum es mir ging, denn er trug einen der
kleinen Beistelltische an meinen Tisch und sagte: wir haben Zeit, wir haben viel Zeit, nehmen Sie sich Zeit, soviel Sie wollen!

Ich blätterte noch in der Karte und nahm den zweiten Schluck Fendant, als ich hörte, daß die Tür hinter mir sich öffnete und anscheinend ein weiterer Gast eintrat. Ich kümmerte mich aber nicht weiter darum, sondern studierte die Karte, ich achtete nicht im geringsten darauf, was hinter mir geschah, ich trank vielmehr sehr langsam und kostete ruhig den Wein und hielt das Glas noch in der Hand, als ich eine Stimme in meinem Rücken hörte:

– Johannes?

Ich stellte das Glas ab und drehte mich um, Judith trug den langen, schwarzen Mantel, den sie bereits gestern getragen hatte, in der Rechten hielt sie den alten Lederrucksack an den beiden Schlaufen gepackt, sie schien von einem langen Spaziergang zu kommen, denn ihr Haar war ein wenig zerzaust. Unwillkürlich stand ich auf, einen Moment standen wir uns stumm und fassungslos kaum einen Meter entfernt gegenüber, dann sagte ich leise und so tonlos, daß es mich erschreckte: Judith! Na so was! ...

Sie regte sich nicht, sie schien gar nicht zu hören, was ich da stammelte, sie schaute mich eine Weile an, als müsse sie sich vergewissern, daß ich es auch wirklich war.

– Komm, gib mir Deinen Mantel!, sagte ich, sie betrachtete mich noch immer, streifte dann aber wahrhaftig den Mantel ab und reichte ihn mir. Während sie mir gegenüber am Tisch Platz nahm, trug ich ihn zur Garderobe, was sind das für Tage!, dachte ich, es ist nicht zu fassen!

Ich setzte mich, wieder schaute sie mich unverwandt an, sie lächelte ein wenig und legte, wie sie es auch früher oft getan hatte, beide Hände weit nach vorn ausgestreckt auf den Tisch.

– Sag mal …, hörte ich sie langsam beginnen, dann aber stockte sie, unsere Blicke wurden einfach nicht fertig mit dem unerwarteten Gegenüber, auch ich konnte nicht wegschauen, ich sah ihr leicht gerötetes, schönes und markantes Gesicht, sie trug ein schwarzes Samtkleid und eine Kette mit silbernen, unregelmäßig runden Kugeln um den schlanken Hals, die Hände aber waren schmucklos, kein einziger Ring, und auch auf dem Kleid gab es keine Brosche, nichts, nur die mit dem Schwarz des Kleides spielende silberne Kette, die sie sich, da hätte ich sofort gewettet, selbst gekauft hatte, so sehr entsprach sie ihrem Geschmack. Sag mal …, ich erinnerte mich sofort wieder an diese Wendung, mit der sie oft ein Gespräch begann oder zu einem neuen Thema überleitete, sag mal …, war in ihrem Vokabular eine feste Formel, und so, wie sie diese Formel jetzt mit einer starken Verlangsamung aussprach, war es genau das »sag mal« von früher, so vertraut und bekannt, als hätte sie es am Vormittag zum letzten Mal benutzt, um jetzt gleich wieder daran anzuknüpfen. Sie machte aber nicht weiter, sondern blickte mich unentwegt an, ich wehrte mich gegen diesen Blick und winkte dem Kellner, der mit dem Rücken zu uns am Büffet stand und meine Geste gar nicht bemerkte.

– Sag mal …, begann sie wieder, erinnerst Du Dich, daß wir einmal genau an diesem Tisch gesessen und ein Glas Fendant getrunken haben?

Ich überlegte kurz und winkte erneut dem Kellner, er mußte mein Winken doch zumindest in einem der Spiegel sehen, aber nein, er bemerkte nichts. Ich lehnte mich etwas zurück, ich konnte oder wollte mich nicht daran erinnern, daß wir einmal genau an diesem Tisch gesessen und ein Glas Fendant getrunken hatten, ich wollte es um keinen Preis.

– Wir haben genau hier gesessen, nur anders herum, Du auf meinem Platz und ich auf Deinem, sagte sie. Wir haben einen halben Liter Fendant bestellt und wollten auch etwas essen, aber als wir in die Speisekarte und auf die Preise schauten, haben wir auf das Essen verzichtet, damals war das alles hier für uns viel zu teuer.

Ich hörte am Klang ihrer Stimme, daß sie sich nun gefaßt hatte, die erste Überraschung hatte sie schneller als ich überwunden, sie kam nun in Schwung, ja, gleich würde sie loslegen mit all ihren Erzählungen und Fragen, während ich mich noch immer dagegen wehrte. Ich kam mit ihrer plötzlichen und unerwarteten Präsenz nicht zurecht, ich wußte nicht, wie ich mich verhalten sollte, jedenfalls wollte ich mich nicht einschwingen auf ihre Erinnerungen und das, was jetzt wohl unvermeidlich an Rückblicken bevorstand, denn ich hatte Angst, mich auf etwas einzulassen, das ich in seinen Auswirkungen nicht überschaute. Ich winkte dem Kellner ein weiteres Mal, endlich reagierte er und kam langsam zu uns an den Tisch.

– Du warst spazieren? fragte ich, um ihr etwas entgegenzusetzen, sie lächelte, als sei ihr klar, daß ich in die Unverbindlichkeit ausweichen wollte, dann aber schaute sie unnachahmlich selbstverständlich zu dem Kellner auf und sagte: Bringen Sie uns einen halben Liter Fendant und noch etwas Wasser!

Ich fühlte mich so hilflos, daß ich mich entschuldigte und zur Toilette verschwand, ich ging durch einen schmalen, schwach beleuchteten Gang und betrat das kleine Kabinett mit seinen dunklen Grüntönen, ich wusch mir die Hände und betrachtete mein Gesicht im Spiegel, nein, es war nichts Auffälliges zu erkennen, ich war vollkommen in Ordnung. Ich fuhr mir mit kaltem Wasser über Gesicht und Nacken, ich spülte den trockenen Mund aus und trank einige Schluck Wasser, dann gab ich mir einen Ruck und ging zu unserem Tisch zurück.

– Schau mal, begann sie sofort wieder, hier und da gibt es noch immer die alten grünen Lederbänke, beinahe wie in einem Bahnhofsrestaurant! Und auch die Garderobe mit ihren gebleichten Kleiderbügeln sieht aus wie die eines Bahnhofsrestaurants! Und, schau mal, es gibt noch immer dieses trockene, stumpfe und dörfliche Hellbraun der Decke, das sich so geschickt von den dunklen Holztönen weiter unten abhebt. Und schau, die großväterlichen Lämpchen überall auf den Tischen und all die grünweißen Dorftischdecken, die so heimlichtuerisch unter den weißen Eßtischdecken hervorlugen! Uusgezaichnet! Ganz uusgezaichnet!

Sie lachte, ja, auch das kannte ich, manchmal kippte ihr Beobachtungsfieber über in puren Übermut, sie meinte es weder spöttisch noch ironisch, sie hatte einfach Spaß an ihren eigenen, detaillierten Beobachtungen. Wenn sie einen auf etwas aufmerksam machte, leuchteten die Dinge plötzlich in all ihrer Buntheit und Eigentümlichkeit vor einem auf, Judith hatte die große Gabe, die Welt bestau-

nen und sie mit ihren Kommentaren noch einmal neu er-
schaffen zu können, dann aber befreite sie sich rasch mit
irgendeiner Unsinnsformel von den starken Eindrücken.

Der Kellner brachte die Karaffe Fendant, er füllte ihr
Glas und schenkte auch mir nach, dann reichte er ihr die
kleine Karte, nehmen Sie sich Zeit, sagte er, Sie haben das
ganze Restaurant für sich allein!

Sie nahm einen Schluck Wasser und trank dann auch
sofort von dem Fendant, ich bemerkte, daß sie etwas ha-
stig wurde, weil sie dem Ritual des Gläseranstoßens entgehen wollte. Sie hielt die geschlossene Karte in der Rechten und schaute mich wieder an. Jetzt, dachte ich, jetzt
kommt es, jetzt mach Dich auf alles gefaßt.

– Wie schön, Dich wiederzusehen! sagte sie, wie schön!
Ich hatte es mir schon so lange gewünscht, und nun ist es
beinahe wie im Traum: Wir laufen einander ganz zufällig
über den Weg und sitzen dann doch an einem Ort und einer Stelle zusammen, wie er richtiger und schöner nicht
sein könnte!

Sie legte die Karte beiseite und schob ihre aufeinander-
gelegten Hände noch etwas weiter nach vorn, mir entgegen, einen Moment dachte ich, sie erwarte eine Berührung, das aber konnte sie doch unmöglich erwarten, nein,
die Geste signalisierte etwas anderes, sie signalisierte
Freude, Freude im Übermaß. Ich konnte mit diesem of-
fensichtlichen Überschwang, obwohl ich ihn von früher
nur allzu gut kannte, nicht mithalten, früher hatte ich
ihn gerne mit ihr geteilt, jetzt aber fühlte ich mich ver-
stockt und gebremst. Sie tat, als bemerke sie meine Ver-
haltenheit nicht, zog ihre Hände aber zurück, schlug die

Karte auf und sagte, während ihre Blicke die Karte rasch überflogen:

– Ich weiß übrigens, warum Du in Zürich bist, ich weiß es genau. Gestern abend habe ich Christian Zacharias' Konzert in der *Tonhalle* gehört und Deinen Namen auf dem Plakat entdeckt. Du bist der nächste in der Mozart-Reihe, stimmt's, in ein paar Tagen wirst Du spielen!

– Wie war Zacharias? fragte ich, wie fandest Du ihn?

– Uusgezaichnet! lachte sie wieder, ganz uusgezaichnet! Du wirst es schwer haben, gegen ihn zu bestehen! Er spielt sehr perlend und leicht, er stäubt Mozarts Sonaten geradezu in die Atmosphäre, dadurch verlieren sie ihre vielen kindlichen Momente und wirken wie eigensinnige, skurrile Ziselierarbeiten von Robert Walser.

Ich schaute auf, ich wußte genau, daß es ihr jetzt Spaß machte, mich mit dem Lob von Zacharias' Spiel zu ärgern, auch früher hatte sie sich ein Vergnügen daraus gemacht, das Spiel von Konkurrenten in den höchsten Tönen zu preisen.

– Ich nehme eine Kartoffelsuppe mit Steinpilzen, sagte ich.

– Die nehme ich auch, antwortete sie.

– Und dann gibt es Kalbsbitoke mit Morchelrahm und Rösti, sagte ich.

– Genau, antwortete sie, aber das nehmen wir zu zweit, für einen allein ist das zuviel.

Während sie noch von einigen anderen Konzerten erzählte, die sie in letzter Zeit gehört hatte, schob sie das Weinglas auf der Tischdecke langsam hin und her, ihre Augen folgten dieser Bewegung, vielleicht tat sie das, um mich nicht länger anschauen zu müssen. Ich dagegen hatte meine Hemmung überwunden, ich schaute sie ununterbrochen an, keine Einzelheit ließ ich mir entgehen. Seltsam, dachte ich, diese Atmosphäre hier, ja die gesamte Umgebung mit ihrer Mischung aus Geborgenheit und Fremdheit wirkt wie für unser Wiedersehen in Szene gesetzt, die Welt draußen nimmt man kaum wahr, selbst das Tageslicht spielt nicht hinein in diese Stube, dadurch erscheint alles hier drinnen wie eine eigene Welt, ganz wie für sich, es gibt keinerlei Ablenkung, keine anderen Stimmen, keine Musik, und dazu sitzen wir einander auch noch ganz nah gegenüber, als sollten wir nichts anderes tun, als uns ausschließlich auf das zu konzentrieren, was der andere mitteilt oder verbirgt. Hätten wir uns irgendwo draußen, auf der Straße, getroffen, hätten wir uns vielleicht sofort wieder getrennt, hier aber ist das nicht möglich, dieser Raum hat etwas beinahe Sakrales, es ist ein Ort der Meditation und des intensiven, über Stunden hin ausgedehnten Genusses. Niemand, der hierherkommt, springt nach wenigen Minuten wieder hinaus auf die Straße, dieses wunderbare Restaurant betritt man, um halbe Tage in ihm zu verweilen! Und dieser Tisch hier in der Schutzzone einer Ecke des großen Raums – auch er ist genau richtig, denn er führt uns so eng zusammen, daß wir einander nicht mehr entkommen …

Ich schaute Judith weiter an, auf den ersten Blick sah sie beinahe unverändert aus, sie trug die blonden, in den Spitzen leicht gelockten Haare noch immer sehr lang, und sie hatte noch immer diese frische Direktheit und Neugierde, strahlte dabei aber auch eine große Ruhe aus, gerade diese Ruhe und Bestimmtheit hatte ich an ihr so sehr gemocht. Sie nahm sich Zeit, sie ging auf die kleinsten, unscheinbarsten Dinge ein, als wären es Wunderwesen, und sie bewahrte die halbe Welt vor allem bildlich in der Erinnerung. Schon früher hatte sie sich nur sehr bruchstückhaft an Geschichten erinnert, nur auf dem Umweg über die Bilder erinnerte sie sich schließlich auch an so etwas, aber insgesamt bedeuteten ihr die üblichen menschlichen Alltags-Geschichten nicht viel. Ihr unglaubliches Bildgedächtnis dagegen erfaßte nicht nur die Farben oder die Gegenstände, sondern die gesamte Komposition eines Raums und war so präzise, daß sie Räume sogar dann detailgetreu aus der Erinnerung skizzieren konnte, wenn sie sich nur einmal in ihnen aufgehalten hatte.

Ihre ganze Eigenart wurde mir durch die Nähe zu ihr wieder sehr deutlich, schon nach kaum einer halben Stunde hatte ich ihr Wesen mit vielen seiner charakteristischen Züge wieder komplett vor Augen, nur die Geschichten fehlten noch, die Erzählungen von alldem, was uns in den letzten achtzehn Jahren zugestoßen war. Waren achtzehn Jahre wahrhaftig eine lange Zeit? Die relativ hohe Zahl erweckte den Eindruck eines langen Zeitraums, jeder von uns hätte sich verheiraten, Kinder bekommen und in einem neuen, ganz anderen Leben aufgehen können – genau das aber erschien mir ganz ausgeschlossen, ja, es ist ganz ausgeschlossen, daß sie in dieser Zeit ein vollkommen anderes Leben begonnen hat, dachte ich, Judith ist nicht verheiratet, und sie hat keine Kinder, denn ich spüre doch in jedem Moment, den sie mir gegenübersitzt, daß ihr gesamtes Lebensgefühl genau dasselbe ist wie früher, in unseren gemeinsamen Tagen. Es ist so, als wäre ihre Jugend noch nicht vorbei, ja, es ist genauso, sie hat sich ihr jugendliches Empfinden bewahrt, und dieses Empfinden bewahrt man sich nur, wenn man von einer Ehe und Kindern verschont wurde.

Ich leerte mein Glas und gab dem Kellner ein Zeichen, uns noch eine Karaffe Fendant zu bringen. Jugendliches Empfinden ... was ist das genau?, dachte ich und überlegte, ob ich das Gespräch auf dieses Thema bringen sollte. Nein, dafür war es viel zu früh, wir bewegten uns ja noch in den Vorstadien eines persönlichen Austauschs, ein wenig ähnelte dieses frühe Stadium all den Vorstadien unserer ersten Begegnungen, vielleicht geht es genau wie schon einmal wieder von vorne los, dachte ich, vielleicht erleben wir all die einzelnen Liebesstadien noch einmal, vom ersten Kuß bis zur ersten gemeinsamen Nacht.

Der Gedanke erschreckte mich, Unsinn!, dachte ich, was denkst Du Dir bloß für einen Unsinn zusammen? Dies hier ist ein Wiedersehen, und ein Wiedersehen ist zeitlich begrenzt, das solltest Du wissen. Als wollte ich mich auf zeitliche Begrenzungen aber nicht einlassen, sondern den gegenseitigen Kontakt eher intensivieren, brach ich eines der dunklen Bürli, die auf einem Teller am Rand des Tisches lagen, in zwei Teile und schob ihr ein Stück hin, sie schien meine Geste aber gar nicht zu bemerken, sondern griff, ohne hinzuschauen, nach dem Stück und steckte einen Teil davon in den Mund. Selbst die kleinsten Gesten verlaufen genau wie früher, dachte ich, alles hier verläuft parallel, wir bestellen zusammen, wir essen zusammen, jeder, der uns hier sieht, wird uns für ein seit vielen Jahren miteinander vertrautes Paar halten. Oder täusche ich mich? Oder kommt mir das alles in all meiner Blindheit nur so vor? In all meiner Blindheit? Welche Blindheit meine ich denn? Beginnt etwa alles wieder von vorn? Beginnt es wieder mit der Verliebtheit, verliebe ich mich etwa nach achtzehn Jahren wieder in dieselbe Frau und erlebe ich das alles genauso wie als junger Mann? Dann wären die achtzehn Jahre wie nicht gewesen …

Der Kellner rollte die beiden Suppentassen auf einem kleinen Wagen heran. Als die Suppe serviert war, traute ich mich, sie endlich zu fragen:

– Bist Du hier zu Besuch?

– Nein, stell Dir vor: Ich bin beruflich hier, so wie Du.

– Darf ich raten, was Du beruflich hier tust?

– O ja, leg los, was tue ich beruflich hier?

– Du hältst einen Vortrag über die Seerosen-Bilder Monets.

– Nicht schlecht, aber es stimmt nicht ganz. Was ich hier tue, hat viel mehr mit Kunst-Praxis zu tun.

– Du stellst Deine eigenen Arbeiten aus, es handelt sich um einen Bilder- oder Skulpturen-Zyklus aus den letzten acht Jahren mit jeweils fünf Arbeiten pro Jahr, die jeweils auf einem der fünf Erdkontinente entstanden sind.

– Nicht schlecht, aber nein, auch das ist es nicht. Ich mache keine Kunst, ich habe nie wirklich Kunst gemacht, und ich werde niemals Kunst machen. Was ich tue, liegt genau in der Mitte zwischen Deinen beiden Vermutungen.

– Du planst eine Ausstellung.

– Genau.

– Du planst eine Ausstellung mit Werken von Marco Calabrese in der Galerie *Züri-See*.

– Ich kuratiere eine Ausstellung im Kunsthaus, sie heißt »Ländereien der Malerei«.

– Hast *Du* Dir den Titel ausgedacht?

– Hey, was fragst Du? Du weißt genau, daß ich mir den Titel ausgedacht habe.

– Stimmt, Du hast recht, »Ländereien der Malerei«, das ist von Judith Selow, ganz und gar.

– Mach keine Witze, der Titel ist gut.

– Ich mache keine Witze, der Titel ist sehr gut. Und was bekommt man zu sehen?

– Etwa fünfzig Bilder, zur Hälfte aus dem Bestand des Kunsthauses, die andere Hälfte sind Leihgaben aus der ganzen Welt.

– Nenn mal ein paar!

– Monets Seerosen-Bilder! Monets Wiesen- und Fluß-Landschaften! Stauffers Porträt Gottfried Kellers! Hodlers See-Bilder!

– Ah ja, ich verstehe, aber was hat das Gottfried-Keller-Porträt zwischen all diesen Landschaften zu suchen?

– Es geht nur scheinbar um Landschaften, in Wahrheit aber geht es um Ländereien. Ländereien sind kleine, geschlossene Bezirke, Inseln oder abgesteckte Terrains, es sind Szenen eines Bildes, mehr oder minder große Ausschnitte, fokussiert durch einen Blick, der ganz nahe an ein Bild herangeht.

– Und wie geht die Ausstellung ganz nahe an die Bilder heran?

– Durch Fotografien. Wir haben zehn Fotografen gebeten, jeweils fünf der ausgestellten Bilder zu fotografieren und sie dadurch gleichsam in Segmente zu zerlegen. Auf welchen Details bleibt der Blick ruhen? Was schneidet der fotografische Blick an Details aus den Bildern heraus? Die Fotografien zeigen wir jeweils als Pendant zu einem Bild, so wandern die Blicke des Betrachters zwischen dem Ganzen und den Details hin und her. Deshalb ist auch Kellers Altersporträt vertreten: Es läßt sich in seinen Ländereien studieren. Als Ganzes sieht man einen schweren Altersschädel vor hellem Grund, ein melancholisches, zerfurchtes Gesicht, gerahmt von einem gewaltigen Bart. Auf den Fotografien aber sieht man die Ländereien: die kleine, leicht verrutschte Brille, die eingefallenen Seufzer-Wangen, den vollen Kußmund, den der überquellende Bartwuchs beinahe ganz verdeckt.

– Die Idee mit den Fotografien ist von Dir, stimmt's? Niemand außer Dir kommt auf eine solche Idee.

– Ja, das ganze Konzept mit all seinen sehr aufregenden Foto-Bild-Bezügen ist von mir.

– Sind die Leihgaben schon alle eingetroffen?

– Ja, fast alle, in diesen Tagen kreise ich mit meiner Mannschaft durch den großen, leeren Ausstellungssaal und streite mich mit jedem, der mir über den Weg läuft, über die Hängung der Bilder.

Ich nahm einen Schluck Wasser. Sollte ich ihr vorschlagen, auch einmal in dem großen, leeren Ausstellungssaal vorbeizuschauen? Sollte ich zugeben, wie sehr es mich reizte, bei der Hängung der Bilder dabeizusein? Ich schob die leere Suppentasse beiseite, ich wartete darauf, daß sie genau das vorschlug. Als sie mich einen Moment wieder länger anschaute, vermutete ich schon, daß sie mich ins Kunsthaus einladen würde, dann aber sagte sie, ganz plötzlich und vollkommen unerwartet, in einem ruhigen, sicheren Ton:

— Du hast Dich kaum verändert! Es kommt mir beinahe so vor, als säße ich noch immer dem romantischen Jüngling von früher gegenüber.

— Dem romantischen Jüngling? Welchem romantischen Jüngling? Ich soll einmal ein romantischer Jüngling gewesen sein?

— Ganz zu Beginn unserer Freundschaft warst Du eine Zeitlang ein romantischer Jüngling, der ununterbrochen Schumann gespielt hat, Schumann, Schumann und noch einmal Schumann. Du hast empfunden, gedacht und gespielt wie Schumann, eine Zeitlang sahst Du sogar wie Schumann aus.

— Das ist nicht wahr.

— Du hast Dir die Haare wachsen lassen, um auszusehen wie Schumann, Du hast den Kopf in die Hand gestützt wie der melancholische Schumann, und Du hast immer wieder diese verflixte *Toccata* gespielt, deren Üben Schumann einen steifen Mittelfinger eingebracht hat.

— Aber Judith, das sind doch alles Legenden.

— Na und? Lange Zeit hast Du Dein Leben auch gelebt wie eine Legende, wie eine schöne, nicht enden wollende Legende, wie einen einzigen, nicht enden wollenden Traum, beinahe all meine Freundinnen haben sich damals in diesen Träumer verliebt, aber Du hast es nicht einmal bemerkt.

Der Kellner räumte die beiden leeren Tassen ab, einen Augenblick lang war es ganz still, dann begann Judith wieder damit, ihr Glas Wein auf der freien Tischfläche zwischen den beiden Händen hin und her zu schieben.

– Entschuldige, ich hätte nicht von früher sprechen sollen, sagte sie.

– Stimmt, antwortete ich, wir sollten nicht von früher sprechen.

Wir schwiegen, zum Glück kam der Kellner wieder mit dem kleinen Rollwagen an unseren Tisch, die zwei großen, mit einer hellen Morchelrahmsauce überzogenen Kalbsbitoke lagen auf einem länglichen, flachen Teller, während die dunkelbraunen Rösti genau in die Rundung der Vertiefung eines kreisrunden Kupfertellers eingepaßt waren. Während der Kellner die Rösti halbierte und die beiden Kalbsbitoke auf zwei Tellern verteilte, murmelte er vor sich hin: Es war sehr vernünftig von Ihnen, nur eine Portion zu bestellen, das Fleisch, die Morcheln und vor allem die lang eingekochte, wunderbare Sauce – das ist in dieser Menge, obwohl es weiß Gott nicht nach viel aussieht, eben doch ein wenig zuviel für eine Person. Essen Sie lieber die Hälfte und nehmen Sie hinterher noch eine Kugel Zitronen-Sorbet, danach fühlen Sie sich leicht wie ein Vogel.

– Das machen wir, sagte Judith, oder was meinst Du?

– Das machen wir, sagte ich, schließlich ist das hier heute meine einzige Mahlzeit.

– Du hast am Morgen gar nichts gegessen?

– Ich frühstücke noch immer so wenig wie früher, sagte ich.

– Wir wollten nicht von früher sprechen, sagte Judith.

– Von diesem *vergangenen* Früher spreche ich ja auch nicht, sagte ich, ich spreche von einem Früher, das immer noch da ist, ich spreche von einem unveränderlichen Früher.

– Und so etwas gibt es?

– Aber ja, das gibt es, meine Eßgewohnheiten zum Beispiel sind ein unveränderliches Früher. Ich frühstücke sehr wenig, und meist mache ich mich danach auf zu den Proben, die ich dann, wie zum Beispiel heute, weit bis über den Mittag ausdehne. Danach habe ich Appetit, ich habe am frühen Nachmittag Appetit, also esse ich meist dann zu Mittag, was wiederum zur Konsequenz hat, daß ich am Abend kaum noch oder gar keinen Appetit mehr habe.

– Du ißt abends nichts?

– Ich esse abends sehr selten, häufig gebe ich ja auch abends Konzerte, und dann geht sowieso gar nichts, dann esse ich weder vorher noch danach etwas, ich trinke danach höchstens noch ein Glas oder zwei Gläser Wein.

– Ich esse beinahe jeden Tag zu anderen Zeiten. Heute war ich schon sehr früh im Museum, ich habe bis zum Mittag gearbeitet und dann noch einen Spaziergang gemacht. Gleich, wenn wir gegessen haben, gehe ich noch einmal hinauf, dann habe ich den großen Ausstellungssaal nämlich ganz für mich allein, ich wette, ich werde die halbe Nacht dort verbringen.

– Judith, fällt Dir etwas auf?

– Was soll mir auffallen? Das Essen ist wunderbar, die Kalbsbitoke sind leicht wie ein Kinderessen, und die Rösti passen ganz ussgezaichnet zu der allerdings schweren Sauce.

– Ja, schon, aber das meine ich nicht.

– Was meinst Du denn?

– Wir beide bespielen Zürich von zwei Seiten, und wir befinden uns jetzt beinahe haargenau in der Mitte.

– Wie bitte?

– Du bespielst das Kunsthaus oben auf der Höhe, und ich bespiele die Tonhalle unten am See, wir bespielen zwei leere Säle, und wir mobilisieren zwei verschiedene Künste, um das zu tun. Kunsthaus und Tonhalle – und die Kronenhalle liegt exakt dazwischen.

– Dann sind das hier die Ländereien des Essens, sagte Judith, schau: die feinen, angebräunten Kartoffelsplitter und daneben diese altweißen Saucenrinnsale und wieder daneben die kleinen Morchelhüte auf dem runden, kompakten Fleisch-Massiv, man sollte es sofort fotografieren. Fehlt nur noch die Musik!

– Moment mal!, sagte ich, ich stand auf und ging zur Garderobe. Ich zog den MP3-Player aus meiner Manteltasche und legte ihn auf den Tisch, dann suchte ich die richtige Nummer heraus, drückte die Play-Taste und reichte Judith die beiden winzigen Kopfhörer.

– Von wem ist das Stück?

– Hör einfach zu!

– Von wem ist es?

– So hör doch zu!

Ich sah, wie sie sich zurücklehnte, ihr Gesicht war jetzt beinahe rotbraun vor Anspannung und glänzte etwas, sie schloß die Augen und versuchte, sich auf die Musik zu konzentrieren, eine Weile saß sie ganz still mit diesen geschlossenen Augen da, der Kellner kam wieder vorbei und räumte ab und legte wie zum Zeichen des Einverständnisses einen Finger auf seine Lippen.

Als der Satz zu Ende war, schaute sie mich wieder an.

– Mein Gott, ich habe Dich über ein Jahrzehnt nicht spielen gehört, sagte Judith.

– Es ist die Sonate in Es-Dur, Köchel 282, antwortete ich, heute morgen bei der Probe bin ich über die ersten paar Takte nicht hinausgekommen.

– Was war denn los?

– Ich ... ach, es ist zu kompliziert, das zu erklären.

– Nichts ist zu kompliziert, Du *willst* es mir nur nicht erklären, stimmt's?

– Stimmt, ich will es Dir jetzt nicht erklären.

Wieder schwiegen wir eine Weile, wir hatten den Wein ausgetrunken, ich überlegte, wie es nun weitergehen sollte, denn schon brachte der Kellner das Sorbet, für jeden genau eine Kugel in einer kleinen Kristallschale. Sollte ich Judith den Hang hinauf zum Museum begleiten? Sollte ich sie zur morgigen Probe einladen? Oder sollte ich noch weiter gehen und ihr ein erneutes Treffen an diesem Abend vorschlagen? Du mußt sie wiedersehen, dachte ich, es ist klar, daß Du sie wiedersehen mußt, jetzt hat es wieder begonnen, alles hat jetzt wieder begonnen.

Ich griff zu dem kleinen Löffel, um das Sorbet zu kosten, als ich bemerkte, daß Judith ihre Kugel bereits gegessen hatte. Ich hatte ein wenig geträumt, nein, das war es nicht nur, ich wußte nicht aus noch ein, das war es. Als ich zu ihr aufschaute, erhob sie sich bereits.

– Johannes, es ist spät, ich muß noch einmal hinauf ins Museum, bevor meine Leute in alle Richtungen verschwinden. Es war sehr schön mit Dir, ich hatte mir ein so schönes Wiedersehen immer erträumt. Paß auf Dich auf, und nimm mir nicht übel, wenn ich zu Deinem Konzert nicht erscheine, es geht nicht, ich würde dort einfach zuviel an Früherem begegnen, ich glaube, Du verstehst, was ich meine.

Ich regte mich nicht, es gelang mir nicht einmal, mich von meinem Platz zu erheben. Statt dessen schaute ich ihr zu, wie sie hinüber zur Garderobe ging, ihren Mantel überzog und noch ein letztes Mal an unseren Tisch zurückkam. Sie beugte sich zu mir herunter, sie küßte mich flüchtig auf beide Wangen, dann drehte sie sich um und verließ das Restaurant.

6

ICH VERWEILTE noch etwa eine Viertelstunde an unserem Tisch, vollkommen unschlüssig, was ich als nächstes tun sollte. Mit ihrem plötzlichen Aufbruch war mir Judith zuvorgekommen, ich hatte so etwas nicht erwartet, im Grunde hatte ich fest damit gerechnet, daß wir ein weiteres Treffen verabreden würden. Und nun? Was konnte ich nach diesem Abgang noch unternehmen? Nicht einmal zu einem Spaziergang am herbstlichen See hatte ich Lust, geschweige denn dazu, mich in den Straßen oder Gassen der Stadt herumzutreiben. Ich zahlte und trat hinaus ins Freie, die späte Nachmittagssonne hatte die Nebel des Morgens vertrieben und lag wie ein letztes, blitzendes Strahlen auf den weißen Schiffen an der nahen Anlegestelle. Wenn Du es nicht so unsinnig eilig gehabt hättest, hätten wir jetzt eine Schifffahrt gemacht, dachte ich, so eine Fahrt wäre jetzt genau das Richtige, aber ich denke nicht dran, ohne Dich ein solches Schiff zu betreten und dort in Melancholie zu versinken.

Ich wandte mich von der verlockenden Vorstellung ab, ich ließ es hinter mir und nahm ohne weiteres Nachdenken den Weg nach rechts, die breite, stark befahrene Rämi-Straße hinauf. Die Rämi-Straße führt hinauf zum Museum, sagte ich leise, wohin soll ich sonst gehen wenn nicht dorthin? Ich schaute nicht in die Fenster der kleinen Antiquitäten-Läden und Galerien, deren Auslagen ich früher oft genauer betrachtet hatte, ich blickte weder rechts noch links, sondern folgte, den Blick stur auf den Boden gerichtet, der Windung der Straße hinauf zu dem höher gelegenen, ebenen Platz, an dem sich das Kunst- und das Schauspielhaus befinden. Ich schaute auf die Uhr, vielleicht hatte das Museum noch geöffnet, ich mußte nachschauen, ja ich wollte hinein, unbedingt, notfalls auch nur für ein paar Minuten.

Ich war erleichtert, als ich sah, daß das Museum wahrhaftig noch eine Stunde geöffnet war. Eine Stunde reicht nicht für einen Rundgang, dachte ich, eine Stunde reicht aber, um mich mit ein paar Materialien zu versorgen. Ich durchstreifte das Foyer und schaute mir dabei einen Plan mit den Grundrissen der Stockwerke an, im Erdgeschoß befanden sich ein Café und der Museums-Shop sowie ein

Vortragssaal. Der große Ausstellungssaal, von dem Judith gesprochen hatte, bildete dagegen einen eigenen Bereich im ersten Obergeschoß, wo auch der eigentliche Museums-Rundgang begann: Niederländische und norditalienische Malerei, die venezianische des 18. Jahrhunderts, Schweizer Malerei des Neunzehnten, das alles wollte ich mir später einmal genauer anschauen, die Bilder der französischen Maler befanden sich im zweiten Obergeschoß. Judiths Ausstellung war bereits hier und da plakatiert, von den Vorbereitungen aber war nichts zu bemerken, ich stellte mir vor, wie die Bilder im großen Ausstellungssaal ausgepackt und dort, wo sie später voraussichtlich hängen sollten, provisorisch gegen die Wände gelehnt wurden.

Meine Lust, mich mit Judiths Ideen und Themen zu beschäftigen, war so stark, daß ich im Museums-Shop einen Katalog der ständigen Sammlung kaufte. Ich nahm ihn wie ein kostbares Fundstück unter den Arm und ging wieder nach draußen, wo ich nach einigem Herumschlendern hinter dem Schauspielhaus ein kleines Café entdeckte. *My Place* stand schwarz auf weiß über der Tür, als ich das las, mußte ich grinsen, »my place« war in Ordnung und stimmte, genau hier, in diesem Café würde ich es mir bequem machen, den Katalog gründlich studieren und mir die Zeit vertreiben. Wenn es nach mir gegangen wäre, hätte ich Dich hinauf zum Museum begleitet und dann hier auf Dich gewartet, dachte ich, ein, zwei oder sogar drei Stunden zu warten, hätte mir nichts ausgemacht, auch früher hat immer mal einer von uns längere Zeit auf den andern warten müssen, wir haben uns in solch einem

Fall ohne jedes Murren eine Weile beschäftigt, denn wir hatten ja die ganze Zeit den schönen Moment vor Augen, in dem wir einander wiedersehen würden. Der schöne Moment, der fehlt jetzt, dachte ich weiter, egal, ich beschäftige mich auf jeden Fall irgendwie, denn ein Wiedersehen wird es geben, wenn auch nicht sofort und wenn auch nicht heute!

Im *My Place* setzte ich mich in die Nähe des Eingangs, direkt vor eines der großen Fenster. Die blauen, zu dieser Stunde bereits schwach beleuchteten Straßenbahnen summten vorbei, ich bestellte einen Kaffee und etwas Wasser und begann, den Katalog durchzublättern. Ich ließ mir einige Blatt Papier geben und legte eine Liste der Bilder an, die ich selbst für die *Ländereien der Malerei* ausgewählt hätte. Auf einem Bild Willem Kalfs lagen lauter verschiedene, hell schimmernde Arten von Meeresschnecken auf einem alten Tisch, dahinter ragte ein dunkelroter Korallenast in die Höhe, das Ganze war eingetaucht in einen leicht moosigen Grünton, als betrachte man die Szenerie durch eine leicht verschmutzte Scheibe oder als befinde sie sich unter Wasser ... Auf einem Bild Francesco Guardis stand ein einsames, altes Haus mit einem eleganten Torbogen und einem Pfeiler auf einem Erdstück mitten in der weiten Lagune, hinter dem Haus dehnte sich das unendliche Blau, vom Hellblau der weiten Wasserfläche aufsteigend zu den kräftigen, wolkenlosen Blautönen des Himmels ... Als ich schließlich Karl Stauffers *Bildnis Gottfried Keller* entdeckte, nickte ich unwillkürlich, ja, natürlich, das nehme ich auch, dachte ich, die zerklüfteten Falten-Partien rings um die kleinen, müde gewordenen

Kellerschen Augen sind Ländereien, und erst recht die eisgrauen Gletscher-Regionen des Bartes, der das Gesicht beinahe verschwinden läßt.

Eine Weile hatte ich damit zu tun, ich notierte die Namen der Maler und die Titel der Bilder, und ich überlegte, in welchen Kombinationen ich sie hängen würde. Mit solchen Projekten haben wir uns oft gemeinsam beschäftigt, dachte ich, jeder von uns hat sich für das interessiert, womit der andere gerade zu tun hatte, unsere Freundeskreise allerdings waren daran fast niemals beteiligt, nein, wir hatten keine gemeinsamen Freunde. Während des Studiums hattest Du eine Zeitlang einen festen Freundinnen-Kreis, ihr habt Radtouren in den Rheingau oder andere Ausflüge gemacht, für mich war das aber nichts, wir jungen Klavierstudenten waren auch nicht so wie ihr Kunststudentinnen miteinander befreundet, im Grunde gab es unter uns keine wirklichen Freundschaften, sondern höchstens so etwas wie fachbezogene, kurzfristige Bündnisse. Pascal etwa, mit dem war ich kurzfristig befreundet, damals, als er immer dicker wurde und keinen überflüssigen Schritt zu Fuß machte, sondern sich vom Chauffeur seines Vaters zur Hochschule bringen und von dort auch wieder abholen ließ. Pascal wohnte in einer Industriellen-Villa in Kronberg im Taunus, er war der erste von uns, der Karriere machte, und er war, ich werde es nie vergessen, der erste und vielleicht auch einzige, der Rachmaninows 3. Klavierkonzert fehlerfrei spielte. Wir anderen, wir verachteten solche Schlager und Virtuosen-Stücke ein wenig und hätten niemals zugegeben, etwas Derartiges zu Hause zu üben, Pascal aber scherte sich nicht um unsere bitteren Kommentare, er wußte genau, wonach sich das Publikum sehnte, deshalb übte er Tag und Nacht Rachmaninow und stürzte sich dann sogar auf das 2. Klavierkonzert von Chopin mit all seiner unmöglichen Orchesterbegleitung und seinen gesüßten Solo-Arabesken. Ein paarmal habe ich Pascal hinauf in den Taunus begleitet und saß dann im großen Salon der Familie unter einer gewaltigen Holzdecke, Pascal spielte mir vor, und wir gingen einige Stellen zusammen durch, drei, vier Stunden widmeten wir uns einem einzigen Stück, das war's, andere Themen hatten wir nicht. Und das mit Pascal war schon viel gewesen!

Wir Jungs waren damals verrückte Enthusiasten, wir spielten und hörten Musik und verbrachten die Abende auf den billigsten Plätzen irgendwelcher Konzertsäle, um diesen oder jenen Meister zu hören und hinterher über sein Spiel herzufallen. Unsere gesamten Emotionen, unser ganzes Gefühls-Leben wurde von der Musik aufgesogen und verbraucht, meine Kameraden hatten keine Freundinnen, einige waren schwul, kehrten das Schwulsein aber nie besonders heraus, ich dagegen wurde wegen meiner Liebe zu Judith sicher von den meisten verachtet, auch wenn niemand je darüber sprach. Ein großer Pianist war allein, vollkommen allein, alles Weitere war bei Glenn Gould nachzulesen, der wie kein anderer unter unseren wenigen Vorbildern rigoros auf diesem Alleinsein bestanden und darüber einige viel zitierte, mit allen Kompromissen scharf abrechnende Sätze geschrieben hatte.

Unsere Liebe jedoch ... keine Sekunde meines Lebens habe ich darüber nachgedacht, ob so etwas sein durfte oder nicht. Von unserer ersten Begegnung an stand für mich fest, daß wir zusammengehörten, *wir gehören ganz einfach zusammen*, habe ich oft genug gesagt, wenn sich jemand nach uns erkundigte, *wir gehören ganz einfach zusammen*, mehr ließ sich dazu nicht sagen, auch wenn dann das Nachfragen losging und Zweifel laut wurden und manchmal dann auch der Spott nicht fehlte: *Wir gehören ganz einfach zusammen.* Vor unserer Begegnung hatten wir beide einige Freundschaften gehabt, derart verliebt aber waren wir beide noch nie gewesen, ich erinnere mich gut, daß Du schon nach wenigen Monaten einmal gesagt hast, Du erinnertest Dich gar nicht mehr, vor mir mit jemand anderem befreundet gewesen zu sein. Damals begriff ich sofort, was Du meintest: alles, was vor unserer Liebe gewesen war, verblaßte rasant, dieses Leben davor war etwas ganz anderes, Harmloses und vor allem Beliebiges gewesen, jetzt aber gab es nichts Beliebiges mehr, die Liebe machte Schluß mit der Beliebigkeit, denn sie war etwas Unbedingtes, das sich so nur zwischen zwei Menschen ereignete, die füreinander geschaffen waren. Wenn sich diese zwei Menschen durch einen glücklichen Zufall getroffen hatten, war ihr Leben entschieden, denn keiner der beiden konnte sich danach noch vorstellen, allein weiterleben zu können. Schon wenn man kurze Zeit getrennt war, setzte das Verlangen nach dem anderen ein, das Verlangen nach dem andern war ein Verlangen nach dem vollständigen Leben. Immerzu waren einem die Eigenheiten dieses gemeinsamen Lebens gegenwärtig, so daß einem eine Trennung vorgekommen wäre wie ein gewaltsamer

Rückzug auf ein nacktes Existieren und auf die ärmlichsten Bedürfnisse.

Je länger ich so nachdachte, um so unruhiger wurde ich, es war durchaus wahrscheinlich, daß sich Judith, kaum einige hundert Meter von mir entfernt, in einem Ausstellungssaal mit lauter Meisterwerken befand, die ich mir jetzt am liebsten mit ihr zusammen angeschaut hätte. Ich hatte die Bilder im Katalog aufmerksam studiert, ich hatte meine Aufgaben gemacht, ich war bereit für einen Rundgang! Längst trank ich bereits den dritten Kaffee, draußen war es inzwischen dunkel geworden, durch die Glasscheibe wirkte die Dunkelheit mit ihren vorbeieilenden Leuchtzeichen wie die Szenerie eines Aquariums. *My Place* – seit vielen Jahren waren meine nächtlichen Orte oft solche einsamen Plätze gewesen, ich hatte mich mit der Zeit daran gewöhnt, jetzt aber war die alte Wunde wieder aufgebrochen, und ich wußte nicht, wie sich der Schmerz betäuben ließ. Ich begann, im stillen mit Judith zu sprechen, ich erinnerte mich an unsere ersten Begegnungen, ich saß im *My Place* wie ein Nostalgiker, der sich seine eigene Jugend erzählt …

In unseren ersten gemeinsamen Jahren, ja, richtig, da trafen wir uns fast immer im Freien. Eine gewisse Scham hielt uns davor zurück, uns bei Deinen Eltern oder bei meiner Mutter zu treffen – wären wir nur miteinander befreundet gewesen, hätte das kein Problem dargestellt, da wir jedoch glaubten, daß man uns unsere Liebe sofort und immerzu anmerkte, setzten wir uns den elterlichen Kommentaren und Umgangsformen nicht aus. Wir trafen uns also im Freien und meist an einem anderen Ort, wir zogen eine Weile herum und suchten uns dann irgendwelche abgelegenen Plätze zum Ausruhen, die Gewächshäuser des Botanischen Gartens boten solche Plätze, aber auch die Ufer am Main oder die größeren Parks; wenn es zu kalt war, trafen wir uns in einem Museum und verbrachten dort dann einige gemeinsame Stunden. In der ersten Zeit hatten wir so wenig Geld, daß wir nicht einmal ein Café oder gar ein Restaurant aufsuchen konnten, das alles spielte aber auch gar keine Rolle, im Grunde wollten wir auch gar nicht unter vielen anderen Menschen sitzen und uns anstarren lassen, wir wollten allein sein, das heißt: zu zweit, aber allein. Meist hatte einer von uns etwas zu lesen dabei, dann haben wir uns irgendwo einen bequemen Platz gesucht und einer von uns hat dem anderen vorgelesen, damals hat unser *gemeinsames Studium*, wie wir es später dann genannt haben, begonnen, Literatur, Kunst, Musik, wir haben uns alle diese Bereiche gemeinsam erobert und sind dann jahrelang zusammen durch Europa gereist, um dieses *gemeinsame Studium* dann auch jeweils vor Ort fortzusetzen ...

Ich räumte meine Siebensachen zusammen, dieser Abend war nun schon ein beinahe verlorener Abend, was sollte ich noch weiter hier allein sitzen und meinen Erinnerungen nachhängen? Viel lieber hätte ich von ihnen gesprochen, ja genau, wie gern hätte ich mit Judith darüber gesprochen, und wie gern hätte ich versucht, die schönen Momente dieser ersten Jahre mit ihr zusammen zu vergegenwärtigen!

Ich zahlte und verließ das *My Place*, draußen war ein erheblicher Verkehr, und allerhand gutgekleidetes Volk strömte an mir vorbei. Ich reihte mich ein und ließ mich ein Stück mittreiben, dann begriff ich, dass all diese Menschen auf dem Weg ins Schauspielhaus waren. Ins Schauspielhaus? Ja, warum nicht, in früheren Jahren wären wir jetzt vielleicht gemeinsam ins Theater gegangen, aufs Geratewohl, ohne Vorbestellung oder Reservierung, einfach dem nächstbesten Impuls folgend. Ich ging die paar Schritte hinüber in das Foyer, Kleists *Amphitryon* wurde gespielt, aber war Kleists *Amphitryon* an einem solchen Abend etwas für mich? Ich stellte mich an der Abendkasse an, ja, der Herr, wir haben noch Karten, hier ist eine sehr gute im Parkett, die ich ermäßigt abgeben könnte, vielen Dank, der Herr, ich wünsche einen unterhaltsamen Abend! War Kleists *Amphitryon* etwas für einen unterhaltsamen Abend? Ich erinnerte mich nicht mehr genau an die Lektüre, vielleicht war das aber auch gut so, vielleicht hätte ich sonst gar keinen Versuch unternommen, dieser Aufführung etwas abzugewinnen. Ich gab meinen Mantel an der Garderobe ab, dann ging ich an die Theke der kleinen Theater-Bar und bestellte zwei Gläser Sekt. Ich trug sie hinüber an einen der noch leeren kreisrunden Stehtische und trank dann langsam das erste Glas. Ich wartete, bis die Türen zum Parkett geschlossen wurden, dann trank ich das zweite Glas auf einen Zug aus und verschwand für den weiteren Abend im Dunkel der Zuschauerreihen.

7

MITTEN IN der Nacht, gegen halb zwei, wachte ich auf, die Begegnung mit Judith ging mir nicht aus dem Kopf. Immer wieder stand mir das harmonische Bild dieser Begegnung vor Augen, denn, nur von außen betrachtet, hätte man uns wirklich für ein harmonisches Paar halten können, das sich mit allen Anzeichen besten Einverständnisses und tiefer Vertrautheit unterhält, ja, es hatte wahrhaftig so ausgesehen, als hätten wir genau dort wieder angeknüpft, wo wir uns vor Jahren getrennt hatten, einschließlich all der selbstverständlich erscheinenden Gesten des gemeinsamen Umgangs und der gemeinsamen Lebensformen. Den dazwischenliegenden Zeitraum von immerhin achtzehn Jahren hatten wir nicht berührt, sondern beinahe ängstlich ausgeklammert. Am Ende war Judith geflohen, und vielleicht war sie gerade vor der Notwendigkeit, endlich über diese Jahre zu sprechen, davongelaufen.

Einen Großteil der Schuld an diesem Versäumnis mußte ich mir jedoch selbst zuschreiben, ich hatte die vertrauten Stimmungen und Gefühle um jeden Preis wiederherstellen wollen, ohne Abstriche, ohne die geringste Korrektur. Ich wollte Judith als genau diejenige wiedererkennen, die sie einmal für mich gewesen war, nach dem, was diese Vergangenheit von heute unterschied, hatte ich nicht einmal gesucht. Die Wiederherstellung des alten Ideals schwebte mir vor, das war geradezu verlockend gewesen, hatte ich mich doch nur die ganze Zeit darauf konzentrieren müssen, ihr schönes Bild Stück für Stück und ohne jeden Makel so lange wieder zusammenzusetzen, bis es meinen eigenen Vorlieben oder Passionen wieder in jeder Weise entsprach. Am Ende störte an diesem Ideal nichts mehr, am Ende stimmte es so sehr mit all dem, was ich mir vom Zusammensein mit ihr erwünschte oder erhoffte, überein, dass ich mich im trügerischen Gefühl einer Total-Harmonie gewiegt hatte. Wenn es mir aber wirklich ernst war mit Judith, durfte ich so nicht weitermachen, wenn es mir ernst war, durfte ich nicht länger einem schönen Phantom hinterherlaufen. Ich mußte einen endgültigen Schlußstrich unter alles ziehen, oder ich mußte endlich anfangen, mich der Sache mit all ihren Untiefen zu stellen.

Ich schlug die Bettdecke zurück und stand auf, ich ging für ein paar Minuten ins Bad und trank zwei Gläser Wasser. Erneut konnte ich in meinem Spiegelbild nichts entdecken, und doch hatte ich jetzt schon seit fast zwei Tagen das Gefühl, man müsse mir irgendwelche Veränderungen ansehen. All meine Unsicherheit und all meine Skepsis … hinterließ das nicht deutliche Spuren? Nein, es war überhaupt nichts zu entdecken, ich erschien weder nervös noch sonstwie gezeichnet, im Gegenteil, ich machte den Eindruck eines konzentrierten und ruhigen Menschen, der anscheinend vollkommen mit sich im reinen war. Ich schüttelte den Kopf und ging in das Schlafzimmer zurück, ich zog den dicken Vorhang vor dem Fenster zur Straße wieder beiseite. Vielleicht, dachte ich weiter, hatte Judith genau diese Beobachtung meines ruhigen, untergründig aber stark sentimentalen Blicks irritiert und gereizt, vielleicht hatte sie mir dieses Über-alles-Hinweg-sehen angemerkt und vielleicht hatte sie genau darauf mit der spöttischen, ihr ganz unerwartet herausschlüpfenden Bemerkung reagiert, vor ihr sitze noch immer der romantische Jüngling von früher. Judith beobachtete viel schärfer und präziser als ich, und außerdem war sie eine Person, die Situationen und Stimmungen blitzschnell sezierte. Was ich dagegen einbringen konnte, war …, ja, wie soll ich es nennen?, es war so etwas wie Leidenschaft, es war etwas eher Naives, Direktes. Ich bedachte eine Sache nicht lange hin und her, und ich prüfte sie auch später nicht in allen Details, eher setzte ich mich ihr mit aller Hingabe aus, unbedingt und mit meinem ganzen, unkontrollierten und daher auch oft genug ungebremsten Empfinden. Genau dieses starke Empfinden war mein Kapital, wie man nüchtern sagen könnte, und genau dieses starke Empfinden hatte mich überhaupt nur zu einem Pianisten werden lassen. Ich wollte *singen* …, ja, von Kindesbeinen an wollte ich *singen* und alles, was in mir steckte, ohne Hemmung nach außen kehren, genau deshalb hatte ich das Klavierspiel ja als mein ureigenes Medium für mich entdeckt. Klavier zu spielen, das war für mich wie eine große Befreiung gewesen, eine Befreiung von jeder Zurückhaltung, Verklemmtheit und Indirektheit, ein einziges Sich-Aussprechen, ein andauerndes Sich-Bewegen in jenen Regionen der Leidenschaft, vor denen die meisten Menschen sich fürchteten und ein Leben lang flohen.

Genau diese Hingabe ist mit der Zeit aber auch immer mehr zu einem Problem geworden, denn ich habe sie zum alleinigen Maßstab meines ganzen Lebens gemacht. So habe ich nie gelernt, mit anderen zu leben, nein, ich lebe allein, und das meint: Ich lebe nur mit der und für die Musik, umgeben von einer großen Anzahl von Verehrerinnen und Freundinnen, mit denen ich mich jeweils für ein paar schöne Stunden zurückziehe, um mich danach sofort wieder von ihnen zu trennen und mir die Illusion einer romantischen Begegnung zu erhalten. Alles, was ich erlebe, erlebe ich wie eine Szenerie dieser Art von Romantik, die Alltags-Konturen tauchen darin nicht mehr deutlich auf. Ich will das Geflüster sehr nahe, aber nicht zu nahe am Feuer, mit einem Wort: Ich will das elegante Spiel, den Widerpart des Klavierspiels im Leben, und ich will mir die Freiheit erhalten, mich auch von diesem Lebensspiel jederzeit mit einer knappen, kurzen Verbeugung verabschieden zu können. Ein Leben lang taten mir deshalb all die Dichter und Schriftsteller leid, die nach ihren Lesungen vom Publikum gestellt und befragt wurden. Solche Auftritte entbehrten jedweder Eleganz und führten letztlich immer wieder dazu, alle Leidenschaft und alles Leuchten wieder zurück, in die Normalität des Alltags, zu überführen. Applaus, stürmischer, unbedingter Applaus, zwei, drei Verbeugungen und ein wortloser Abgang – dies ist das Ideal des pianistischen Auftritts, und genau dieses Ideal wünsche ich mir auch für die Auftritte der Wort-Künstler und Satz-Artisten.

Für mich ist der pianistische Auftritt mit all seinen Ritualen daher viel mehr als nur eine Inszenierung des Spiels oder ein nun einmal notwendiger Teil meiner Profession, der pianistische Auftritt mit all seinen Ritualen hat vielmehr mein ganzes Leben bis in seine Tiefenschichten geprägt. Schon mit der Ankunft in der Künstler-Garderobe neunzig oder sechzig Minuten vor Beginn eines Konzerts beginnt es, es beginnt mit dem Hereinbringen von etwas Tee und Gebäck und dem allmählichen Umkleiden, ja es beginnt mit der Illusion, daß noch später Nachmittag sei, eine Zeit eben für etwas Tee und Geplauder, das etwa dreißig Minuten vor dem Auftritt erstirbt. Diese letzten Minuten verbringe ich allein in der Garderobe, der Zutritt ist jetzt für jeden verboten, gewöhnlich sitze ich unbeweglich in einem bequemen Sessel und konzentriere mich auf die Stücke des Abends, es sind die Minuten einer gedämpften Vorfreude, die sich genau in dem Augenblick steigert, wenn ich die Garderobe verlasse, die Tür zum Podium geöffnet wird und ich hinaus in das Rampenlicht trete. Der vollkommene Rückzug in die Stille vor Beginn eines Auftritts und das plötzliche Hinaustreten vor die Augen eines großen Publikums, hinaus ins Licht – diesen harten Gegensatz habe ich immer als einen starken, unglaublichen Reiz empfunden. Ich glaube, daß genau dieser Reiz für mich elementar ist und daß er sich während eines Konzertabends von Minute zu Minute fortsetzt und steigert. Ich bin allein, und ich bin es eben doch nicht – so paradox könnte man den Zustand dort oben auf dem Podium beschreiben, es ist ein Zustand, den ich in all seiner Intensität nur dort erlebe und der soviel Magisches und Erotisches hat, daß ich mich schon oft bei Versuchen ertappt habe, auf Umwegen und in leicht abgewandelter Manier auch in meinem sonstigen Leben nach genau diesem Zustand zu suchen. Oft ist mir diese Suche sogar schon gar nicht mehr deutlich bewußt, dann agiert etwas in mir wie von selbst oder eben ganz wie

Musik, und ich begreife oft erst hinterher, was genau ich getan habe und welchen geheimen Impulsen ich wieder einmal gefolgt bin.

So hatte ich auch in der Begegnung mit Judith alles getan, um den romantischen Reiz zu erhalten, ja ich hatte beinahe argwöhnisch darauf geachtet, daß unsere Begegnung verlaufen war wie eine Folge von vierhändig gespielten Moments musicaux: Derselbe Wein, dieselbe Suppe, die Hauptspeise geteilt ..., selbst der Kellner war am Ende so aufgetreten, als wäre er in meine romantischen Ideen eingeweiht und daher nichts anderes als eine zwar ferne, aber jederzeit auch passionierte Begleitstimme in, sagen wir, Schumanns Fantasie in C-Dur. Schumanns Fantasie in C-Dur war das Lieblingsstück meiner Jugend, Schumann hat darin seine Liebe zu Clara Wieck besungen, durchaus phantastisch und leidenschaftlich soll es nach seiner Anweisung gespielt werden, und genau eine solche Leidenschaft und Hingabe hatte ich auch der Begegnung mit Judith unterlegt. Warum hatten wir nicht über die letzten achtzehn Jahre gesprochen? Warum hatte ich sie nicht nach den Stationen ihres Lebens gefragt? Und warum hatte ich nicht die entscheidenden Fragen gestellt: Die Fragen danach, wo und mit wem sie inzwischen zusammenlebte?

Es war kurz nach zwei, als ich mich langsam wieder anzog, ich streifte den Mantel über und verließ das Zimmer. Als ich unten im Erdgeschoß ankam, bemerkte ich die kleine Internet-Station in einer Nische neben der Rezeption. Ich stockte einen Moment, dann aber setzte ich mich an den halbrunden Tisch und schaltete den Computer ein. Das strahlend aufschimmernde Hellblau des Bildschirms warf ein warmes Licht auf meinen Mantel, ich zog ihn wieder aus, legte ihn auf den Boden und beugte den Oberkörper dann unwillkürlich ein Stück vor, um all den Texten, die mich über Judiths Leben informieren sollten, noch näher zu kommen. Judith Selow …, ich gab den Namen in eine Suchmaschine ein, und nach kaum zwanzig Sekunden meldete der Computer über 50 000 Ergebnisse. Plötzlich war ich hellwach, jetzt hatte ich es in der Hand, jetzt konnte ich zumindest einmal anfangen, mich mit den Fakten vertraut zu machen. Vielleicht waren die Fakten ja das richtige Gegenprogramm zu meinen Inszenierungen, diesen Fakten gegenüber half jedenfalls keine Musik. Ich überlegte noch kurz, ob ich mir Notizen machen sollte, nein, Notizen erschienen mir zu pedantisch, und außerdem hatte ich für Notizen auch nicht die Zeit. Vorerst genügte es, daß ich mir einen Eindruck verschaffte und den romantischen Jüngling belehrte, daß das Leben von noch anderen Kräften regiert wurde als von Schumanns Fantasie in C-Dur.

Judith Selow …, als ich nach etwa einer halben Stunde detaillierter Nachforschungen versuchte, all die vereinzelten Informationen etwas zu ordnen und zu einer Erzählung zusammenzustellen, ergab sich das Leben einer Frau, das anscheinend ausschließlich von einem einzigen Thema, dem Thema *Theorie und Geschichte der Kunst*, bestimmt war. Sie hatte in den späten achtziger Jahren in Frankfurt den Magister in Kunstgeschichte, Romanistik und Philosophie gemacht und später dann auch dort mit einer Arbeit über Dürers Zeichnungen promoviert.

Nach drei Jahren Arbeit in einer Galerie und in verschiedenen Museen hatte sie eine Assistentinnen-Stelle an der Münchener Hochschule erhalten und sich dort nach einer siebenjährigen Assistentinnen-Zeit mit einer Studie zu Theorien des Malaktes in der italienischen Renaissance habilitiert. Einige Gastdozenturen hatten sie nach Paris, Marseille und Florenz geführt, dann hatte sie zunächst eine Professur in Leipzig und kaum drei Jahre später eine in Bonn erhalten.

Nicht zu glauben, sie lebt also in Bonn, flüsterte ich, vielleicht wohnt sie in einem Haus direkt am Rhein, mit Blick auf das Siebengebirge, und vielleicht fährt sie jeden Morgen in einem chicen Wagen am Fluß entlang zur Universität, um dort zu unterrichten. Ob sie Vorlesungen und Seminare hält? Nein, im kommenden Semester hält sie keine Vorlesungen und Seminare, sie hat ein Freisemester, vor einigen Wochen jedoch hätte ich sie in einem Hörsaal der Bonner Universität im Rahmen einer Ring-Vorlesung hören können. Solche Vorträge hält sie anscheinend laufend und in halb Europa, ihre Auftritte bei irgendwelchen Kongressen und Symposien sind jedenfalls nicht mehr überschaubar. Bestimmte Wendungen und Themen erscheinen immer wieder, von *Figuren im fotografischen Raum* ist häufig die Rede, von *Landschaften und ihrem Design ...*, von den *Körpern der Kunst*, aber auch von der *Gestik der Liebe*. Seit ein paar Jahren kuratiert sie anscheinend auch Ausstellungen, diese hier in Zürich ist, wenn ich es recht übersehe, bereits ihre dritte. Auf all den vielen Internet-Seiten gibt es von ihr jedoch keine einzige Fotografie, nicht einmal auf dem Foto, das die Professoren und Mitarbeiter des Kunstgeschichtlichen Instituts der Bonner Universität zeigt, ist sie zu sehen. An ihre Vorträge, Referate und Diskussions-Beiträge auf den Kongressen und Symposien ist dagegen leicht heranzukommen, ich könnte einen ganzen Ordner damit anlegen. Einmal wird sie von einem Kollegen wegen einer angeblich radikalen methodischen Sicht gelobt, ein ander Mal ist ihr eigener Ton bei der Ablehnung einer anscheinend längst etablierten Forschungsrichtung ungewöhnlich scharf.

Wochen, ja Monate hätte ich damit zubringen können, all diese Debatten um Theorien und Strukturen der Kunst bis ins einzelne zu verfolgen, da ich jedoch kein Fachmann war und von all diesen Dingen zu wenig verstand, hätte mir das alles nicht weitergeholfen. Über das Internet allerdings war nicht zu erfahren, wo genau sie in Bonn wohnte, ausgerechnet in ihrem Fall fehlten auf den Seiten der Universität alle Hinweise auf ihre Adressen oder gar Telefonnummern. Statt dessen wurde man immer wieder auf eine Sekretärin und ein Sekretariat verwiesen, *Anmeldungen zur Sprechstunde nur über XY* las ich mit einer gewissen Ehrfurcht und stellte mir vor, wie Scharen junger Studenten sich in eine endlose Schlange einreihten, um auf dem Umweg über eine gewiß ältere, äußerst penible und zuverlässige Türhüterin nach vielen Stunden zu ihr vorgelassen zu werden und endlich ins Zentrum des Geheimwissens zu gelangen.

Ich beendete das Programm und schaltete den Computer aus, dann zog ich meinen Mantel noch einmal über und ging hinaus. Ich nahm den Weg hinüber zum See und war fast erleichtert, als ich nach wenigen Minuten an seinem Ufer stand. Die Luft hier war nachtweich und ein wenig bitter, der See tingelte satt und schwer auf der Stelle, und die wenigen Wolken hielten sich beinahe unbeweglich und wie müde Gespenster über den Höhen gegenüber. All das, was ich gelesen hatte, verwirrte mich, denn in diesem Dschungel von Informationen erkannte ich Judith nicht wieder. Natürlich, die rasante Karriere, die sie anscheinend gemacht hatte, paßte genau zu ihr, andererseits konnte ich sie mir als Professorin, die Woche für Woche eine Vorlesung vor Hunderten von Studenten hielt, nicht richtig vorstellen. Die vielen Informationen im Netz hatten sie beinahe vollständig meinen Phantasien entzogen und ihre private Existenz so sehr ausgelöscht, daß mir ihr Leben in den letzten Jahren wie eine einzige Forschungs- und Vortrags-Reise erschien. Ein derartiges Leben mußte immense Kraft und Ausdauer erfordern, vielleicht war daneben wirklich nicht mehr viel Platz für Privates ... all das war jedoch nur zu vermuten und brachte mich daher kaum einen Schritt weiter.

Und dennoch, das Stöbern und Suchen im Netz hatten mich fürs erste durchaus befriedigt, hatten sie doch mein Bild von Judith harsch, ja beinahe brutal korrigiert. Plötzlich erschien Judith Selow mir nicht mehr als eine junge Frau, die einmal alles darangesetzt hatte, nur mit mir zusammenzusein, sondern als eine in der Fachwelt weithin bekannte und angesehene Kunsthistorikerin, die sich mit dem Thema *Liebe* anscheinend ausschließlich kunsttheoretisch beschäftigte. Gute Nacht, Frau Professorin, sagte ich leise, entschuldigen Sie mich jetzt, Ihr Schüler ist müde und zieht sich zurück ins Bett. Morgen früh wird er sich etwas einfallen lassen, um sich an Ihren Türhüterinnen vorbei Zutritt zu Ihren Geheim-Räumen zu verschaffen, bis dahin ..., schlafen Sie gut!

8

Am nächsten Morgen erkundigte ich mich bei der Rezeption, ob man für mich einige kleinere Internet-Recherchen durchführen könne, ich suche Informationen darüber, was eine Kunsthistorikerin mit Namen Judith Selow über Landschaftsmalerei sowie über die Darstellung von Liebes-Szenerien in der Malerei der Moderne geschrieben habe. Ich tat, als bräuchte ich diese Informationen geradezu lebensnotwendig, und vergaß nicht, mehrfach zu betonen, wie fremd mir doch alles sei, was mit Computern und dem Internet zu tun habe. Die junge Frau versprach mir sehr freundlich, sich um meine Wünsche zu kümmern, wahrscheinlich hielt sie mich insgeheim aber für einen Trottel, der noch immer nicht begriffen hatte, wohin die Zeitreise ging. Ich bedankte mich und überlegte gerade noch, welche Zeitung ich an diesem sonnigen Herbstmorgen mit in den Frühstücksraum nehmen wollte, als man mich, genau wie am Morgen zuvor, ans Telefon rief. Tanja!, ich hatte Tanja Gerke wahrhaftig vergessen, jetzt würde sie mir alle Details ihrer Zürich-Reise mitteilen, von der Ankunft am Flughafen bis zu unserem Treffen hier im Hotel oder an einem von ihr ausgesuchten anderen Ort in der Innenstadt. Ich nahm das Telefon entgegen und ging hinüber in die Nische der Internet-Station, um dort für einen Moment Platz zu nehmen.

– Einen schönen guten Morgen, meine Liebe!, begann ich.

– Johannes? Woher weißt Du, daß ich es bin? antwortete Judith. Ich hatte meinen Stuhl in Richtung des Bildschirms gedreht, wie in der vergangenen Nacht blickte ich wieder auf dieses eigenartig künstliche Blau, doch jetzt war es so, als lieferte man mir nun auch die passende Begleitstimme zu meinen Recherchen.

– Judith? Du bist es?

– Ja, ich bin es, aber wieso hast Du gewußt, daß ich anrufe?

– Wieso? Ach, sagen wir, ich habe es einfach geahnt, oder, noch besser, ich habe es mir gewünscht! Ich werde sonst von kaum jemandem angerufen, weißt Du, man kann mich nämlich nur schwer erreichen, weil ich kein Handy besitze, und außerdem weiß kaum jemand, wo ich in dieser Stadt übernachte. Wie hast Du es herausbekommen?

– Ich habe vom Museum aus in der Konzertdirektion angerufen und erklärt, ich müsse Dich dringend wegen eines Details, das in unserer Ausstellung eine Rolle spielt, sprechen.

– So einfach ist es also, an meine Adresse zu kommen!

– Ja, es ist einfach, ich habe der Sekretärin nur ganz nebenbei eine Karte für unsere Vernissage versprochen. Da wurde sie sofort schwach, es hat sie nicht einmal mehr interessiert, um welches Detail es sich handelte.

– Und was hättest Du gesagt, wenn sie nachgefragt hätte?

– Ich hätte so in etwa gesagt, daß wir Ausstellungsmacher uns nicht ganz sicher seien, ob *Ländereien der Malerei* nicht auch als Titel im Werk Robert Schumanns vorkommt. Da wir aber wüßten, daß Du einer der besten Schumann-Kenner und Schumann-Pianisten seist, seien wir auf den Gedanken gekommen, Dich zu fragen und Dich außerdem auf diesem direkten telefonischen Weg zu unserer Vernissage einzuladen.

– Sehr gut!

– Ja, nicht wahr? Aber im Ernst, gibt es in Schumanns Werk nicht wahrhaftig einen Titel in dieser Richtung?

– Die *Kinderszenen* beginnen mit einem Stück, das heißt *Von fremden Ländern und Menschen* …

– Siehst Du, meine Ahnung war also doch richtig! *Von fremden Ländern und Menschen* … das wäre ein viel besserer Titel für unsere Ausstellung gewesen, viel besser, viel poetischer!

– Du fragst mich eben zu spät!

– Ich frage Dich, ach was … – Johannes, ich rufe an, weil ich mich bei Dir entschuldigen möchte! Wie konnte ich mich gestern mittag bloß so danebenbenehmen? Das Sorbet hinunterschlingen, vom Tisch aufspringen und nichts wie fort, und das alles auch noch, ohne etwas zu zahlen! Es tut mir leid, ich weiß nicht, was da in mich gefahren ist.

– Ach hör auf, ich habe es Dir nicht übelgenommen, ich habe gedacht, Du hast es eilig, weil sie oben im Museum auf Dich warten.

– Natürlich, ja, sie haben auf mich gewartet, aber was

hätte es schon ausgemacht, wenn sie noch eine halbe Stunde länger gewartet hätten?

– Stimmt, wir hätten auf unser Wiedersehen noch ein Glas Sekt trinken können.

– Das sollten wir auf jeden Fall tun, hast Du heute gegen 14 Uhr Zeit?

Ich zögerte einen Augenblick und stierte weiter auf das plane, stumpfe Hellblau des Bildschirms, hinter dem sich irgendwo das Geheimnis verbergen mußte. Moment mal, Frau Professorin, dachte ich, jetzt weiß ich aber wirklich nicht mehr, was in Sie gefahren ist. Gestern hatten Sie es so eilig, sich davonzumachen, und heute rufen Sie mich schon beim Frühstück an, um sich mit mir zu verabreden.

– Heute, gegen 14 Uhr? wiederholte ich.

– Ja, ich schlage vor, daß wir uns bei diesem wundervollen Wetter im *Barchetta* treffen. Du kennst doch das *Barchetta*? Ich meine die kleine Bar unten im *Hotel zum Storchen* direkt an der Limmat.

– Das *Barchetta* hat eine venezianische Gondel-Anlegestelle mit vier blau-weißen venezianischen Gondel-Anlege-Pfosten, sagte ich. Gibt es solche Pfosten eigentlich schon auf den Bildern der venezianischen Maler des 18. Jahrhunderts? Ich wette, es gibt sie bereits, und ich wette, Du weißt haargenau, um welches Blau es sich dabei handelt.

Judith schwieg, seltsam, dachte ich, normalerweise würde sie auf solche Bemerkungen sofort mit einer spöttischen Bemerkung reagieren, früher hat es uns doch Freude gemacht, den anderen mit seinem Wissen aufzuziehen, jetzt aber hat sie anscheinend nicht mit solchen Spielen gerechnet.

– Johannes? Was soll das? Und was weißt Du von mir?, fragte sie da plötzlich, in einem vollkommen anderen, trockenen Ton.

– Ach, ich weiß gar nichts! Was sollte ich denn auch schon wissen? Es war ein Scherz, ein Scherz, so wie früher. Und sag jetzt bitte nicht wieder, wir sollten von früher nicht reden! Wir sollten darüber reden, ganz unbedingt sogar, und wir sollten vom Heute ebenfalls reden, wir sollten reden, reden und nochmals reden, über alles, was uns durch den Kopf geht.

– Das hört sich ganz furchtbar an.

– Ich meine es aber nicht so. Mein Gott, Judith, merkst Du nicht, wie ich mich freue, Dich wiederzusehen? Gestern nachmittag bin ich nach unserer Begegnung hinauf in Dein Museum gegangen, nur um Dich wiederzusehen!

– Was?! Ist das wahr?!

– Ja, es ist wahr! Ich habe mich im Foyer herumgetrieben, mir aber dann doch verboten, nach Dir zu fragen. Ich wollte nicht aufdringlich sein, nein, das denn doch nicht. Also habe ich mir einen Katalog der ständigen Ausstellung gekauft und mich damit in ein Café in der Nähe gesetzt. Ich habe mir die Bilder genau angeschaut und mir Gedanken über eine Ausstellung mit dem Titel Von fremden Ländern und Menschen gemacht.

Sie schwieg zum zweiten Mal, so etwas hatte sie, soweit ich mich erinnern konnte, überhaupt noch nicht getan. Hey, dachte ich, seit wann gelingt es Dir, Judith Selow zweimal in einem Gespräch zum Schweigen zu bringen?

– Das Café heißt *My Place*, sagte sie da, und das Blau seiner Markisen ist exakt das Blau der venezianischen Gondel-Anlege-Pfosten.

– Ich gebe auf, sagte ich, ich bin Punkt 14 Uhr im *Barchetta*.

– Na endlich, sagte sie, ich freue mich sehr.

– Bis dahin schon mal einen Kuß, sagte ich. Es war wieder still, dann bemerkte ich, daß sie das Gespräch beendet hatte.

Ich saß noch etwa zwei, drei Minuten etwas fassungslos vor dem Bildschirm, mit dieser Einladung hatte ich überhaupt nicht gerechnet, ich hatte vielmehr fest angenommen, daß Judith kein Wiedersehen wollte. Was steckt dahinter? dachte ich, warum macht sie sich jetzt diese Mühe? Ich stand auf und schaute hinaus auf die Straße. Das Sonnenlicht lagerte nun bereits wie ein warmer, weicher Teppich auf dem Asphalt, der Himmel war hellblau und von feinen, weißen Adern durchzogen, ich brauchte bloß noch hineinzuspringen in all diese Herbst-Symbiosen. Ich ging ein paar Schritte zur Tür, als mich die junge Frau an der Rezeption darauf aufmerksam machte, daß ich das Telefon noch in der Hand hielt.

– Ist alles in Ordnung? fragte sie.

– Mehr als das, antwortete ich, es ist alles so sehr in Ordnung, daß ich meinem Glück schon wieder mißtraue.

Sie schaute mich an und lächelte, wahrscheinlich hielt sie mich jetzt nicht nur für einen Trottel, der nicht einmal wußte, wie man im Netz Informationen sammelt, sondern auch für einen naiven Menschen, den man schon mit einem harmlosen Anruf am Morgen glücklich machen konnte.

– Vergessen Sie bitte die Internet-Recherchen nicht, sagte ich.

– Wir geben uns alle Mühe, antwortete sie.

Ich zog meinen Mantel über und ging zur Tür.

– Sie haben noch nicht gefrühstückt, rief sie mir da hinterher.

– Wahrhaftig, Sie haben recht, antwortete ich, beinahe hätte ich gar nicht bemerkt, daß ich noch nicht gefrühstückt habe. Aber ich will Ihnen etwas sagen: Jetzt, wo der Tag schon so glücklich begonnen hat, werde ich nicht mehr frühstücken, nein, jetzt werde ich meinem Glück folgen und lieber gleich hinausgehen, ins Freie!

Sie starrte mich an, sie versuchte, erneut zu lächeln, ich sah ihr an, daß sie nun wahrhaftig glaubte, daß mit mir etwas nicht stimmte.

Draußen war es ungewöhnlich warm, ich zog den Mantel aus und hängte ihn mir über die Schultern. Einige Segelboote kreisten bereits auf der Mitte des Sees, und zwei weiße Ausflugsschiffe fuhren dicht hintereinander am gegenüberliegenden Ufer entlang. Ich steckte die Hände in beide Hosentaschen und ging zügig voran, längst waren die Jogger unterwegs, am etwas späteren Morgen lösten sie die Hundebesitzer ab, die sich schon wieder in die Häuser zurückgezogen hatten. Eine Schulklasse hatte vor einer Tafel haltgemacht, auf der lauter Vögel und Fische abgebildet waren, und nahe der Quaibrücke wurden die Schwäne und Enten gefüttert. Am liebsten wäre ich überall stehengeblieben und hätte zu alldem einen Kommentar abgegeben. So muß es sein, sehr schön, ja, schaut euch alles genau an, so wahnwitzig hätte ich beinahe geredet, weil ich mich auf fast unheimliche Weise im Einklang mit dieser Umgebung befand. Seit langer Zeit war ich nicht mehr so glücklich zu einer Probe aufgebrochen, am Ende ging ich in weitausholenden, großen Schritten auf die *Tonhalle* zu, als nähme ich gerade Anlauf zu, sagen wir, einem der monumentalen und geradezu überdreht schweren Klavierkonzerte von Brahms. Erst drinnen, in dem wie immer schwach beleuchteten, stillen Saal kam ich zur Ruhe. Nein, es ging nicht um ein Klavierkonzert von Johannes Brahms, sondern um die Sonate in Es-Dur, Köchelverzeichnis 282. Wirklich? Ging es darum? Sollte ich an diesem Morgen mit dieser Mozart-Sonate beginnen, ja sollte ich an diesem Morgen überhaupt Mozart spielen?

Ich warf meinen Mantel über die vorderste Stuhlreihe und streifte mir den dünnen Pullover über den Kopf, ich öffnete die drei obersten Knöpfe des weißen Hemdes und rollte die Ärmel weit nach oben. Dann ging ich aufs Podium, setzte mich auf den mit schwarzem Leder bezogenen Klavierhocker, schraubte ihn noch einmal etwas höher und begann mit Schumanns *Fantasie in C-Dur, Herrn Franz Liszt zugeeignet, durchaus phantastisch und leidenschaftlich vorzutragen* ...

9

– SCHAU MAL ... Judith hatte ein großes Blatt Papier auf einem der kreisrunden Stehtische ausgebreitet, die draußen vor dem *Barchetta* direkt an der Limmat standen. Neben dem Blatt warteten zwei Gläser Sekt, zwei leere Trink-Gläser und eine anscheinend mit Mineral-wasser gefüllte Karaffe. Jetzt, am Mittag, waren alle Ti-sche besetzt, die Gäste-Gruppen saßen auf den Barhok-kern, die rund um die Stehtische postiert waren, schräg gegenüber, auf der anderen Limmat-Seite, lag die Flucht der Arkaden-Bögen in den Erdgeschossen der alten Häu-ser im Sonnenlicht, und im Hintergrund ragten die bei-den Türme des Großmünsters in einen noch fast immer wolkenlosen Himmel.

– Schau mal …, Judith begrüßte mich nicht, sondern machte, als ich an ihren Tisch trat, nur eine kleine Dre-hung zu mir hin, als wäre ich gerade einmal um die Ecke gegangen und käme jetzt zurück an unseren gemeinsa-men Tisch.

– Schau mal, Johannes, dieses große Rechteck hier ist der Ausstellungssaal, man erreicht ihn nur von hier, über die Treppe, und betritt ihn dann durch diese schmale Tür, die zugleich auch der Ausgang sein wird. Wie wir das große Rechteck bespielen, bleibt uns überlassen. Wir können Stellwände mit kleinen, intimen Kabinetten auf-bauen, wir können einen Parcours entwerfen, wir können zwei, drei Meisterwerke in die Mitte stellen und die an-deren Bilder um diese Mitte gruppieren. Wir sind noch nicht ganz einig, wie genau wir vorgehen wollen, ich per-sönlich favorisiere die Lösung mit den Kabinetten. Soll-te es wirklich dazu kommen, würde ich jedem Kabinett eine Art poetisches Thema oder Motto geben. Eines da-von könnte lauten: Von fremden Ländern und Menschen.

– Und welche Bilder bekäme man da zu sehen?

– Vier oder fünf Bilder von Hodler, sein Selbstporträt

als Studierender und das als alter Mann, sein Bild eines schräg an einem Tisch sitzenden Bauern mit Weinglas und Zeitung, seine Bilder vom Genfer- und vom Silvaplanersee ..., also lauter Ikonen der Schweizer Malerei.

– Und darüber stünde dann das Motto Von fremden Ländern und Menschen?

– Ja, genau, das bekäme man hier zu lesen, hier in Zürich, mitten in der Schweiz ...

Sie nahm einen Bleistift und skizzierte in das Rechteck den Grundriß der kleinen Kabinette, so, wie er ihr vorschwebte, sie sprach von einigen Bildern, die ihr besonders gefielen und dadurch einen herausgehobenen Platz erhalten sollten, sie erklärte und erzählte ununterbrochen, es kam mir so vor, als befände sie sich noch immer oben auf ihrem Museumshügel und könne sich von ihrer Arbeit nicht trennen. Mir gefiel, wie selbstverständlich sie mich in ihre Überlegungen mit einbezog, sie tat so, als wäre ich an dem Projekt beteiligt und könne etwas Wesentliches dazu beitragen. Natürlich unterbrach ich sie nicht, unter den plaudernden oder auf die Limmat schauenden Spaziergängern bildeten wir eine kleine Insel, auf der zunächst geplant und nachgedacht und erst später etwas getrunken oder gegessen wurde. Nur ein wenig Wasser schenkte sie uns beiden ein und nahm dann auch einen Schluck, ich wagte nicht, meinen Hunger anzumelden, bisher hatte ich den ganzen Tag noch nichts zu mir genommen.

– Also, was meinst Du? Sollte ich auf den kleinen Kabinetten bestehen?

– Ja, ich denke schon, in der Mitte des Saals aber sollte es einige Einzel-Bilder geben, entrückt, unkommentiert, ohne Thema oder Motto.

– Mach mal einen Vorschlag!

– Karl Stauffers Keller-Porträt, das unbedingt! Es ist wie das Porträt eines gewaltigen, mythischen Dichter-Gottes, der am Ende seines Leben schmerzhaft begreift, daß er keine Geschichten mehr zu erzählen hat.

– Und noch einen zweiten Vorschlag!

– Da denke ich an ein Bild von Delacroix: Der greise Milton diktiert seinen Töchtern das Epos *Paradise Lost*. Miltons Augen sind geschlossen, er sitzt schräg auf einem beinahe päpstlichen Sessel, seine linke Hand greift weit aus und hält sich am nahen Tisch fest.

– Keller also und Milton …, zwei greise Dichter …, der eine hat seine Geschichten erzählt, der andere diktiert sein letztes Werk …

– Ja, diese beiden Dichterporträts würde ich nebeneinander gruppieren, ich weiß allerdings nicht, welche Größe sie haben.

– Du wirst Dich wundern, sie sind beinahe gleich groß, aber leider zu klein für die Mitte des Saals. In die Mitte des Saals müssen größere Bilder, an denen man nicht vorbeigeht, sondern vor denen man stehenbleibt.

– Dann widme den beiden Dichtern doch ebenfalls ein Kabinett. Ich hätte dafür sogar wieder ein Schumannsches Motto.

– Und das lautet?

– *Der Dichter spricht* …, das ist der Titel der letzten Nummer von Schumanns Kinderszenen.

Sie schaute einen Moment zu mir hoch, dann machte sie sich mit dem Bleistift ein paar Notizen, schob alle Unterlagen beiseite, griff nach dem Sekt, beugte sich zu mir vor und küßte mich kurz auf die rechte Wange.

– Auf unser Wiedersehen, Johannes!

– Auf unser Wiedersehen!

Ich dachte daran, wie ich gestern zwei Gläser Sekt direkt hintereinander vor der Theater-Aufführung geleert hatte, jetzt hatte ich Lust, damit fortzufahren, der Sekt paßte genau zu der seltsamen Unbeschwertheit, die ich seit dem frühen Morgen empfand. Ich ging in die Bar und bestellte noch zwei weitere Gläser sowie einige kleinere Toasts gegen den Hunger, dann erzählte ich Judith, daß ich in der *Tonhalle* noch immer keinen einzigen Ton Mozart gespielt hätte, sondern ausschließlich Schumann, nur Schumann. Ich war von der Probe etwas erschöpft, deswegen setzte ich mich auf einen der Barhocker, die kurze Bewegung veranlaßte Judith, ebenfalls nach ihrem Hocker zu greifen. Sie packte ihn, rückte ihn näher an mich heran und setzte sich ebenfalls. Wir saßen jetzt dicht nebeneinander unter den Arkaden des alten Hotelbaus, unser Blick ging hinüber zum Großmünster und weiter, hinaus auf den See. Ich spürte ihre Schulter ganz nahe an meiner, ich hielt still, diese Nähe war kaum zu ertragen.

– Hast Du Lust, später mit hinauf ins Museum zu kommen und bei der weiteren Planung dabeizusein? fragte sie.

– Ich soll mitkommen? Mit hinauf?

– Ja, warum nicht? Ich sage meinen Mitarbeitern, Du seist von der Presse, das ist besser, dann ersparen wir uns das ganze Geschwätz.

– Sind es Mitarbeiter aus dem Museum?

– Nein, ich habe zwei meiner engsten Mitarbeiter aus Bonn mitgebracht.

– Aus Bonn? Wieso denn aus Bonn?

Judith beugte sich etwas vor und legte die linke Hand auf meine rechte. Sie schaute mich nicht an, sondern blickte weiter hinüber zum Großmünster und in Richtung des weiten Sees.

– Ich lebe und arbeite in Bonn, mein Lieber, sagte sie ruhig, wie Vater habe ich beinahe die ganze erste Hälfte meines Lebens dafür hergegeben, eine Professur zu bekommen. Jetzt habe ich genau die, die ich immer wollte, es ist eine Professur für Neuere Kunstgeschichte in Bonn.

– Und wieso gerade in Bonn?

– Bonn ist für Kunstgeschichtler eine der besten Adressen.

– Ah, ich verstehe …, in Bonn also, dann wohnst Du sicher am Rhein, mit dem Blick auf das Siebengebirge.

– Stimmt, ich wohne in einem kleinen Ort in der Nähe von Bonn direkt am Rhein, mit Blick auf das Siebengebirge. Und Du, wo wohnst Du?

– Du wirst es nicht glauben, aber ich lebe noch immer in Frankfurt, und ich wohne noch immer in genau der Wohnung, in der ich mit Mutter gelebt habe.

– Lebt Deine Mutter nicht mehr?

– Nein, Hanna ist vor drei Jahren an zwei Herzinfarkten kurz nacheinander gestorben.

– O mein Gott, das tut mir leid, Du weißt, daß ich sie sehr gemocht habe.

– Ja, ich weiß, sie hat Dich auch sehr gemocht, sie hat immer von Dir geschwärmt, dabei hatte ich zu Beginn unserer Freundschaft noch vermutet, sie wäre eifersüchtig auf Dich. Eine Mutter mit ihrem einzigen Sohn ... und dann kommt die erste große Liebe des Sohnes ins Haus, normalerweise kann das doch nicht gutgehen.

– Es ging aber gut, es ging sogar sehr gut.

– Ja, Hanna hat sich richtiggehend für Dich interessiert, laufend hat sie sich nach Dir erkundigt, nach Deiner Arbeit und danach, wie es dir geht. Dein Fleiß und Deine Strenge haben ihr sehr gefallen, und außerdem fand sie, dass Du eine kluge Frau seist.

– Hat sie das wirklich einmal gesagt, hat sie gesagt, ich sei eine kluge Frau?

– Ja, das hat sie sehr oft gesagt, und manchmal hat sie sogar gesagt: Gut, daß Du Judith hast, Judith ist viel lebensklüger als Du, Judith wird schon aufpassen, daß Dir nichts passiert.

– Da hat sie sich aber gründlich geirrt.

– Wieso denn?

– Na, ich sehe doch, daß Du Dein Leben auch ohne mich ganz gut gemeistert hast.

Ich war froh, daß die Kellnerin genau in diesem Moment den Sekt und einen Teller mit Toasts brachte, ich nutzte die kurze Unterbrechung, um Judith nach ihren Eltern zu fragen.

– Meine Eltern leben beide noch, antwortete sie, Mutter arbeitet noch immer für den Verlag, und Vater, na Du kennst ihn, Vater sitzt noch immer tagein, tagaus in seinem Zimmer über seinen griechischen und römischen Klassikern. Zu meiner Antrittsvorlesung in Bonn sind sie beide erschienen und saßen dann in der ersten Reihe. Vater war sehr stolz und sehr mit mir zufrieden, doch als wir den Vorlesungssaal verließen, flüsterte er mir kurz zu: Du hast etwas zu schnell gesprochen, ich hasse dieses neo-romanische Tempo.

Wir unterhielten uns noch eine Weile, wir aßen und tranken, dann aber sagte Judith plötzlich:

— Laß uns noch einen kurzen Gang hinauf zum Lindenhof machen, der ist doch ganz in der Nähe.

Ich überlegte kurz, richtig, der Lindenhof war ganz in der Nähe, früher war er ein von uns bevorzugter Ort gewesen. Außerdem aber lag das Hotel, in dem Judith übernachtete, direkt unterhalb, wir würden also auf dem Weg zum Lindenhof daran vorbeikommen.

— Gut, ja, gehen wir noch hinauf zum Lindenhof, sagte ich, ich bin gespannt, wie es heute dort aussieht.

Ich wollte zahlen, aber Judith kam mir zuvor, griff nach der Rechnung und verschwand damit in der Bar. Als sie zurück an den Tisch kam, brachte sie ihre Unterlagen in einer dünnen, hellbraunen Aktentasche unter, dann nahm sie die Tasche in die rechte Hand und hängte sich mit der linken bei mir ein. Wir gingen ein Stück an der rasch daherfließenden Limmat entlang und bogen dann nach links ab. Als ich ihr Hotel erkannte, sagte ich:

— Schau, in diesem Hotel habe ich auf früheren Tourneen manchmal übernachtet.

— Schade, antwortete sie, schade, daß Du nicht auch diesmal hier übernachtest.

— Schade? Wieso schade?

— Schade, mein Lieber, weil ich nämlich diesmal hier übernachte.

– Im Ernst, Du übernachtest ausgerechnet hier, in diesem Hotel?

– Ja, mein Lieber, ich übernachte hier, in diesem Hotel. Und deshalb entschuldigst Du mich jetzt für einen Moment, ich bin nämlich heute viel zu warm angezogen. Geh doch schon einmal hinauf zum Lindenhof, ich komme sofort nach.

Sie löste sich von mir und ging auf den etwas seitlich gelegenen Hoteleingang zu, während ich eine schmale, dunkle Stiege hinauf auf die Höhe des Lindenhof-Plateaus nahm. Oben blieb ich stehen, es war seltsam, aber ich erkannte nicht die geringsten Veränderungen. Die kleinen Altstadthäuser mit ihren hellgrauen Fensterläden drängten sich noch immer an das Plateau heran, die Schachspieler standen in dichten Gruppen um die großen Figuren herum, und die meisten Bänke waren wie früher mit lauter Paaren besetzt. Von einer Aussichtsterrasse aus blickte man tief hinunter auf die Limmat und auf die Häuserreihen, die den gegenüber ansteigenden Hang beinahe bis zur Höhe besiedelten. Ich schlenderte die gesamte Umfassungsmauer des Geländes langsam entlang und ging dann zurück in die Mitte des Platzes, ich drehte mich so, daß die Sonnenstrahlen mir durch die dicht nebeneinander stehenden Lindenbäume direkt aufs Gesicht fielen, dann legte ich den Kopf etwas in den Nacken und versuchte, der Musik zu lauschen: C-Dur, der Anfang der *C-Dur-Fantasie*, heute morgen hatte ich sie so schnell wie noch nie gespielt, in einem durchaus neo-romanischem Tempo …

– Johannes?

Judith schob meinen weit geöffneten Mantel etwas auseinander und umschlang meine Hüften mit beiden Armen. Ich öffnete die Augen und schaute sie an, sie zog mich noch enger zu sich heran, mein Gott, dachte ich, wir stehen hier auf dem Lindenhof wahrhaftig wie in der Zeit, als wir noch ein frisch verliebtes Paar waren. Ich wagte nicht, sie zu küssen, ich lehnte meinen Kopf nur dicht an den ihren, ja, das waren ihr Duft und ihre Wärme, schon früher hatte sie immer ein so warmes und wohltuend weiches Gesicht und diesen unverwechselbaren, seltsamen Duft, herb, ja, wie leicht feuchte Erde im Herbst. Ich küßte sie vorsichtig aufs Haar, wir standen ganz still, ich spürte die wärmenden und kräftigen Sonnenstrahlen auf meiner Stirn, dann nahm ich ihren Kopf in beide Hände und küßte beinahe unbeholfen ihre Lippen, zunächst war es nur eine kurze Berührung, dann aber, als ich spürte, wie ihre Lippen nachgaben und weicher wurden und ein leiser Druck meine Berührung erwiderte, küßten wir uns minutenlang, als sollten unsere Lippen miteinander verwachsen.

– Komm, suchen wir uns eine Bank, sagte sie, als wir uns wieder voneinander gelöst hatten. Sie griff nach meiner Hand, und wir gingen hinüber an den Rand des Plateaus, wo noch einige Bänke frei waren. Du weißt genau, was jetzt kommt, dachte ich, Du weißt es ganz genau. Wir setzten uns, dann schob Judith mich ein wenig zur Seite, drehte sich etwas, legte den Kopf auf meinen Schoß und streckte sich schließlich ganz auf der Bank aus. Sie schloß die Augen und entspannte sich, nach einer Weile begann sie, ganz leise zu sprechen, als spräche sie eher mit sich selbst als mit mir:

— Sag mal, warum haben wir unsere erste gemeinsame Reise eigentlich ausgerechnet nach Zürich gemacht?

— Ja, warum nach Zürich? Hast Du eine Theorie?

— Ich glaube, wir haben uns noch nicht allzu weit fort getraut. Zürich war Ausland, und war es doch nicht. Damals empfand ich es jedenfalls so, ich hoffte, man könne hier bereits eine Spur Frankreich finden, ja, hier und da hatte Zürich etwas Französisches, manche Restaurants waren französisch und natürlich das *Café Odeon*. Das *Café Odeon* war der Mythos, Du warst ganz begeistert davon, jeden Tag mußten wir zumindest einmal hinein.

— Eigentlich wollte ich vor allem hinein, um dort zu rauchen. Damals rauchten wir doch ausschließlich französische Zigaretten, den ganzen Tag über rauchten wir immer mal eine, im *Café Odeon* aber hörten wir gar nicht mehr auf, solche Zigaretten zu rauchen.

— Seltsam, ja, die Zeit spielte damals für uns noch überhaupt keine Rolle, wir saßen stundenlang im *Odeon*, lasen Zeitungen, rauchten, ich glaube, so etwas wie ein Zeitempfinden hatten wir noch nicht im geringsten.

— Ja, es ist ein seltsames Alter. Man treibt sich den ganzen Tag ununterbrochen herum, man vertreibt sich die Zeit, man schnappt hier und dort etwas auf, aber man kommt nirgends an, man ist pausenlos in Bewegung.

— Ich glaube, es ist so eine Art Sammeln, man sammelt Eindrücke und Atmosphären, aber man kann noch gar nichts Rechtes mit ihnen anfangen, also schnuppert man, man sammelt Milieus und Personen, aber alles bleibt flüchtig, wie Lyrik. Deshalb reist man in diesem Alter auch viel, man will fort, nichts wie fort, und man will jedes Mal an einem anderen Ort sein. Mein Gott, wieviel wir doch gereist sind! Immer, wenn sich nur die kleinste Gelegenheit ergab, sind wir irgendwohin aufgebrochen. Drei oder vier Stunden Fahrt – das machte uns gar nichts aus, Hauptsache, es gab irgendwo etwas Neues zu sehen oder zu hören. Eine Ausstellung, ein Konzert – schon waren wir da. Aber sag mal, Du bist doch sicher noch immer viel unterwegs?

– Ja, aber ganz anders als früher. Ich fahre nicht mehr überallhin, ich suche mir die Städte sehr genau aus, und ich fahre alle paar Jahre in dieselben. Jetzt habe ich Lieblingsstädte mit Lieblingsplätzen und Lieblingshotels – im Grunde suche ich jetzt in der Fremde auch immer etwas Vertrautes.

– Das Fremde und das Vertraute …, ja, darüber könnte man lange nachdenken. Weißt Du, manchmal kommt es mir so vor, als wäre das Verhältnis zwischen Fremdem und Vertrautem etwas, an dem man die ganze eigene Entwicklung ablesen kann. Zürich zum Beispiel, das war für uns früher etwas absolut Fremdes, das *Café Odeon* war durch und durch fremd, und natürlich waren es auch die französischen Zigaretten und die Musik, die man im *Odeon* zu hören bekam. Wenn man an solch fremden Orten auf Menschen traf, die einem vertraut vorkamen, wollte man nichts wie weg. Fremd sollte alles sein, absolut fremd! Mit den Jahren aber verblaßte dieser Reiz, und zwar schon dadurch, daß man das Fremde immer genauer begreifen und einordnen konnte. Nachdem wir in Paris gewesen waren, wirkte Zürich sehr blaß, ich weiß noch, wie wir zum zweiten Mal hier waren und vom *Odeon* dann so maßlos enttäuscht waren. In diesem Café hatten wir einmal viele Stunden gesessen? Wir konnten es gar nicht glauben und sind sofort weitergereist, nichts wie weg, nichts wie weiter, nach Italien!

– Nix wie weg! …, ja, richtig, immer wieder kamen wir dann irgendwo an und sagten schon bald: nix wie weg, weiter, das hier ist nichts mehr für uns!

– Ja, ich glaube, dieses jugendliche Empfinden hat etwas Nomadisches. Wenig Gepäck, keine festen Ziele, lieber immerzu unterwegs, von Ort zu Ort, bis man auf ein Terrain stößt, das einen dann packt und festhält.

– Paris! Marseille! Rom! Neapel!

– Venedig, bitte vergiß Venedig nicht!

– Ah ja, Du hast recht, aber ich glaube, Venedig ist ein eigenes Thema, Venedig läßt sich nicht mit anderen Städten vergleichen. Ich war jetzt schon so oft dort, und natürlich ist mir Venedig dadurch immer vertrauter geworden, sehr vertraut sogar, ja, manchmal sogar so vertraut, daß ich bereue, nicht dort zu leben. Wenn ich Venedig wieder verlassen muß, denke ich: Was ist nur mit Dir los? Wieso bleibst Du nicht endlich? Warum gibst Du nicht zu, daß dies hier Dein eigentliches Zuhause ist? So etwas beweist doch, wie geborgen ich mich in dieser Stadt fühle, und doch hat sie für mich nie etwas von ihrer Fremdheit verloren. Gerade das ist ja das Wunder: daß diese Stadt ihre Fremdheit immer behält und doch ein so großes Maß an Vertrautheit erlaubt.

Judith öffnete die Augen und schaute mich an.

– Weißt Du was? Nach unseren Unterhaltungen habe ich mich oft gesehnt. Manchmal habe ich mich sogar nicht entblödet, mich mit Dir im stillen zu unterhalten, so, als wären wir noch immer zusammen.

– Ja, mir erging es auch manchmal so, die Unterhaltungen haben auch mir sehr gefehlt. Und jetzt, jetzt möchte ich mich eigentlich ununterbrochen mit Dir unterhalten, von frühmorgens bis spät in die Nacht, ich kann schon gar nicht mehr richtig sortieren, was ich von Dir alles wissen und worüber ich mit Dir sprechen möchte, so viel ist es. Als ich zum Beispiel gestern in diesem Café oben in der Nähe des Museums saß, mußte ich laufend über unsere unverhoffte Begegnung in der *Kronenhalle* nachdenken. Was hat sich eigentlich gegenüber früher verändert? dachte ich. Als wir da so eng beieinander saßen, dachte ich nämlich dauernd an früher. Und doch war da auch eine Spur Zurückhaltung und Vorsicht und …, ja, auch eine Spur Fremdheit. Der ganze Reiz, den ich jetzt bei unseren Begegnungen empfinde, besteht genau darin: Du bist Judith, die Judith von früher, die ich gut kenne, und Du bist auch eine Judith, von der ich nicht das Geringste weiß. Mein Hang zum Vertrauten orientiert sich an der früheren Judith und sucht nach lauter Beweisen, daß es diese frühere Judith noch immer gibt. Daneben bemerke ich aber auch Fremdes, dieses Fremde hat etwas Abenteuerliches, es besteht aus lauter Geschichten, die ich nicht kenne, ja, es hat sogar etwas Geheimnisvolles.

– Das, mein Lieber, möchte ich aber genauer wissen: Was zum Beispiel ist an mir jetzt so fremd?

– Die Professorin ist fremd, ich kann mir nicht im geringsten vorstellen, wie Du als Professorin in Bonn lebst, ich kann mir nicht vorstellen, wie Du Vorlesungen hältst, ja, ich kann mir nicht einmal vorstellen, ob Du mit einem Auto zur Universität fährst oder die Straßenbahn nimmst.

– Ich nehme die Straßenbahn, und Vorlesungen halte ich schon seit einiger Zeit keine mehr, ich habe mit der Vorbereitung der Ausstellungen genug zu tun.

– Die Ausstellungen …, ja, gut, ich kann mir in etwa denken, wie Du so eine Ausstellung planst, aber ich kann mir überhaupt nicht vorstellen, wie Du mit Deinen Heerscharen von Mitarbeitern umgehst.

– Also bitte, hier in Zürich gibt es keine Heerscharen, sondern nur zwei Assistenten: Anna und Franz. Und jetzt machen wir uns einfach auf den Weg, damit Du sie möglichst rasch kennenlernst und zumindest diese Fremdheit sich augenblicklich in nichts auflöst.

– Ja, sehr gern, aber noch einen Moment, noch eine letzte Frage. Könnte es sein, daß Du mich als weniger fremd empfindest als ich Dich? Könnte das sein?

– Wie kommst Du denn darauf?

– Ach, es ist nur eine Spekulation, nicht mehr, gestern nacht, als ich nicht einschlafen konnte, ging mir das durch den Kopf.

– Wenn es nur eine Spekulation ist, belassen wir es doch vorerst dabei. Ich denke darüber nach und sehe zu, ob mir etwas Gescheites dazu einfällt.

Sie richtete sich auf, dann kämmte sie sich kurz durch das Haar und griff nach ihrer Aktentasche.

– Gehen wir? fragte sie.

– Ja, sehr gern, antwortete ich, ich bin wirklich darauf gespannt, was sich dort oben, in Deinem Kunst-Bau, so alles abspielt.

10

ALS WIR im Foyer des Museums angekommen waren, bat Judith mich, in der Cafeteria zu warten, sie werde einen ihrer Assistenten nach unten schicken, der mich dann in den Ausstellungssaal führen werde.

— Behaupte einfach, Du seist von der Presse, so ersparen wir uns alle umständlichen Erklärungen, wer Du sein könntest, sagte sie.

— Gut, dann warte ich noch eine Weile, aber bitte nicht länger als eine halbe Stunde.

— Versprochen, nicht länger als eine halbe Stunde!

Sie lächelte und ging dann die Treppe zum Ausstellungssaal hinauf, während ich mir in der Cafeteria einen Kaffee bestellte. Plötzlich ist alles so schnell gegangen, viel schneller, als Du es je erwartet hast, dachte ich. Du selbst hättest Dich wahrscheinlich tagelang nicht getraut, sie auch nur zu berühren, in Dir steckt einfach noch ein Keim des Mißtrauens und ein Rest der alten Kränkung. Dabei sagt Dir Dein Gefühl doch längst, daß diese Kränkung nicht mehr die Hauptrolle spielt, die Liebe zu ihr ist mit den Jahren vielmehr wieder gewachsen und jetzt längst stärker als alle Bedenken. Sie dagegen geht ganz unbefangen auf Dich zu, als hätte sie nur auf Dich gewartet. Kaum eine Spur von Zurückhaltung, keinerlei Zögern! Vielleicht sehnt sie sich aber auch nach den Jugendtagen zurück, vielleicht spielt diese Nostalgie eine Rolle! Weshalb hat sie sonst so lange und nachdenklich von früher gesprochen, es hörte sich an, als habe sie seit unserer Begegnung viel darüber nachgedacht. Und ich selbst, denke ich auch viel an früher? Als sie vom *Café Odeon* erzählte, bekam ich sofort wieder Lust, dorthin zu gehen, dabei bin ich mir beinahe sicher, daß mich ein Aufenthalt dort nur enttäuschen würde. Im *Odeon* sitzen, französische Zigaretten rauchen und mich an früher erinnern – was für eine elende Vorstellung! Und doch gibt es dieses gewisse Kribbeln, das mich immer dann überfällt, wenn ich an atmosphärisch starke Augenblicke von früher denke. In enger Umarmung am See entlanggehen! Auf dem Deck eines der weißen Schiffe den Moment erleben, wenn das Schiff vom Ufer ablegt! Irgendwo in einem der kleinen Orte am See aussteigen und sich ohne jede weitere Orientierung sofort auf den Weg machen!

Ich schaute auf die Uhr, etwa zwanzig Minuten wartete ich nun schon bereits, da erkannte ich einen schlanken, hoch aufgewachsenen, jungen Mann, der die Treppe vom Ausstellungssaal herunterkam und auf die Sitzplätze der Cafeteria zuging. Er schaute sich um, ich gab ihm ein Zeichen, daraufhin kam er sofort auf mich zu.

– Sind Sie der Mann von der Presse? fragte er.

– Ja, sagte ich, der bin ich.

– Frau Selow schickt mich, um Sie hinaufzubegleiten.

– Danke, das ist sehr freundlich.

– Für welche Zeitung schreiben Sie?

– Ich schreibe für zwei Schweizer Agenturen.

– Und warum gedulden Sie sich nicht wie die meisten anderen Pressevertreter bis zur Vernissage?

– Ich arbeite an einer Reportage, ich will darüber schreiben, wie eine solche Ausstellung entsteht, es geht um einen »Blick hinter die Kulissen«, Sie verstehen?

– Ja, ich verstehe.

– Sind Sie ein Mitarbeiter von Frau Selow?

– Ja, ich arbeite seit Jahren mit ihr in Bonn zusammen.

– Ist sie eine strenge Chefin?

– Ich würde sagen, Sie ist weder streng noch eine Chefin, am besten bilden Sie sich aber selbst eine Meinung. Kommen Sie, gehen wir doch einfach hinauf!

Als ich den Ausstellungssaal betrat, blieb ich vor Überraschung zunächst einen Moment stehen, ich hatte mir »das große Rechteck«, wie Judith das Ganze genannt hatte, viel überschaubarer vorgestellt. Nun aber stand ich vor einer langgestreckten, weißen Raumflucht, an deren Wänden hier und da bereits Gruppen von Bildern lehnten. In der Mitte des Saals befand sich ein großer Tisch, auf dem lauter Papiere und Skizzen lagen, etwas seitlich davon standen zwei Hebebühnen und mehrere kleine Wagen, auf denen man die Bilder anscheinend bequem transportieren konnte. In dem großen Raum war es sehr still und hell, an der Decke entwarf eine Unmenge von Strahlern kleine, parallele Lichtstraßen, noch hing aber kein einziges Bild an seinem Platz.

Als Judith mich sah, kam sie sofort auf mich zu, während Franz zu dem großen Tisch in der Mitte ging, wo eine junge, blonde Frau mit sehr kurzgeschnittenen Haaren die Papiere und Skizzen in immer wieder neue Ordnungen brachte. Judith sprach leise mit mir, sie wollte anscheinend nicht, daß man unser Gespräch verstand.

– Gib mir die Hand, Johannes!, sagte sie sehr gedämpft, halten wir uns an unsere Rollen!

Ich mußte grinsen, als ich ihr die Hand gab, in meinen Augen übertrieb sie das Spiel.

– Die Bilder der Ausstellung sind jetzt alle in diesem Raum, die meisten haben wir provisorisch an den Wänden entlang aufgestellt, während wir die Fotografien erst später hervorholen, wenn wir genau wissen, welchen Platz jedes einzelne Bild bekommen wird. Die Fotografien haben übrigens alle dieselbe Größe, die meisten werden wir jeweils zu beiden Seiten eines Bildes aufhängen, so daß sie das Bild rahmen. Laß Dir Zeit beim Herumschweifen hier im Ausstellungsraum und kümmere Dich nicht um uns. Wenn Du Fragen hast, dann komm bitte zu mir, am besten ist, wir behelligen Anna und Franz nicht damit.

– Deine Mitarbeiter sehen aus wie Geschwister! Sind sie miteinander befreundet?

– Nein, sie sind nicht miteinander befreundet, es sind einfach nur Arbeitskollegen.

– Einfach nur Arbeitskollegen! Seit wann benutzt Du denn solche Bezeichnungen?

– Seit ich für die Arbeit von anderen Menschen Verantwortung trage!

– Na gut, dann diskutiere weiter mit den beiden Arbeitskollegen, ich spiele jetzt den professionellen Flaneur!

Ich wandte mich von Judith ab und machte ein paar Schritte hin zu den Bildern links von mir an der Wand. Es war ungewohnt, Bilder so ungeordnet auf dem Boden stehen zu sehen, sie wirkten wie das vergessene Mobiliar eines Hauses, dessen Besitzer nach einem Umzug gerade mit Wichtigerem beschäftigt waren. Beim ersten Rundgang blieb ich vor keinem Bild länger stehen, ich betrachtete die Bilder vielmehr so, als bildeten sie eine einzige, fortlaufende Sequenz, wie in einem Film. Beim zweiten Gang aber schaute ich mir einzelne Bilder genauer an, ich beugte mich zu ihnen herunter und vertiefte mich minutenlang in solche, die mir besonders gefielen. Auf einer Skizze von John Ruskin zum Beispiel waren nur die Spitzen einiger Alpenberge zu sehen, sie ragten aus einer nebligen, sandig getönten Leere heraus, die wie eine einzige Wüste aussah. Ein sehr eisiger Wind schien die Nebel und Wolken so sehr zu glätten, daß sie wie straff gezogene Bänder erschienen. Mehrmals kehrte ich zu dieser Skizze zurück, beflissen kramte ich einen Zettel hervor und notierte Titel und Entstehungszeit. Nachdem ich schon einmal mit dem Notieren begonnen hatte, hörte ich gar nicht mehr auf, einerseits machte ich diese Notizen für mich, andererseits machte mein fleißiges Schreiben aber bestimmt auch einen sehr professionellen Eindruck auf Judiths Mitarbeiter. Nach einer Weile achtete ich nicht mehr auf die Zeit, in dem hellen, fensterlosen und weiten Raum schien die Konzentration sich eher zu verstärken als abzunehmen, so daß sich die Bilder immer stärker einprägten, als entwickelten sie in mir allmählich eine Art Eigenleben.

Judith und ihre Mitarbeiter aber wechselten die ganze Zeit zwischen dem großen Tisch in der Mitte und den Bildern hin und her, ich hörte, daß sie sich ununterbrochen unterhielten, konnte sie aber nicht verstehen. Als Judith schließlich wieder zu mir kam, schaute ich kurz auf die Uhr, es waren wahrhaftig fast zwei Stunden vergangen, seit ich den Saal betreten hatte.

– Du bist ja enorm geduldig, sagte sie.

– Ja, ich staune auch über mich selbst.

– Was hast Du heute abend noch vor?

– Wenn Du Zeit hast, möchte ich mit Dir gern noch etwas trinken.

– Ja, das machen wir, dann warte doch im *My Place* auf mich, ich räume hier noch etwas auf, dann komme ich nach.

– Einverstanden! Dann bis später und grüße die beiden Arbeitskollegen von mir.

– Sie haben mich gefragt, ob Du jetzt häufiger hier vorbeischaust.

– Sag Ihnen, daß ich jetzt täglich vorbeischaue, bis Ihr Euch über die Verteilung der Bilder geeinigt habt. Oder habt Ihr Euch bereits geeinigt?

– Im großen und ganzen schon, in den Details aber noch nicht.

– Na, ich bin gespannt.

Ich winkte zum Abschied kurz zu den beiden hinüber, dann verließ ich den Saal und ging durch das Foyer hinaus ins Freie. Als ich draußen vor dem Museum in dem abendlichen Verkehr stand, sehnte ich mich sofort nach der Stille des großes Saales zurück, einzelne Bilder hatte ich sogar noch immer vor Augen, es war, als hätte ich einen Bildervorrat gespeichert, mit dem ich mich nun auf den Weg in die einbrechende Dunkelheit machte.

Im *My Place* bestellte ich einen Campari mit etwas Soda, dann besorgte ich mir einige der neusten Tageszeitungen. Ich saß kaum zehn Minuten in dem fast leeren Café, als Anna den Raum betrat. Sie stockte kurz, als sie mich erkannte, sie schien unschlüssig, ob sie mich ansprechen oder mich lieber in Ruhe lassen sollte.

– Bitte, setzen Sie sich doch zu mir, sagte ich und stand auf.

– Ich möchte Sie nicht stören, antwortete sie.

– Ach was, Sie stören mich nicht, sagte ich, mögen Sie auch einen Campari?

– Ja, sehr gern, eigentlich bin ich sogar hierhergekommen, um genau das zu trinken.

– Na bitte, dann trinken wir jetzt beide einen Campari!

Ich gab der Kellnerin ein Zeichen und legte die Zeitungen demonstrativ beiseite.

– Wissen Sie was, sagte Anna, ich habe das merkwürdige Gefühl, als hätte ich Sie schon einmal gesehen.

– Sie haben mich schon einmal gesehen? Aber wann denn? Und wo?

– Es ist noch gar nicht lange her, das weiß ich, aber wo es war, das genau weiß ich nicht. Leben Sie denn hier in Zürich?

– Nein, ich lebe nicht hier.

– Sie sind aber schon ein paar Tage hier in der Stadt?

– Ja, schon ein paar Tage.

– Warten Sie ab, irgendwann fällt es mir ein, ich bin ganz sicher.

Die Kellnerin brachte Annas Campari, und wir stießen mit unseren Gläsern an.

– Wie hat es Ihnen denn nun gefallen? fragte sie.

– O, ich bin ganz berauscht von den beiden Stunden, die ich in dieser gewaltigen White Box verbringen durfte, und ich habe unter den Bildern auch bereits einige Favoriten.

– Zum Beispiel?

– Zum Beispiel John Ruskins Skizze der Alpenspitzen.

– Ach ja? Da haben wir ja schon wieder denselben Geschmack, Ruskins Skizze liebe nämlich auch ich ganz besonders.

– Sagen Sie, wie schaffen Sie es, aus dem intensiven Zusammensein mit den Bildern wieder zurück in den Alltag zu finden? Ich bin ja bereits nach zwei Stunden wie benommen und denke, man wird die Bilder so leicht gar nicht mehr los.

– Ja, das geht mir auch so, natürlich. Wissen Sie, für mich sind diese Tage vor einer Ausstellung wie ein einziger, immer intensiver werdender Traum. Jeden Tag sind wir allein mit den Bildern, jeden Tag leben wir mit ihnen wie in einer Enklave. Eigens für diese Ausstellung wurden viele von ihnen aus aller Welt hierher transportiert, und so wie hier wird man sie später nie mehr zusammen sehen. Worum handelt es sich also? Es handelt sich um ein einzigartiges Meeting, fünfzig Bilder begegnen einander für ein paar Monate, und wir Ausstellungsmacher vermitteln zwischen ihnen Kontakte, wir machen sie miteinander bekannt, wir inszenieren ein großes Fest! Wenn uns das gelingt, haben wir gute Arbeit geleistet, wenn wir aber mit Gewalt Regie führen, wird alles nichts. Deshalb sind unsere Diskussionen jetzt im Vorfeld so besonders wichtig, und deshalb sind wir jetzt im Vorfeld so lange wie nur irgend möglich mit den Bildern zusammen. Wir nähern uns ihnen mit aller Vorsicht und machen uns mit ihnen vertraut, wir warten, bis sie sich an ihre Nachbarn und den beängstigend neuen Raum gewöhnt haben, ja manchmal kommt es mir wahrhaftig so vor, als wären wir Zoowärter und müßten einige aus Übersee eingetroffene, sehr exotische und hochempfindliche Tiere langsam an uns und die neue Umgebung gewöhnen. Jedes dieser Bilder ist also ein Wesen für sich, jedes von ihnen nimmt man immer wieder in die Hände, hält es in die Höhe, dreht es, nimmt Fühlung auf, jedes von ihnen lernt man kennen, als habe man es mit einem lebendigen Wesen zu tun. Und genau darin, in diesem immer enger werdenden Kontakt mit den Bildern, besteht die ganze Faszination dieser Arbeit. Wenn die Ausstellung eröffnet ist und all die Besucherscharen sie Tag für Tag durchwandern, werde ich sie nie mehr betreten, verstehen Sie?

Was Anna sagte, interessierte mich sehr, denn aufgrund meiner eigenen Erfahrungen in den letzten zwei Stunden konnte ich das, was sie sagte, gut nachvollziehen. Eine Weile sprach sie auf diese eindringliche Weise noch allein weiter, dann stellte ich ihr ein paar Fragen, schließlich war ich so in unsere Unterhaltung vertieft, daß ich nicht mehr an meine Verabredung mit Judith dachte.

Jeder von uns hatte zwei Gläser Campari getrunken, als Anna sich zum ersten Mal ein wenig zurücklehnte, tief ausatmete und eine kurze Pause einlegte.

– Ich wüßte zu gern, woher ich Sie kenne, sagte sie plötzlich wieder.

– Leider kann ich Ihnen da nicht weiterhelfen, antwortete ich.

– Sind Sie wirklich von der Presse? fragte sie.

– Haben Sie Zweifel in dieser Richtung? antwortete ich.

– Ich habe erhebliche Zweifel in dieser Richtung, sagte sie.

– Na so was, dann sollte ich mir jetzt wohl Mühe geben, Ihre Zweifel zu entkräften.

– Ja, das sollten Sie. Haben Sie schon etwas vor? Wenn nicht und wenn Sie Lust haben, schlage ich vor, daß wir irgendwo etwas zusammen essen.

Ich trank mein Glas leer und versuchte, sie nicht sofort wieder anzuschauen, mit diesem Angebot hatte ich überhaupt nicht gerechnet. Wäre ich nicht mit Judith verabredet gewesen, wäre ich darauf auch eingegangen, obwohl ich nicht ausschließen konnte, dass Anna vielleicht in irgendeinem Veranstaltungskalender ein Foto von mir gesehen hatte und sich im Verlauf des weiteren Abends daran erinnern würde.

– Sie haben schon etwas vor, ich sehe es Ihnen an, sagte sie.

– Ich bin mit Frau Selow verabredet, antwortete ich, sonst würde ich Sie auf der Stelle zum Essen einladen.

– Sie sind mit Frau Selow verabredet? Wie haben Sie das denn geschafft?

– Wieso fragen Sie? Ist es so schwer, sich mit ihr zu verabreden?

– Für jemanden, den sie nicht länger kennt, ist es beinahe unmöglich. Zu einem kurzen Café würde sie sich verabreden, zu einem Café in einer Arbeitspause zum Beispiel, nicht aber zu einem Drink nach einem langen Arbeitstag.

– Sie glauben mir also schon wieder nicht.

– Doch, ich glaube Ihnen, aber ich glaube Ihnen nicht so recht, daß Sie Frau Selow heute zum ersten Mal begegnet sind. Frau Selow kennt Sie, sie kennt Sie sogar sehr gut, sonst würde sie sich nicht mit Ihnen zu dieser Uhrzeit treffen.

Sie stand auf und ging hinüber an den Tresen, um bei der Kellnerin zu bezahlen.

– Lassen Sie *mich* bitte bezahlen!, rief ich hinter ihr her.

Sie reagierte nicht, sondern bezahlte, ohne sich nach mir umzudrehen. Dann zog sie ihren Mantel über und kam noch einmal kurz zu mir an den Tisch.

– Ich habe für uns beide bezahlt, sagte sie, und sagen Sie jetzt bitte nicht, daß das nicht nötig gewesen wäre. Es war nämlich nötig.

– Es war nötig? Und wieso war es nötig?

– Damit Sie sich möglichst schnell revanchieren …, wenn Sie gerade einmal nicht mit Frau Selow verabredet sind. Einverstanden?

– Einverstanden, antwortete ich, dann stand ich auf und gab ihr die Hand, sie lächelte kurz und ging zur Tür. Gerade in dem Moment, in dem sie hinausgehen wollte, tauchte Judith vor dem Eingang auf.

– Ihre Verabredung ist da, rief Anna und drehte sich noch einmal nach mir um. Die beiden Frauen unterhielten sich draußen noch einige Minuten miteinander, nur zu gern hätte ich gehört, was sie miteinander besprachen. Zum Schluß umarmten sie sich, dann betrat Judith das Café und setzte sich, ohne den Mantel abzulegen, gleich zu mir an den Tisch.

– Es tut mir leid, daß ich Dich so lange habe warten lassen, sagte sie, zum Glück hat Dir Anna in der Zwischenzeit etwas Gesellschaft geleistet. Wollen wir nicht gleich weiterziehen, hinunter, in die Stadt? Ich bin etwas müde, ich schlage vor, wir trinken im Restaurant meines Hotels noch etwas, wie wäre das, ist Dir das recht?

Ich stimmte ihr sofort zu und stand auf. Während Judith das Café rasch wieder verließ, brachte ich die Zeitungen zurück zu der Ablage, die sich in der Nähe der Garderobe befand. Als ich nach meinem Mantel suchte, erkannte ich an der Wand neben dem Garderobenständer ein großes Plakat. Einige Sekunden schaute ich regungslos hin, zum Glück, dachte ich, handelt es sich um ein altes Foto, auf den ersten Blick erkennt Dich kein Mensch. Anna allerdings, Anna ist eine Blickexpertin, und eine solche Blickexpertin erkennt Dich wahrscheinlich nach einiger Zeit doch. Du solltest also, wenn Du ihr wieder begegnest, auf alles gefaßt sein, sonst hast Du all ihre Sympathien schon gleich wieder verspielt.

11

– Bist du sehr hungrig? fragte Judith, als wir im hinteren Bereich ihres Hotel-Restaurants an einem kleinen, runden Tisch Platz genommen hatten.

– Eigentlich ja, eigentlich habe ich sogar sehr großen Hunger, antwortete ich, für ein ausgedehntes Abendessen ist es aber wohl bereits etwas zu spät. Lassen wir uns doch etwas Käse und eine Flasche Bordeaux dazu bringen, das würde mir jetzt auch genügen.

— Einverstanden, so machen wir es, sagte Judith und legte die Speisekarte beiseite. Sie winkte dem Kellner und bestellte, bei der Wahl des Rotweins ließen wir uns beraten und einigten uns rasch. Diesmal saßen wir einander nicht gegenüber, sondern dicht nebeneinander, das paßt, dachte ich, wir sind eben schon etwas weiter als bei unserem Menu in der *Kronenhalle*, Judith hat die erste Verlegenheit beinahe ganz abgelegt, und ich selbst bin auch nicht mehr so durcheinander wie gestern. Unsere Gespräche haben schon fast wieder etwas von der alten Vertrautheit, ja, wir tasten uns langsam wieder heran an den früheren Ton.

— Sag mal, wie machst Du das sonst mit dem Essen? fragte Judith da und schaute mich an. Kochst Du, wenn Du zu Hause bist? Und wie ernährst Du Dich auf Deinen Reisen?

— Kochen? Nein, ich koche nie, weder zu Hause noch unterwegs. Meist gehe ich aus und esse dann, wenn es eben paßt oder sich so ergibt, mal sehr wenig, mal sehr opulent, manchmal esse ich auch fast gar nichts und trinke den ganzen Tag Wasser und etwas Kaffee. Zu Hause ernähre ich mich sehr einfach, von etwas Obst, Käse und Brot, dazu trinke ich einen guten Wein, das ist alles.

— Ißt Du fast immer allein?

— Zu Hause esse ich fast immer allein, aber das macht mir nichts aus, schließlich bin ich seit vielen Jahren daran gewöhnt. Wenn ich unterwegs bin, esse ich manchmal zu zweit, meist abends, nach einem Konzert, in größerem Kreis esse ich dagegen sehr selten. Ich bin nicht einer von den Pianisten, die mit einem großen Troß unterwegs sind.

– Und mit wem gehst Du aus?

– Nicht selten mit meiner Agentin, ab und zu auch mit einer interessanten Frau, die auf meine Bekanntschaft Wert legt.

– Ah ja, ich verstehe. Gibt es viele Frauen, die auf Deine Bekanntschaft Wert legen?

– Nicht viele, es gibt einen kleineren Kreis, der mit den Jahren eher zufällig entstanden ist.

– Genießt Du diese Begegnungen, oder gehst Du mit Deinen Bekanntschaften aus, weil Du nicht immer allein essen willst?

– Nein, das nicht, ich genieße wirklich die meisten Begegnungen, weil ich mit Menschen zusammenkomme, die ganz anders leben und denken als ich. Ich höre zu, ich lerne, ich erfahre viel Neues. Gäbe es all diese Begegnungen nicht, wäre ich irgendwann wahrscheinlich so weltfremd, daß man es bestimmt auch meinem Spiel anhören würde. Das Pianisten-Dasein tendiert schon von sich aus zur Weltfremdheit, ja es verführt zur beinahe vollständigen Isolation; hinzu kommt, daß ich auch vom Typ her jemand bin, der sich an eine solche Isolation leicht gewöhnen könnte. Deshalb achte ich darauf, daß meine Kontakte nicht abreißen, ich bin ein eifriger Briefschreiber. Ich schreibe zwar fast nur von mir, darüber, was ich beobachte, tue und denke, ich monologisiere ununterbrochen vor mich hin, aber ich habe jemanden im Blick, für den ich das aufschreibe, sonst würde ich erst gar nicht loslegen. Bloßes Tagebuch-Schreiben käme also für mich nicht in Frage.

– Du solltest auch mir unbedingt wieder schreiben, Johannes! Nach unserer Trennung habe ich eine Zeitlang all Deine Briefe gelesen, immer wieder und immer wieder von vorn. Was sind das für schöne Briefe!, habe ich damals gedacht, und auch später, als ich dann und wann ein paar von ihnen gelesen habe, war ich ganz hingerissen. Ich kenne niemanden, der so einfühlsame und begeisterte Briefe schreibt, sie sind wunderbar, glaub mir!

– Ich weiß nicht, ob es mir wieder so leichtfallen würde, Dir einen Brief zu schreiben …

– Und warum würde es Dir nicht leichtfallen?

– Es würde mir vielleicht nicht gelingen, weil meine Vorstellung davon, an wen ich den Brief schreibe, nicht klar genug wäre. Die Briefe, die ich Dir früher geschrieben habe, waren Liebesbriefe, da hatte ich Dich im Grunde gar nicht vor Augen, sondern uns zwei, unser Zusammensein, unsere Gemeinsamkeiten, ich habe diese Briefe aus einer einzigen, starken Empfindung heraus geschrieben. Später, als es mit uns vorbei war, habe ich nie wieder solche Briefe aus einer einzigen Empfindung heraus geschrieben, sondern bin übergegangen zu Monolog- oder Plauder-Briefen. Beim Schreiben dieser Briefe hatte ich die Empfängerin immer vor Augen, ja ganz nahe vor mir, nicht eine starke Empfindung, sondern der Charakter der Empfängerin schrieb also mit an diesen Briefen. Würde man sie alle hintereinander lesen, könnte man auf die Idee kommen, daß sie nicht von einem einzigen Briefschreiber, sondern von gleich mehreren Briefschreibern sind, so sehr unterscheiden sie sich.

– Und wieso könntest Du mir nicht auch solche Briefe schreiben?

– Weil ich nicht genau wüßte, ob ich … Ich stockte.

– Weil Du nicht genau wüßtest, ob Du?

– Weil ich mir nicht klar genug darüber wäre, an wen ich eigentlich schreibe: an die Judith von früher, an eine Freundin, an die Frau Professorin, an die Ausstellungsmacherin, an eine Fremde, ja an wen überhaupt?

– Übertreibst Du da nicht, Johannes? Ist das alles wirklich so kompliziert?

– Nein, meine Liebe, ich übertreibe nicht, für mich ist es wirklich sehr kompliziert.

Der Kellner brachte den Rotwein, entkorkte die Flasche und ließ Judith zuerst probieren. Sie nickte kurz, dann wurden unsere beiden Gläser gefüllt. Ich freute mich auf den Wein, ich war guter Laune, der ganze Tag hatte aus lauter Steigerungen bestanden und fand jetzt in der Abgeschiedenheit dieses abgedunkelten Restaurant-Raums seinen Ausklang. Als ich mein Glas in die Hand nahm, neigte Judith sich zu mir herüber und küßte mich kurz auf die rechte Wange.

– Wie schön, daß wir wieder ein wenig Zeit füreinander haben!

– Ja, wir haben Glück, ein glücklicher Zufall hat uns in genau dem richtigen Moment zusammengeführt. Und jetzt sitzen wir da wie das junge Paar von vor achtzehn Jahren und trinken wie damals einen Rotwein. Manchmal kommt mir das alles hier wie eine Zeitreise in die Vergangenheit vor.

– Auf das junge Paar, Johannes, auf die Zeitreise!

Wir stießen mit unseren Gläsern an, ich nahm einen großen Schluck und spürte sofort, wie der Wein mich packte und meine gute Laune noch um eine weitere kleine Nuance verbesserte. Wohin soll das noch führen? dachte ich, Du verlierst Dein sonstiges Leben langsam aus dem Blick!

— Es ist wirklich ein glücklicher Zufall, daß wir zusammen hier sitzen, sagte ich, denn ich bin ja sehr viel auf Tournee, bis zu achtzig Konzerte gebe ich manchmal pro Jahr.

— Und wer organisiert all diese Konzerte?

— Ich habe eine sehr gute und zuverlässige Agentin, die knüpft alle Fäden und organisiert beinahe mein ganzes Konzert-Leben. In der übrigen Zeit des Jahres aber bin ich frei, absolut frei.

— Du unterrichtest also nicht? Ich hatte mir immer vorgestellt, daß Du an einer Hochschule unterrichtest.

— Nein, ich unterrichte nicht mehr an der Hochschule, ich gebe höchstens zwei- oder dreimal im Jahr einen der üblichen Meisterkurse, irgendwo auf dem Land. Dann arbeite ich mit fünf oder sechs exzellenten Schülern eine ganze Woche lang an zwei oder drei Stücken.

— Und in Deiner freien Zeit — was machst Du in all Deiner freien Zeit?

— Ich bereite die Einspielung einer CD vor, ich gehe spazieren, ich bin ununterbrochen zu Fuß unterwegs, ich höre Musik, ich fotografiere …

— Was für ein beneidenswertes Leben, Johannes! Du lebst genauso, wie Du es Dir früher immer erträumt hast, habe ich recht? Weißt Du noch, wir haben einmal in Rom im Park der Villa Borghese im Schatten gelegen, es war ein sehr heißer, typisch römischer Sommertag mit all seiner schweren Mittags-Stille von drei, vier ruhigen Stunden. Wir haben von unserer Zukunft gesprochen, und plötzlich hast Du gesagt: Für mich wird es nur eine einzige Zukunft geben, nur eine einzige! Ich werde Klavier spielen, nichts sonst, ich werde überall auf der Welt konzertieren, daneben aber werde ich mir auf jeden Fall meine Freiheit erhalten, ja, ich werde absolut frei sein, genau das tun und lassen zu können, was immer ich will. Damals habe ich Dich um Deine Sicherheit sehr beneidet, ich habe Dich auch sonst sehr beneidet, denn für Dich stand immer ganz genau fest, was Du wolltest, es gab da nicht die geringsten Kompromisse oder Alternativen. Ich weiß aber auch, daß ich damals etwas erschrocken war, und der Satz ›ich werde absolut frei sein‹ mir zu vermessen und großartig erschien. Deshalb habe ich mich damals in der römischen Mittagshitze aufgerichtet und Dich gefragt, ob Du Dir auch vorstellen kannst, mit solch hochfliegenden Plänen zu scheitern. Ja, hast Du gesagt, das stelle ich mir sogar jeden Tag einmal vor. Und? ... habe ich weiter gebohrt, und? Und was wirst Du machen, wenn Du scheitern solltest? Ich werde das unscheinbarste Leben führen, das Du Dir vorstellen kannst, hast Du gesagt, ein Leben ohne Klavier, ein Leben als Kellner oder als Postbote oder als Croupier in einer Spielbank. Deine Entschlossenheit und Entschiedenheit haben mich damals völlig verblüfft, ich weiß noch, daß mir Deine Sätze wochenlang durch den Kopf gingen, angesprochen habe ich Dich darauf aber nicht mehr, obwohl es mich sehr gereizt hätte, noch weiter nachzufragen.

– Und was hättest Du mich noch gefragt? Was wolltest Du wissen?

– Ach, wir haben zum Beispiel nie über das Heiraten

gesprochen, nie, niemals, nirgends. Wieso haben wir das Heiraten eigentlich niemals erwähnt? Warum nicht?

– Das weißt Du doch sehr genau, wir haben nicht darüber gesprochen, weil wir doch längst wie zwei Verheiratete lebten. Wir waren ununterbrochen zusammen, acht Jahre lang, was ist das anderes als ein Verheiratet-Sein?

– Und Du glaubst nicht, daß wir irgendwann auch wirklich geheiratet hätten?

– Doch, vielleicht hätten wir das ja getan, damals war es einfach kein Thema.

– War es für Dich denn einmal ein Thema?

– Du meinst später, nach unserer Trennung?

– Ja, war es für Dich nach unserer Trennung einmal ein Thema?

– Nein, niemals.

– Nein! Niemals! Das hätte ich mir denken können, und ich habe es mir ja auch schon so gedacht.

– Na also! Du kennst mich doch, in dieser Hinsicht habe ich mich nicht im geringsten verändert.

Der Kellner kam an unseren Tisch und schenkte uns nach, dann wurde auch der Käse serviert. Wir waren jedoch zu sehr in unser Gespräch vertieft, als daß wir sofort zugegriffen hätten. Ich überlegte, ob ich auch Judith auf das Thema Heirat ansprechen sollte, ließ es dann aber doch sein, weil ich die gute Laune nicht trüben wollte. Jetzt bloß keine tiefernsten Rückblicke! dachte ich, jetzt bloß keine Aufarbeitung von Geschichten, die Dich nur trübsinnig oder verlegen machen würden! Im Grunde willst Du das alles auch gar nicht so genau wissen, nein, Du willst es jetzt nicht genau wissen, hörst Du?, jetzt nicht!

Ich wechselte das Thema und sprach Judith auf die Ausstellung an, sie ging auch sofort darauf ein und erzählte detailliert von den Gesprächen, die sie am Nachmittag mit Anna und Franz geführt hatte. Wie ich weiter erfuhr, hatte Anna in letzter Zeit die Verhandlungen mit den Leihgebern der Bilder geführt, sie war viel unterwegs gewesen und hatte sich dabei vor allem um einige Bilder von Monet bemüht, die in der Ausstellung jetzt eine besonders herausgehobene Rolle spielten. Franz dagegen hatte die Arbeit der Fotografen koordiniert und die meisten von ihnen auch immer wieder in ihren Studios besucht, um möglichst früh eine genaue Vorstellung vom Ergebnis ihrer Arbeit zu erhalten. Anscheinend war Anna so etwas wie Judiths Vertraute, jedenfalls hörte ich aus ihren Erzählungen deutlich heraus, wie gut sich die beiden verstanden und wie eng ihr Kontakt war. Die Beziehung zu Franz jedoch war wohl eher eine reine Arbeitsbeziehung, Franz war jünger als Anna und zum ersten Mal an einem solchen Projekt als Mitarbeiter beteiligt. Judith erzählte mit einer gewissen Begeisterung, ich spürte, daß sie Freude daran hatte, mir ihre Arbeit zu erklären, sie geriet richtiggehend in Schwung, und der gute Wein sowie das Essen trugen noch zusätzlich dazu bei, daß ihre Erzähllust nicht nachließ.

Es war kurz nach Mitternacht, als ich ihr sagte, daß ich nun aufbrechen müsse.

– Du willst wirklich schon zurück in Dein Hotel? fragte sie.

– Ja, ich sollte jetzt aufbrechen, es ist Zeit, antwortete ich.

– Dabei unterhalten wir uns gerade so gut, sagte sie.

– Wir haben ja noch einige gemeinsame Tage in Zürich, sagte ich, schon morgen können wir unsere Unterhaltung fortsetzen.

– Ich möchte sie aber nicht morgen, sondern jetzt fortsetzen, antwortete Judith.

– Und wie stellst Du Dir das vor? fragte ich, soll ich noch eine zweite Flasche Bordeaux bestellen?

– Früher hätten wir auf jeden Fall eine zweite Flasche bestellt, früher hättest Du mich nicht einmal gefragt, ob Du eine bestellen sollst, sagte sie.

– Gut, antwortete ich, Du hast recht, ich bestelle noch eine Flasche, gehe ich halt später zurück in mein Hotel.

– Ich schlage vor, die Flasche bestelle ich, und dann lasse ich sie gleich hinauf auf mein Zimmer bringen.

Sie faßte mit ihrer linken Hand nach meiner rechten und ließ sie dann nicht mehr los, sie beugte sich erneut zu mir hinüber und küßte mich flüchtig, dann gab sie dem Kellner ein Zeichen und bestellte noch eine Flasche.

– Was hältst Du von meinem Vorschlag? fragte sie.

– Ich bin etwas überrascht, antwortete ich.

– Du bist positiv überrascht, gib es zu, sagte sie.

– Ja, sagte ich, Du hast mich positiv überrascht, so könnte man sagen.

– Also, dann bleiben wir doch nicht weiter hier sitzen, sondern gehen einfach hinauf.

Sie wartete keinen Augenblick länger, sondern ging zu unserem Kellner und flüsterte mit ihm, dann kam sie zurück an den Tisch, an dem ich noch immer mit dem Gefühl einer leichten Überrumpelung hockte. Sie nannte mir ihre Zimmernummer und schlug vor, daß ich in etwa zehn Minuten hinaufkommen solle.

– Du kennst Dich hier aus, nicht wahr? sagte sie, Du hast doch erzählt, daß Du hier schon übernachtet hast.

– Ja, natürlich kenne ich mich hier aus, ich habe den Teeduft auf den Gängen noch so in der Nase, als hätte ich die letzte Nacht hier verbracht.

– Gut, in zehn Minuten, einverstanden?

– Ja, einverstanden.

Früher haben wir das oft so gemacht, dachte ich, einer von uns hat in einem Hotel ein Einzelzimmer gebucht, und tief in der Nacht, wenn die Rezeption nicht mehr besetzt war, ist der andere dann heimlich nachgekommen, auf diese Weise haben wir meist einen Teil der Hotelkosten gespart. Früher, ja früher waren wir aber auch ein gut eingespieltes Team, bei dem der eine immer sehr genau wußte, was der andere wollte und tat. Ich glaube, Judith sehnt sich nach genau diesem blinden Einverständnis zurück, als wäre es ganz leicht, die Zeit wieder zurückzudrehen. Ich dagegen glaube nicht, daß das geht, ich glaube eher, es ist alles ähnlich wie damals, zu Beginn unserer Beziehung: zwei Menschen sitzen ganz zufällig nebeneinander in einem Konzert und machen danach ein paar erste Schritte gemeinsam hinaus.

Ich stand auf, streifte meinen Mantel über und verließ das Restaurant durch den hinteren Eingang. Eine schmale Treppe führte hinauf zu der noch schwach beleuchteten Rezeption, in deren Nähe wahrhaftig noch immer der kleine Tisch mit den verschiedenen Teesorten stand. Im

Treppenhaus dagegen war es sehr dunkel, ich beließ es dabei und machte kein Licht, sondern schlich langsam die Treppe hinauf in den zweiten Stock, wo sich Judiths Zimmer befinden mußte. Mit einer Hand hielt ich mich am Geländer fest, merkwürdig, dachte ich, es ist eine seltsame Situation, Du schleichst hier durchs Haus wie ein junger, furchtsamer Pennäler, der nicht im geringsten ahnt, was ihn hinter der Hoteltür erwartet. Der Vergleich war gar nicht so abwegig, spürte ich doch mit jedem Schritt eine immer stärker werdende Aufregung. Schließlich blieb ich auf einem Treppenabsatz einen Moment stehen. Es war ein später, warmer Abend in Pisa, alle Fenster des alten, kleinen Hotels standen weit offen, ein leichter Modergeruch lag in der Luft, und von weitem hallten Schritte hinauf. Es war in Marseille, unten, in der Nähe des Hafens, ich hatte noch eine Weile draußen gesessen und gewartet, bis die Concierge im Parterre unserer Pension das Licht gelöscht hatte. Judith war heruntergekommen und hatte die Haustür von innen für mich geöffnet, doch als ich hineingeschlüpft war, hatte ein kleiner, schwarzer Hund mich begleitet, den ich vorher noch nirgends gesehen hatte.

Ich schluckte und schloß die Augen, ja, ich hatte wieder die schmalen, nervösen Finger des jungen Mannes von früher, ich hatte seine flinken und wachen Augen, ja, ich hatte wieder diesen schlanken Körper, der noch etwas Lauerndes und Tastendes hatte. Der junge Mann stand im Treppenhaus der Musikhochschule und hatte gerade die Aufnahmeprüfung bestanden, vor lauter Glück klammerte er sich an das Geländer und schaute einen Moment hinaus durch die ovalen Fensterluken eines hochgelegenen Stockwerks, nichts als eine Flucht ziehender Wolken war draußen zu sehen, leicht gelblich getönte Wolken vor einem matten, hellblauen Grund, und doch hatte er genau diese eilig ziehenden Wolken mit seinem Glück und seinem ganzen Leben in Verbindung gebracht, als zeigten ihr leichter Flug und ihr müheloses Dahingleiten ihm seine ganze, weitere Zukunft.

Ich machte mich vom Geländer los und nahm ein paar Stufen auf einmal, dann waren es bis zu Judiths Zimmer nur noch wenige Schritte, ich klopfte leise, dann ging ich hinein. Die Flasche Bordeaux war bereits geöffnet und stand zusammen mit einer Karaffe Wasser und mehreren Gläsern auf einem kleinen Tisch vor dem Fenster. Die Tür zum Bad stand offen, und drinnen brannte ein schwaches Licht.

– Johannes?

– Ja, ich bin's.

– Ich komme gleich, schenk uns doch schon einmal etwas ein. Wir flüsterten beide, warum flüstern wir nur? dachte ich. Ich zog meinen Mantel und den Pullover aus, dann füllte ich zwei Gläser mit Wein, sein Aroma war stark und verbreitete sich sofort im ganzen Zimmer. Auf dem breiten Tisch in einer Nische lagen lauter Zeitungen und Stapel von Büchern, ich ging hin und schaute sie mir genauer an. Dann hörte ich, daß sich die Badezimmertür öffnete und drehte mich um. Judith trug einen hellen Morgenmantel, anscheinend hatte sie sich gerade die Haare gekämmt, ich starrte sie an, nein, ich konnte mich nicht erinnern, diese Frau je gesehen zu haben oder gar mit ihr Jahre meines Lebens zusammengewesen zu sein. Sie war älter und reifer als die Judith, die ich kannte, sie war nicht mehr die junge Frau, die mir durchs Treppenhaus etwas zurief oder von einem Fenster aus winkte. Irgendeine Kraft hatte ihren Gesten etwas Verhaltenes und Geheimnisvolles gegeben, ja, sie erschien mir wirklich so, als hüte sie ein Geheimnis und sei gerade dabei, mich zu ihrem Mitwisser zu machen.

– Komm, laß uns einen Schluck von dem wunderbaren Wein trinken, flüsterte sie, morgen früh werden unsere Körper getränkt sein von diesem Duft. Ich sagte nichts, ich ließ alles geschehen, als befände ich mich im Reich einer Zauberin, die jetzt mit ihren Ritualen begann. Sie holte die beiden gefüllten Gläser und kam zu mir zurück, dann stießen wir an und tranken. Als ich mein Glas abgestellt hatte, nahm ich ihren Kopf wie am Mittag wieder in beide Hände, es war eine alte Geste von mir, so hatte ich ihren Kopf früher immer wieder gehalten und dann ihre Lippen geküßt, jetzt aber war es so, als nähme ich Zuflucht zu dieser Bewegung und als wollte ich das fremde Bild, das mich einen Moment erschreckt hatte, damit vertreiben.

Sie küßte mich aber nicht, sondern beugte sich ein wenig nach vorn und lehnte sich dann immer enger an mich, ich hielt sie, als müßte ich sie auffangen, ich spürte ihren ganzen Körper und umfaßte ihn, und auch sie umschlang mich sehr fest, da spürte ich plötzlich ihr Herz schlagen, ganz deutlich, ich wagte nicht, mich zu rühren, sondern schloß schnell die Augen, ich wollte ihren Herzschlag in der Dunkelheit hören, und dann hörte ich es pochen, sehr rasch, es waren kurze, dumpfe und seltsam nachhallende Schläge, es war Musik, ja, es war der Auftakt der Musik zu alldem Ungeheuerlichen, das gerade in diesem Hotelzimmer begann und geschah.

12

Sie lag dicht neben mir in dem breiten und bequemen Bett, sie lag auf dem Rücken und hatte die Augen geschlossen, ihr linker, zum Kopf hin angewinkelter Arm bedeckte ihre Schläfe und ihre Stirn, ich spürte genau, wie wohl sie sich fühlte, ihr ganzer Körper genoß die Entspannung und lag schwer in den weißen Laken, manchmal berührten ihre Finger meine Schultern, es war, als wollte sie den engen Kontakt nicht verlieren und unserer Erregung noch weiter nachspüren. Seit wir so nebeneinanderlagen, sprach sie ununterbrochen, sie sprach sehr leise und ohne die Augen auch nur einmal zu öffnen, ihr Sprechen und Flüstern erschienen mir wie ein Nachklang zu der blind machenden, restlosen Verschmelzung unserer Körper, zu der wir auf ganz mühelose und selbstverständliche Weise wieder gefunden hatten.

Irgend etwas Starkes und Großes war mit uns geschehen, ich glaube, wir empfanden es beide ganz ähnlich, mir jedenfalls kam es so vor, als lägen unsere kurzen Begegnungen hier in Zürich mit ihren scheu und vorsichtig geführten Gesprächen jetzt weit hinter uns, ja als hätten unsere

Körper die frühere, vor lauter Glück oft so sprachlos machende Nähe wiederentdeckt. All unsere Verblüffung und all unsere geheime Freude darüber setzten sich nun in Judiths Sprechen fort, es wirkte vollkommen entgrenzt und befreit, als gäbe sie sich ihren Erinnerungen und Träumereien nun ohne jedes Zögern oder irgendwelche Vorbehalte hin.

– Weißt Du eigentlich, was mir als erstes an Dir auffiel, als wir damals in der Frankfurter Alten Oper nebeneinander im Konzert saßen? Als erstes fielen mir Deine schwarzen Lackschuhe auf! Du warst so nachlässig, ja beinahe schlampig gekleidet, Du trugst ein langes schwarzes Hemd über der Hose, Du wirktest wie einer, der in diesen Konzertsaal nur mal gerade eben hereingeschneit war, mit all den anderen Menschen aber nicht das Geringste zu tun haben wollte. Doch dann: diese eleganten und auffälligen Schuhe! Wieso trägt dieser Mensch neben Dir ausgerechnet solche Schuhe? habe ich mich gefragt und mit scheinbarem Interesse unermüdlich im Konzertprogramm geblättert. Aus freien Stücken wäre ich niemals in dieses Konzert gegangen, nein, das wäre ich nicht, daß ich aber doch hingegangen bin, lag an Vater, denn Vater hatte ein Abonnement für diese Konzertreihe und war an jenem Abend verhindert. Trotz meiner Unlust setzte ich mich in den damals noch ganz neuen Konzertsaal, ich wollte Vater nicht enttäuschen, aber ich war mir ganz sicher, daß ich mich langweilen würde. Da ich die Stücke nicht kannte oder höchstens einmal flüchtig gehört hatte, sprach ich Dich an, ich weiß noch, auf dem Programm stand Schumanns Klavierkonzert, davor sollte es ein Konzertstück von Grieg und danach eine Dvorák-Symphonie geben, die neunte, die aus der Neuen Welt. Ich habe irgendeine harmlose Frage gestellt, aber Du hast gleich ganz grundsätzlich ausgeholt und ununterbrochen über das angeblich unmögliche Programm geredet, typisch und hirnlos sei ein solches Programm, hast Du gesagt, ein gedankenloses Zugeständnis ans Publikum, das man auf bequeme Weise mit lauter längst Bekanntem und Süffigem abspeise. Ich war von Deinem harschen und kritischen Ton überrascht und fragte, wieso Du denn trotz eines so unmöglichen Programms gekommen seist, Du hast mich nicht einmal angeschaut, sondern mit fast versteinerter Miene vor Dich hingemurmelt: Ich komme nur wegen des Pianisten, alles andere lasse ich über mich ergehen. Ich wollte die Unterhaltung schon aufgeben und habe mich nur noch getraut, kurz nach dem anscheinend so phänomenalen Pianisten zu fragen, da hast Du mich plötzlich eines Blickes von der Seite gewürdigt und gefragt: Sie kennen ihn nicht, Sie haben wirklich noch nie etwas von ihm gehört? Meine Güte, nein, ich kannte ihn nicht, ich hatte noch nie etwas von Bruno Leonardo Gelber gehört. Ich gab meine Unkenntnis sofort zu und hatte dabei das unangenehme Gefühl, mit diesem Geständnis in Deiner Wertschätzung gegen null zu sinken, doch da hatte ich mich getäuscht, denn Du sprachst plötzlich sehr geduldig und freundlich und erzähltest mir Gelbers Geschichte, daß er als Kind Kinderlähmung gehabt und trotz dieser Behinderung immer weiter Klavier geübt habe, daß er mit dem ersten Klavierkonzert von Brahms sein triumphales Deutschland-Debut gegeben und damit gleich den Durchbruch geschafft habe, und daß er gegenwärtig der beste Schumann-Interpret der Welt sei, der beste, ja, der absolut und eindeutig beste. Dreimal hast Du ihn den Besten genannt, als kämpftest Du gegen jemanden an, der anderer Meinung sei, dabei hörte ich Dir völlig ergeben zu und hätte niemals gewagt, Deine Worte in Zweifel zu ziehen, nur wegen Deiner Formulierung *gegenwärtig der Beste* habe ich noch einmal vorsichtig nachgehakt. Sie sagen *gegenwärtig der Beste*, habe ich ganz harmlos gefragt, das hört sich so an, als sei ein anderer Pianist gerade dabei, ihm seinen Rang streitig zu machen. Daraufhin hast Du zunächst nicht geantwortet und dann etwas genuschelt, ja, Du hast richtig genuschelt, als wolltest Du eigentlich nichts und dann eben doch etwas sagen, na ja, hast Du genuschelt, es wird schon noch ein jüngerer kommen, der ihn in den Schatten stellen wird. Ein Jüngerer wird kommen, der ihn – das klang so mysteriös, als ginge es um ein Duell oder etwas Geheimnisvolles oder um einen harten, bis aufs Messer geführten endgültigen Fight, zum zweiten Mal an diesem Abend erschrak ich und wechselte ganz rasch das Thema, erinnerst Du Dich, und erinnerst Du Dich auch so genau wie ich an das alles?

– An meine schwarzen Lackschuhe erinnere ich mich gut, die habe ich in Konzerten immer getragen, egal ob ich aufgetreten bin oder nicht, sie gehörten für mich einfach zu jedem Konzert. Daran, daß ich anfangs so harsch und ruppig war, erinnere ich mich dagegen nicht mehr, ich weiß nur noch, daß ich Dich für eine vollkommen nichtsahnende Zuhörerin hielt, für eine der Zuhörerinnen, die ich damals verachtete, weil sie nur aus Prestige-Gründen in so ein Konzert gingen und von der Musik nicht die geringste Ahnung hatten. Daß Du von Musik wenig Ahnung hattest, bestätigte sich dann ja auch, überraschend dagegen war, wie genau Du in anderen Dingen Bescheid wußtest. Statt von Musik hast Du später vom Umbau der Alten Oper gesprochen, davon, was nach Deiner Ansicht mißlungen war, und nach Deiner Ansicht war fast alles an diesem Gebäude mißlungen. Irgendeine altehrwürdige Treppe war abgerissen worden, angeblich stimmten die Gesamtproportionen im Gebäude nicht mehr, der große Konzertsaal war eindeutig zu groß und das Foyer und die Treppen eindeutig zu klein. Du hast die gesamte Neu-Konzeption mit wenigen Sätzen auseinandergenommen, das hat mir sehr gefallen und mich aufhorchen lassen, Du sitzt neben einer Architektin, habe ich mir gedacht, ist doch interessant, wie so jemand das Ganze hier sieht, den großen Konzertsaal mit all seinem Mahagoni und den einfallslos postierten Sitzreihen hält sie für vollkommen mißlungen, und das Gebäude als Ganzes hält sie für eine herausgeputzte Bonbonschachtel, deren verheißungsvolles Äußeres über das armselige Innere hinwegtäuschen soll. Ich weiß noch, daß ich Dich gefragt habe, wie man denn nach Deiner Meinung einen Konzertsaal bauen soll, Du hattest sofort eine Idee, kennen Sie die Royal Albert Hall in London, hast Du gefragt, an solchen Rundbauten muß man sich orientieren, von jedem Sitzplatz aus hat man einen ausgezeichneten Blick, weil die Sitzreihen das Podium umschließen und dann allmählich nach oben hin ansteigen. Ein guter Konzertsaal sieht aus wie ein Zirkus, hast Du gesagt, ich war von dem Satz richtiggehend begeistert.

  — Die Begeisterung hast Du Dir aber nicht anmerken lassen, mein Lieber, jedenfalls hast Du mich kaum angeschaut, sondern stur geradeaus geblickt, Du hast Dich demonstrativ gelangweilt in Deinen Sitz gelümmelt und nach dem Konzertstück von Grieg nicht einmal geklatscht. Dann aber, als Bruno Leonardo Gelber mit seinem schleppenden, von der frühen Krankheit gezeichneten Gang das Podium betrat, warst Du nicht wiederzuerkennen, plötzlich warst Du nervös, ja sogar erregt, was tut er da?, habe ich mich gefragt, was tut er mit seinen Fingern, warum zuckt er so, was ist denn bloß in ihn gefahren? Während Gelber spielte, hast Du nämlich fast unaufhörlich Deine Finger bewegt, nicht so, als würdest Du spielen, nein, so nicht, sondern so, als ließe Gelbers Spiel Deine Finger einfach nicht ruhen und als gingen von seinem Spiel irgendwelche Schwingungen aus, die Deine Finger zum Tanzen und Zucken brächten. Als der letzte Akkord vorbei war, bist Du sofort aufgesprungen, Du warst berauscht und begeistert, und Deine Begeisterung wirkte so echt und so ansteckend, daß neben und hinter Dir die Zuhörer gleich reihenweise aufstanden und ein minutenlanger Jubel losbrach. Ich habe Dich von der Seite gut beobachten können, denn Du hattest mich einfach vergessen, es kam mir so vor, als hättest Du Tränen in den Augen, was ist das denn für einer?, habe ich mich im stillen gefragt, so einem Verrückten bist Du noch nie begegnet.

– Verrückt? Nein, ich war doch nicht verrückt, ich habe das Schumann-Konzert nur damals gerade selbst geübt und gespielt, und so etwas führt dann dazu, daß man das Spiel eines Fremden vor dem Hintergrund des eigenen Spiels hört, man vergleicht Ton für Ton, man reagiert auf jede kleine Nuance und Abweichung, am Ende kommt es einem beinahe so vor, als habe man das Stück gerade selbst vorgetragen.

– Davon, mein Lieber, ahnte ich doch damals noch nichts, ich bemerkte nur, daß Du leer und erschöpft warst, als der Beifall verebbt war. Mit zwei, drei kurzen Sätzen hast Du Dich verabschieden wollen, na denn, das war's also, einen schönen Abend wünsche ich Ihnen. Sie gehen schon? habe ich Dich gerade noch fragen können, ja klar, ich gehe, den Dvořák tue ich mir nicht an, hast Du gesagt.

– Stimmt, daran erinnere ich mich auch sehr genau, ich wollte fort, nichts wie fort, fast wäre es bei dieser ersten und kurzen Begegnung geblieben, und wenn es dabei geblieben wäre, hätten wir uns nie mehr wiedergesehen.

– Ja, stell Dir das einmal vor, in ein paar Zehntelsekunden hatte sich alles entschieden.

– Innerlich war ich schon draußen, innerlich waren das Konzert und der Abend für mich zu Ende. Und dann fiel dieser Satz, ganz unerwartet, ich hatte wirklich nicht damit gerechnet. Was genau hast Du gesagt?, weißt Du es noch?, in meiner Erinnerung hast Du so etwas gesagt wie: Bleiben Sie doch wenigstens noch zu einem Glas Sekt! ... Bleiben Sie! ..., das hörte sich an wie ein Vorwurf und wie ein Befehl, bleiben Sie und wahren Sie wenigstens noch für die Dauer der Pause die Form! ..., ja genau, so hörte sich das für mich an.

– Nun ja, ich war einfach ein wenig darüber empört, daß Du Dich auf und davon machen und mich mit Dvořák allein zurücklassen wolltest, deshalb wirkte meine Einladung vielleicht etwas streng. Letztlich aber war sie nicht

streng gemeint, ich wollte unser Gespräch nur fortsetzen, für die Dauer der Pause. Aber nichts da, da war ich
bei Dir an den Richtigen geraten! Sekt?! Sekt in der Pause?! Eigentlich mag ich weder Sekt noch Pausen, und erst
recht keinen Sekt in der Pause! ... siehst Du, kein einziges Wort von dem, was Du gesagt hast, habe ich jemals
vergessen. Nach diesen Klarstellungen war ich sprachlos,
komplett sprachlos, dieser Typ ist nicht nur etwas verrückt, sondern auch richtig unhöflich, soll er doch gehen,
wohin er will! ..., das hab ich in dem Moment gedacht.
Aber was geschah dann!

– Tja, aber dann! Aber dann habe ich die Trumpf-Karte
gezogen und Dir vorgeschlagen, daß wir das Konzert gemeinsam verlassen und lieber draußen noch etwas trinken.

– Kommen Sie, lassen Sie uns gehen, ich sehe Ihnen
doch an, daß Sie viel lieber mitkommen als sich den Dvořák anhören wollen ... das hast Du gesagt. Der Vorschlag
war zwar etwas dreist, wie fast Dein ganzes Benehmen
an diesem Abend, er gefiel mir aber trotzdem, denn es
stimmte ja, ich wollte mich mit Dir unterhalten, und ich
wollte das auf jeden Fall lieber als die nächste Stunde
Dvořák anhören.

– Du hast über meinen Vorschlag gelacht, ich erinnere
mich noch genau, daß Du gelacht hast.

– Ach, das Lachen war doch bloß Unsicherheit, ich
wollte schon mit Dir hinaus, aber ich wollte es nicht ohne
weiteres zugeben. Du aber hast das Lachen sofort für Zu-
stimmung gehalten, na bitte, ich hatte recht, hast Du gesagt, und schon sind wir zusammen zur Garderobe gegangen.

– Ja, und dann ging alles sehr rasch, fünf Minuten später saßen wir in dem kleinen Bistro schräg gegenüber der Oper und haben Rheingauer Weißwein getrunken.

– Rheingauer Weißwein? Das weißt Du noch genau?

– Es war Rheingauer Weißwein, das weiß ich genau, denn ich weiß noch, daß ich Dir den Sekt ausreden mußte.

– Ach ja, stimmt, ich wollte nur ein Glas Sekt, und Du hast dann einfach eine Flasche Rheingauer Weißwein mit zwei Gläsern bestellt.

– Ja, das habe ich, denn ich mag diese winzigen 0,1-Sekt-Gläser nicht, aus denen man ja nicht richtig trinken kann, sondern aus denen man höchstens ein paar Tropfen nippt.

– Und dann? Wie ging es weiter?

– Und dann haben wir uns stundenlang unterhalten, Du hast von Deinem Kunst-Studium erzählt, und ich habe Dir unglaublich detailliert zu erklären versucht, worin die besonderen Schwierigkeiten beim Spielen von Schumanns Klavierkonzert in a-moll bestehen.

– Unglaublich, ja, Du warst sogar so besessen von diesen Erklärungen, daß Du bestimmte Passagen mit beiden Händen auf die Tischplatte getrommelt hast. Die anderen Gäste haben zu uns herübergeschaut.

– Richtig, sie haben geschaut, und ich habe mich nicht im geringsten davon beeindrucken lassen.

– Nein, das hast Du nicht, Du hast eher noch etwas zugelegt. Ich gebe zu, mir war das Ganze etwas peinlich gewesen, aber ich habe nicht gewagt, etwas dagegen zu sagen.

– Dagegen gesagt hast Du nichts, aber Du hast etwas dagegen getan.

– Dagegen getan? Was habe ich dagegen getan?

– Du hast meine Hände ganz leicht mit Deinen Fingern touchiert.

– Ich habe was?

– Ja, Du hast sie wahrhaftig berührt und dann sehr ruhig und beinahe bewundernd gesagt: Sie haben sehr schöne Hände.

– Ah ja: Sie haben sehr schöne Hände. Und wie hast Du darauf reagiert, weißt Du das noch?

– Und ob ich das weiß! Danke, habe ich sehr gelassen gesagt und dann weiter: Noch besser macht sich so ein Satz aber in der zweiten Person: *Du* hast sehr schöne Hände … Wollen Sie es einmal versuchen? Ich heiße Johannes …, komplett würde der Satz also lauten: Du hast sehr schöne Hände, Johannes.

– Mein Gott, Du warst wirklich dreist an unserem ersten gemeinsamen Abend!

– Seltsam, ja, dabei ist das sonst gar nicht meine Art, ich glaube, ich war etwas übermütig, sehr beflügelt und etwas übermütig. Ganz dunkel hatte ich vielleicht auch schon das Gefühl, Dich bereits ein wenig erobert zu haben, jedenfalls ergab ein Wort das andere, und nach kaum einer Stunde waren wir dann eben beim Du. Judith und Johannes, Johannes und Judith …, im stillen war ich richtig betört davon, wie gut die beiden Namen zueinanderpaßten. Wie das paßt!, dachte ich mehrmals, als gehörten wir seit Urzeiten zusammen!

– Ja, dieses Gefühl einer großen Ähnlichkeit hatte ich auch, laufend haben wir irgendwelche Übereinstimmungen und Vorlieben entdeckt und sie dann auch noch betont, die halbe Welt haben wir durchsortiert im Blick auf all das, was der eine oder der andere mag oder denkt.

– Als wir das Bistro später verließen und uns getrennt auf den Heimweg machen wollten, stellten wir fest, daß jeder von uns mit dem Fahrrad zur Alten Oper gekommen war. Wir sind zu unseren Rädern gegangen und gemeinsam losgefahren, ich habe Dich bis vor die Haustür Eurer Wohnung begleitet.

– Genau, bis vor die Haustür, und dort haben wir uns gleich für den nächsten Tag verabredet, laß uns mit dem Rad nach Mainz fahren!, hast Du gesagt, als hätten wir das schon viele Male gemacht und sowieso nichts anderes vor.

– Ich wollte etwas Richtiges unternehmen, etwas, das uns ein paar Stunden beschäftigt, etwas mit einem Aufbruch, mit Dauer und mit einem richtigen Ziel. Das Ziel war die Mainmündung bei Mainz, und zwar wollten wir zu der vordersten Mainspitze, wo der Main in den Rhein fließt und man die Silhouette von Mainz mit dem sandsteinfarbenen Dom vom gegenüberliegenden Ufer aus sieht.

– Stimmt, das war ein sehr verlockendes Ziel, und deshalb sind wir an unserem zweiten Tag auch wahrhaftig mit den Rädern von Frankfurt bis zur Mainmündung gefahren. Genau bis zur Mündung sind wir gefahren und dann haben wir lange Zeit an der Mainspitze gesessen und die schwer beladenen Lastkähne an uns vorbeiziehen lassen und ...

– ... und dazu haben wir Danziger Goldwasser getrunken.

– Danziger Goldwasser! ..., richtig, Du hattest eine kleine Flasche Danziger Goldwasser dabei, ich hatte so etwas noch nie getrunken, die kleinen Partikel von Blattgold drehten sich geheimnisvoll in der klaren, öligen Flüssigkeit, aber das Zeug war sehr süß, eine Art von Likör ...

– Immerhin ein Likör mit einem Alkoholgehalt von fast 40 Prozent.

– Ja, stimmt, das Zeug fuhr einem ordentlich in die Glieder ...

– ... und trug nicht unwesentlich dazu bei, daß ich Dich zum ersten Mal küßte ...

– Zum ersten Mal, stimmt, zunächst nur auf die Stirn, etwas später dann auch ganz direkt auf den Mund. Ich habe die Augen geschlossen und einen leichten Schwindel gespürt, diese leichte, zarte Berührung der Lippen war so wunderbar, ganz vorsichtig und versuchsweise hast Du mich geküßt, und schließlich saßen wir eng umschlungen an der Mainspitze und wollten einfach nicht fort und ließen es dunkler und dunkler werden, bis die Nacht da war.

– Diese ersten Berührungen und Küsse waren von einer Intensität, ich hatte so etwas noch nicht erlebt, schon der geringste Kontakt ließ uns zusammenzucken, und ich dachte dauernd, was ist hier los?, warum empfindest Du das jetzt erst so extrem?, ja wieso hast Du zwei Jahrzehnte gebraucht, damit Du das jetzt empfinden kannst?

– Vielleicht waren diese körperlichen Sensationen gerade deshalb so stark, weil man sie seit langem entbehrte. Während der Pubertät durfte einen ja niemand berühren, ich jedenfalls bin in diesem Alter vor Berührungen laufend geflohen. Davor aber, in der Kindheit, wurde man damit überhäuft, die Eltern und die halbe Verwandtschaft wollten einen dauernd anfassen und küssen. Nach den pubertären Jahren sehnte man sich in diese Idylle zurück, aber der antrainierte Panzer ließ sich nicht von heute auf morgen, sondern nur sehr allmählich sprengen.

– Ja, es war wie eine Rückkehr in frühkindliche Zeiten, in denen man davon gar nicht genug bekommen konnte. Außerdem aber hatte es mit der Besonderheit unserer Körper zu tun, mit den Empfindlichkeiten von Deiner und meiner Haut, mit unseren Sensorien und ihrer Beschaffenheit. Geküßt hatte ich damals auch schon diese oder jene Bekannte, aber es hatte, wie soll ich sagen? ..., es hatte noch nie so gefunkt ..., noch nie so, als fügten sich die jeweiligen Partien unserer Körper wie zwei zuvor getrennte Bruchstücke hautnah zusammen und ineinander.

– Hautnah ..., das ist das richtige Wort, eine Hautnähe entstand, wir entfernten uns kaum voneinander, laufend suchten wir den Kontakt, hielten unsere Hände, berührten, umarmten und küßten uns, ich fand es beinahe schon schmerzhaft, mich von Dir zu lösen, wieder auf das Fahrrad zu setzen und als Einzelperson den Weg zurück zu rollen. So etwas tat weh und wirkte wie ein Bruch, als würde ein starkes und einen ganz und gar mitreißendes Stück Musik willkürlich irgendwo aussetzen. Man sucht wieder nach der Einheit, und als Getrennter kommt man sich verloren vor.

– Du hast recht, diese Entdeckung des Paargefühls war wie ein Rausch, man will nur noch diese Nähe, ganz und gar, dauernd, ausschließlich. Würde die Welt zusammenkrachen, man nähme es nicht einmal wahr, die gesamte Aufmerksamkeit verlagert sich auf die Beobachtung dessen, was einen alles verbindet, und für diese Verbindung tut man alles, es ist wie eine Sucht ...

Plötzlich war es ganz still, ich öffnete die Augen, auch dieses Hotelzimmer schien ein magischer Ort zu sein, den wir durch unser Reden und Träumen heraufbeschworen hatten. Soll ich Judith sagen, daß ich das alles hier wie eine Rückkehr erlebe?, fragte ich mich, mein ganzes Empfinden orientiert sich wieder neu und sehnt sich nach Ergänzung, schon vergeht kaum eine Stunde, in der ich nicht an sie denke und nicht daran, wo und wann wir uns wieder begegnen. Mit einem Mal ist es wieder da, das Verlangen nach Liebe, wie ein Fieber hat es begonnen, als ich sie auf der Bank am See liegen sah, zunächst habe ich mich noch dagegen gewehrt, aber jetzt hat es mich bereits so infiziert, daß ich nichts mehr dagegen tue. Nie hätte ich gedacht, daß es so etwas gibt, eine Rückkehr zu den frühsten Tage mit all ihren Gefühls-Tumulten, ihren starken, leuchtenden Atmosphären, ihrem Bewegungs- und Befreiungs-Drang. Am liebsten würde ich ihr vorschlagen, gleich in der Früh auf zwei Rädern am See entlangzufahren, was wäre das für eine Freude, wir würden das längst vergangen Geglaubte noch einmal erleben und auf einer noch höheren und intensiveren Stufe genießen, denn natürlich ist die naive Unschuld der Frühzeit jetzt nicht mehr da, all das Zögern und Schwanken und die ganze Hilflosigkeit gibt es nicht mehr, wohl aber gibt es noch die innere Unruhe, das Sehnen und mehr denn je die Empfindlichkeit unserer Körper, die genauso reagieren wie in den ersten Tagen, genauso hingerissen, betört und emphatisch, als wären die sensibelsten Reizorgane der Sinne nur genau auf diesen einen anderen Menschen gepolt.

Ich drehte den Kopf und schaute sie an, sie hatte die Augen noch immer geschlossen, ihre Lippen aber bewegten sich leicht, sie träumte, vielleicht, dachte ich, bewegt sie sich jetzt ganz leicht und wie im Flug in all diesen Szenen der alten Geschichten, vielleicht sitzt sie am Rhein und die schweren Lastkähne biegen vom Main gerade ein auf den größeren Strom, die Wellen rollen heran bis zu unseren Füßen, und die Silhouette von Mainz mit dem Flekkenmuster der Rot-Töne des Doms zittert in der Ferne wie eine fremdländische Wüsten-Erscheinung. Ich hörte sie atmen, ihr Atem ging sehr leicht und regelmäßig und als könnte sie sofort wieder erwachen, ich blickte mich im Zimmer um, es war ihr Reich, überall hatte sie Spuren hinterlassen, den Morgenmantel hatte sie über eine Stuhllehne geworfen, auf einem schmalen Tisch vor einem Spiegel lagen ein großer Kamm und eine Bürste, eine dunkle, noch nicht ganz geleerte Reisetasche stand neben einem Schemel, und zwei lange Mäntel hingen neben dem Hochschrank in der Nähe der Tür. Jetzt gehörst Du wieder dazu, dachte ich, jetzt bist Du wieder ein Teil von dem allen, die Lücke dieses Bettes ist wieder besetzt, dieses ganze Interieur beginnt wieder zu atmen anstatt seine Einsamkeits- und Stillebenposen zu pflegen.

Ich stand vorsichtig auf und ging hinüber zum Bad, ich tastete mich in sein Dunkel hinein und machte erst Licht, als ich drinnen war und die Tür zugezogen hatte. Seltsam, die Wanne war voller Wasser und eine Flasche mit grünem Badezusatz war geöffnet und stand griffbereit auf dem Rand. Auf einer Ablage hinter dem Waschbecken stand eine Phalanx von kleinen Flaschen und Cremes, ich griff nach einem Zahnputzglas und füllte es mit kaltem Wasser, und während ich trank, verschob ich die ganze Phalanx ein wenig und sortierte sie um und betrachtete das immer wieder neu entstehende Bild. Dann setzte ich mich einen Moment auf die Wanne, ich trank und fuhr mit einer Hand durch das Wasser, eine sehr schwache Wärme lauerte noch in der Tiefe, während die Oberfläche längst abgekühlt war. Ich setzte ein Bein und dann das andere hinein, und dann ließ ich mich hineingleiten, ich mußte den Atem anhalten, um nicht zu laut auszuatmen, doch ich gewöhnte mich schnell an die Kühle. Ich schloß die Augen, wie angenehm war es, diesen kurzen und heftigen Schock zu ertragen, die Kühle peitschte den Körper noch einmal auf und erregte ihn, völlig erstarrt lag ich da und wagte nicht, mich zu bewegen. Ich möchte, daß Du mich morgen während der Probe besuchst, dachte ich, ich möchte, daß Du Dir eine Stunde Zeit nimmst, damit ich nicht mehr allein dort oben sitze und diese Absonderung nicht wieder von neuem beginnt. Ich richtete mich auf und zog mich rasch aus dem Wasser, ich nahm ein großes Handtuch und trocknete mich, dann schlich ich zurück in das Schlafzimmer, wo Judith noch immer leicht atmend und mit geschlossenen Augen, den angewinkelten Arm über Schläfe und Stirn, auf den weißen Laken lag.

Ich legte mich auf mein Bett und rollte mich zu ihr, dann küßte ich sie ganz leicht auf den Mund, sie träumte, sie träumte anscheinend noch immer, und doch bewegten sich ihre Lippen und küßten zurück, während ihr angewinkelter Arm allmählich heruntersank und ihre Finger meinen Rücken berührten und eine Hand schließlich haltmachte und die Schwere des Rückens näher zu sich heranzog. Ich faßte sie vorsichtig an beiden Schultern und hob sie ein wenig an und glitt dann mit beiden Armen unter ihren Körper, und dann drehten wir uns auf die Seite, und sie rollte wie eine leichte Woge auf meinen Leib, und ich brauchte nur dafür zu sorgen, daß sie das Gleichgewicht nicht verlor, ich hielt sie an beiden Hüften, ich bewegte mich nicht, ich wartete darauf, daß sie wieder erwachte, und plötzlich, nach einer kleinen Weile, atmete sie durch, der ganze Körper spannte sich an, und sie begann, mich unaufhörlich zu küssen, es war wie ein wilder Regen, und ich lag da und spürte, wie ich tiefer in den Laken des Bettes versank und dieser Körper sich auflöste und nichts mehr von ihm blieb.

13

AM NÄCHSTEN Morgen begleitete ich Judith noch zum Frühstücksraum, verließ dann aber rasch das Hotel und machte mich auf den Weg hinunter zum See. Ich hatte ihr vorgeschlagen, gegen Mittag zu meiner Probe zu kommen, sie war sich noch nicht sicher, ob sie Zeit fände, anscheinend hatte sie einen Tag voller Termine, deshalb gab sie mir eine Nummer, unter der ich sie erreichen konnte. Als ich auf der Quaibrücke ankam, konnte ich mich von dem weiten Panorama-Blick eine ganze Weile nicht lösen: Die Sicht war klar, die Sonne hatte die lange Streckung des Sees bereits überflutet, selbst auf den Hügelketten zu beiden Seiten des Ufers lag ein dichtes, goldenes Netz, während im Hintergrund die Berge auftauchten, deutlich und klar bis in jedes Detail, mit blau-weißen, markanten Tönen, wie auf einem Bild von Ferdinand Hodler. Ich fühlte mich so wohl und so voller Tatendrang, daß ich am liebsten ein Boot gemietet hätte, um hinaus auf den See zu rudern, auf irgendeine Weise wollte ich mich diesem gewaltigen Bild nähern und am liebsten wie eine kleine Statistenfigur in ihm verschwinden. Ich schaute auf die Uhr, leider war der Morgen bereits fortgeschritten, ich konnte mich jetzt unmöglich versäumen.

Als ich in mein Hotel zurückkam, ließ mich die junge Frau an der Rezeption nicht sofort passieren.

– Guten Morgen, endlich sind Sie da, ich habe schon mehrmals in Ihrem Zimmer angerufen. Haben Sie nicht bei uns übernachtet?

– Nein, das habe ich nicht, ich war bei Freunden, es ist sehr spät geworden, deshalb habe ich nicht hier übernachtet.

– Ah, ich verstehe, Sie waren also außer Haus.

– Genau, ich war außer Haus. Gibt es denn etwas Dringendes?

– Ja, eine Frau Gerke hat schon mehrmals angerufen, Sie hat eine Nachricht für Sie hinterlassen. Außerdem möchte ich Ihnen unsere Internet-Recherchen übergeben, schauen Sie, wir waren wirklich erfolgreich.

Sie reichte mir eine dicke Mappe mit Ausgedrucktem, um nicht unhöflich zu erscheinen, schlug ich die Mappe auf und blätterte kurz in den vielen Seiten, sauber abgeheftet befanden sich darin lauter Aufsätze und Essays von Judith Selow aus den vergangenen Jahren.

– Das ist fantastisch, sagte ich, ich danke Ihnen für Ihre Mühe, Sie haben mir sehr geholfen.

– O bitte sehr, melden Sie sich nur, wenn wir Ihnen wieder behilflich sein können.

Sie überreichte mir einen Zettel mit einer Telefonnummer, ich schaute kurz drauf, es handelte sich um Tanjas Handy-Nummer, die ich seit langem auswendig kannte, es ist seltsam, daß Tanja immer einen solch unnötigen Wirbel macht, dachte ich, dann aber nahm ich die dikke Mappe unter den Arm und ging hinauf auf mein Zimmer.

Als ich die Tür öffnete und hineinschaute, blieb ich einen Augenblick stehen: Wie ordentlich sah das alles doch aus! Auf der linken Seite des breiten Tisches lagen dicht nebeneinander ein Stapel mit Noten und einer mit Büchern, während sich auf der rechten die kleine Digitalkamera neben dem winzigen, verspielt wirkenden MP3-Player befand, ein Fernglas, ein schwarzes Notizheft und ein paar Zeitungen waren ganz am oberen Rand abgelegt, in der Mitte aber gab es eine große, freie Fläche, wie die Erwartung eines noch bevorstehenden Arrangements. Ordentlich und aufgeräumt wirkte das Zimmer, aber auch sehr verlassen, die Bettdecke des Doppelbetts war nur auf einer Seite zurückgeschlagen, während die andere Seite unberührt war, all das vermittelte den Eindruck eines strengen Einzelgänger-Daseins mit den für einen solchen Einzelgänger üblichen Spleens. Ich ging hinein und legte die dicke Mappe mitten auf die freie Fläche des Tisches, wie erstarrt hier alles ist, dachte ich, es sieht aus wie eine Mönchs-Klause, deren Ordnung von geheimen, offensichtlich penibel eingehaltenen Regeln bestimmt wird, es fehlt die Durchmischung, das Fremde, etwas Irrsinn und Überschwang, ich sollte schon einmal die Fenster öffnen, um wenigstens etwas Herbstluft hineinwehen zu lassen!

Ich streifte die Gardinen beiseite und machte die Fenster auf, ich mußte mich einfach weit hinauslehnen, so begeistert war ich von dem Licht draußen, das die Dinge auf der Straße mit einem filmischen Glanz überzog. Ich entkleidete mich und ging ins Bad, um zu duschen, währenddessen hörte ich Scarlattis Sonaten, im hellen Sonnenlicht wirkten sie frisch und lebendig, eine einzige sprudelnde Rede, närrisch, lustvoll, genau das Richtige für meine aufgekratzte Stimmung. Als ich mich im Bad abtrocknete, klingelte das Telefon, ich überlegte kurz, ob ich wirklich drangehen sollte, dann aber gab ich mir einen Ruck und ging zurück ins Schlafzimmer, um den Hörer abzunehmen.

– Mein Gott, Johannes, wo steckst Du? Ich versuche schon den ganzen Morgen, Dich zu erreichen.

– Hallo Tanja!, das tut mir leid, ich war zu Fuß unterwegs, das Wetter ist einfach zu schön.

– Das schöne Wetter, mein Lieber, sehe ich auch, ich bin nämlich seit 30 Minuten in Zürich und komme jetzt zu Dir ins Hotel.

– Ah, gleich ins Hotel? Sofort? Du kommst jetzt gleich ins Hotel?

– Johannes, ist alles in Ordnung? Verstehst Du mich

schlecht? Ich nehme mir jetzt ein Taxi und komme zu Dir ins Hotel.

– Ah so, jetzt verstehe ich besser, Du kommst ins Hotel. Mach das! Komm hierher ins Hotel! Ich bin allerdings gerade auf dem Sprung zur Probe, ich kann unmöglich auf Dich warten.

– Sollst Du doch auch nicht, geh ruhig zur Probe, ich komme später in der *Tonhalle* vorbei. Für den Abend habe ich einen Tisch im *Orsini* bestellt, Du erinnerst Dich doch noch an das *Orsini*?

– Nein, im Moment kann ich mich nicht daran erinnern, haben wir dort schon einmal zusammen gegessen?

– Wir haben im *Orsini* nicht einmal, sondern schon zweimal gegessen, Du magst die Steinpilze dort doch so sehr.

– Ah ja, jetzt erinnere ich mich, an die Steinpilze erinnere ich mich. Wir werden heute abend also Steinpilze essen.

– *Du*, mein Lieber, *Du* wirst sie essen, ich dagegen werde vielleicht etwas anderes bestellen. Ist wirklich alles in Ordnung? Du wirkst etwas konfus!

– Konfus! Ich bin nicht konfus! Ich bin nur etwas außer mir, wegen des Wetters!

– Aha, Du bist außer Dir, so hört es sich in der Tat an. Die freundliche Frau an der Rezeption hat behauptet, Du habest gar nicht im Hotel übernachtet.

– Was? Wie kommt sie denn darauf? Schnüffelt sie etwa hinter mir her?

– Ich weiß nicht, wie sie darauf gekommen ist, sie behauptet es jedenfalls, ich kann ja gleich noch einmal nachfragen, wenn ich im Hotel bin.

– Ja, genau, tu das, frag sie, und Du wirst sehen, daß es sich um reine Vermutungen handelt. Ich frühstücke hier selten, deshalb kommen sie vielleicht auf solche Gedanken. Sie warten auf mich mit dem Frühstück, ich erscheine nicht, deshalb denken sie, ich sei außer Haus. So wird es sein, ja, so muß es sein.

– Na gut, wir werden sehen. Ich fahre jetzt zum Hotel, wir sehen uns später, während der Probe.

Ich legte den Hörer wieder auf, dann beeilte ich mich mit dem Anziehen, ich wußte nicht, wie ich mit Tanjas Nachrichten umgehen sollte, eigentlich hatte ich doch gar keine Zeit, lange mit ihr zu reden oder mit ihr im *Orsini* essen zu gehen, schließlich wollte ich doch den Abend mit Judith verbringen. Ich ließ all die Utensilien, die ich sonst am Morgen mitnahm, einfach liegen, ich streifte mir nur den Pullover und einen leichten Mantel über, dann eilte ich wieder hinunter zur Rezeption.

– Wir haben mit dem Frühstück extra noch auf Sie gewartet, sagte die junge Frau.

– O, das ist nett, antwortete ich, dann trinke ich rasch einen Kaffee, verschwinde danach aber gleich. Ich bin einfach kein Frühstücks-Mensch, verstehen Sie?, das Frühstück ist nicht meine Mahlzeit, ich vermute, in früheren Jahrhunderten haben die Menschen überhaupt nicht oder jedenfalls nicht so ausgiebig gefrühstückt, vielleicht wußten sie sogar nicht einmal, was ein Frühstück war. Eine Tasse Kaffee oder Tee oder Milch und dazu ein Stück Brot – das wird früher gereicht haben, und mir reicht es im Grunde heute noch.

– Ah ja, ich verstehe, dann brauchen wir ja in Zukunft

nicht mehr eigens auf Sie zu warten. Den Kaffee aber, den sollten Sie doch wenigstens trinken.

– Ja, danke, den trinke ich noch. Und noch eins: Gleich wird Frau Gerke kommen, sie hat heute morgen mehrmals hier angerufen und von Ihnen die Auskunft erhalten, ich habe hier nicht übernachtet. Ich finde, Sie sollten das korrigieren, ich finde, Sie sollten fremden Personen, die sich nach mir erkundigen, keine Auskunft darüber geben, ob ich hier übernachtet habe oder nicht.

– Frau Gerke hat behauptet, sie sei mit Ihnen sehr gut befreundet und müsse Sie unbedingt sprechen, sie hat sich große Sorgen um Sie gemacht.

– In Ordnung, Frau Gerke hat recht, sie ist in der Tat eine sehr gute Freundin, aber auch gegenüber sehr guten Freundinnen gilt es manchmal, ein Geheimnis zu wahren.

– Sie wollen also, daß Ihre Nacht außer Haus geheim bleibt?

– Ich möchte, daß nur wir beide davon wissen. Sagen Sie Frau Gerke, Sie hätten sich wahrscheinlich geirrt oder Sie seien sich nicht mehr sicher, sagen Sie ihr, was immer Sie wollen, aber sagen Sie ihr keineswegs, ich sei die Nacht nicht in meinem Zimmer gewesen.

– Gut, ich werde Frau Gerke beruhigen.

– Ja, tun Sie das, ich danke Ihnen.

Ich drehte mich um und ging in den leeren Frühstücksraum, ich glaubte zu spüren, daß sie hinter mir her blickte, meine Geschichten beschäftigten sie, da war ich mir sicher, ich hätte gerne gewußt, wie sie sich alles zusammenreimte und für was für eine Figur sie mich eigentlich hielt.

Als ich Platz genommen hatte, kam sie zu mir hinüber und brachte mir einen Kaffee, etwas leicht angewärmte Milch und ein Croissant.

– Unsere Bedienungen sind bereits fort, sagte sie leise, deswegen bediene ich Sie.

– Sie machen es vollkommen perfekt, sagte ich, woher wissen Sie so genau, was ich morgens frühstücke?

– Ich habe mich dezent erkundigt, sagte sie, aber keine Angst, auch dieses Wissen behalte ich nur für mich.

– Ich habe nichts anderes erwartet, verstehen Sie mich bitte nicht falsch. Ich muß nur etwas vorsichtig sein, ich muß meine Privatsphäre schützen, sonst machen schon bald lauter Gerüchte Gott weiß wo die Runde.

– Aber ja, ich verstehe, Sie brauchen es mir nicht zu erklären, ich kenne Sie, ich weiß ja, wer Sie sind.

Ich blickte einen Moment zu ihr auf, aber sie schaute nicht zurück, sondern warf einen letzten Blick über den ganzen Tisch, dann drehte sie sich um und ging wieder zur Rezeption. Während ich die Milch in den Kaffee schüttete und das Croissant aß, war ich versucht, sie anzuschauen, sie hatte die Tür zwischen Rezeption und Frühstücksraum offengelassen, so daß ich sie direkt hätte anblikken können, irgendwie wirkte die Situation leicht intim, als wolle sie den Kontakt nicht abreißen lassen. Da sind sie wieder, die Spuren der Verzauberung, dachte ich, Du kennst sie noch von früher, Deine Liebe strahlt aus, die Emotionen lassen sich nicht mehr bändigen und beherrschen, so daß es Dir ganz leichtfallen würde, die nächstbeste Frau zu umarmen. Es ist wie eine Kettenreaktion, ohne Dein Zutun drängen die Emotionen nach außen und springen über und pflanzen sich fort. Wenn ich jetzt den Kopf heben und diese junge Frau an der Rezeption, deren Namen ich nicht einmal kenne, anschauen würde, würde sie sofort zurückschauen, und der Kontakt wäre wieder geschlossen. Na los, versuch's, schau nach, ob es sich noch immer so abspielt.

Ich trank die Tasse leer und stellte sie auf die Tischplatte, dann hob ich den Kopf und schaute durch die geöffnete Tür hinüber zur Rezeption, einen Moment notierte sie noch etwas, dann aber schaute auch sie zu mir hin. Ich lächelte, ja, die alten Kraftströme waren noch immer intakt, denn sie lächelte prompt zurück. Ich stand auf, nahm meinen Mantel und ging zu ihr hinüber.

– Verraten Sie mir Ihren Vornamen? fragte ich.

– Ich heiße Franziska, antwortete sie.

– Franziska, sagte ich, wir beide haben jetzt ein Geheimnis, vielleicht kommt noch das eine oder andere hinzu, ich verlasse mich jedenfalls ganz auf Ihr Schweigen.

Ich reichte ihr den Zimmerschlüssel, sie grinste und antwortete nicht, ich lächelte ihr noch einmal zu und ging rasch zur Tür.

– Eine Karte für Ihr Konzert wäre schön, rief sie mir hinterher.

– Die bekommen Sie, rief ich zurück, versprochen, ich kümmere mich drum.

14

ICH HATTE Scarlattis Sonaten an diesem Morgen so sehr im Kopf, daß ich meine Probe damit begann. Vier oder fünf wollte ich spielen, aber dann hörte ich nicht auf, ich konnte mich von diesem besonderen Südsonnen-Klang einfach nicht trennen, sie waren eben genau die Musik, die zu diesem Tag und den Euphorien paßte. Schließlich mußte ich mich zwingen, damit aufzuhören, ich brach mitten in einer der Sonaten ab und wechselte bruchlos zu einer Sonate von Mozart.

Daß Mozart seine Klaviersonaten erst in relativ reifem Alter komponierte, weiß kaum ein Mensch, dabei sind diese Sonaten so etwas wie seine Tagebuchblätter, die er erst schrieb, als er auf seinen weiten Reisen häufiger einmal allein war. Mozart war ein so geselliger und die Geselligkeit in seine Musik einbeziehender Mensch, daß er nur selten für ein einzelnes Instrument komponierte, seltsam, auch das wissen nicht eben viele, oder man weiß es, denkt aber nicht weiter darüber nach, sonst müßte einem doch auffallen, daß besonders die Sonaten für Klavier in gewissem Sinne Einsamkeits-Übungen und Klang-Experimente für genau das Instrument sind, an dem seine musikalische Laufbahn in frühstem Alter begann.

Als ich eine seiner Sonaten direkt nach den Sonaten von Scarlatti spielte, bemerkte ich plötzlich, daß Scarlattis tänzelnde, hingesummte Monologe Vorläufer von Mozarts kleinen, skurrilen Verdrehtheiten waren, man hörte das sehr gut, wenn man zwischen diesen beiden Komponisten wechselte und immer eine Sonate von Scarlatti und darauf einen Mozartschen Sonatensatz spielte. Du solltest Mozarts Sonaten nicht Satz für Satz und als Ganzes spielen, sondern sie in ihre einzelnen Sätze zerlegen, dachte ich, und Du solltest diese einzelnen, kaum fünfminütigen Sätze mit den Scarlatti-Sonaten kombinieren, das wäre fantastisch, das ergäbe ein Programm für genau hinhörende Ohren. Ich war von der Idee so begeistert, daß ich überlegte, ob sich das Programm meines bevorstehenden Klavierabends noch einmal ändern ließe, Du solltest es auf jeden Fall ändern, dachte ich, Du solltest Dich nicht wie Deine Kollegen damit bescheiden, hier die vereinbarten Stücke zu spielen und Dein Mozart-Quantum brav abzuliefern.

Ich hielt inne und ging kurz in meine Garderobe zurück, um mir ein Blatt Papier und einen Bleistift zu holen. Als ich wenig später zurück aufs Podium kam, erkannte ich Tanja, die gerade den Konzertsaal betrat. Ich winkte ihr vom Podium aus zu, sie aber gab mir ein Zeichen, daß ich sie jetzt nicht begrüßen, sondern spielen solle, ja, dachte ich, genau so will es Euer eingefahrenes Ritual, daß Tanja den Konzertsaal möglichst unauffällig betritt und fast geräuschlos Platz nimmt, und daß Du so tust, als bemerktest Du sie nicht, während Du doch bis in jede Einzelheit wahrnimmst, was dort unten im Parkett gerade geschieht: Sie legt den hellen Mantel ab und greift in ihre dunkelbraune Ledertasche, sie holt einen Block heraus, schlägt ein Bein über das andere und beginnt zu notieren, pausenlos, alles, was ihr auffällt, von Deiner Haltung am Flügel bis zur Farbe des Blumengestecks neben der Podiumstür.

Tanja, dachte ich weiter, Tanja ist absolut professionell, sie versteht nicht nur sehr viel von der Musik, sondern auch vom Klavierspiel, daneben versteht sie aber auch viel von solistischen Auftritten und ihren Gesetzen, vergessen wir nicht die Ökonomie, von der sie vielleicht am meisten versteht. Gerade weil sie so professionell ist, ist sie der einzige Mensch, dessen Gegenwart ich in meinen Proben ertrage und dulde, sie ersetzt mir das Publikum, sie verkörpert die bei meinem Auftritt vollbesetzten Ränge in Gestalt einer scharfen Beobachterin, deren Blicken kaum etwas entgeht. Sobald sie sich im Raum befindet, wechselt mein Spiel seinen Charakter, es wird ernst, ja es nähert sich dem Ernstfall des Auftritts und hat nicht mehr im geringsten etwas von der harlekinesken Sorglosigkeit, die mich sonst in meinen einsamen Proben oft umtreibt. Ihre übereinandergeschlagenen Beine, ihr Block, ihre Notizen – zeitgleich mit diesen Gesten macht sich das Kind in mir auf und davon, und zeitgleich ruft sich der verzogene Klavierschüler, der am liebsten immer nur Schumann oder Skrjabin spielen wollte, zur Raison. Noch ein kurzes Husten, noch ein kurzes Höherdrehen des Hockers – dann spiele ich so, wie man es von mir erwartet und von meinen öffentlichen Auftritten her seit vielen Jahren gewohnt ist. Erst Tanja, dachte ich oft, hat aus Dir einen disziplinierten Spieler gemacht, ein disziplinierter Spieler nimmt die Rituale ernst und arbeitet an ihrer Vervollkommnung, und ein disziplinierter Spieler verbringt eine Nacht wenige Tage vor einem großen Konzert auf jeden Fall in seinem Hotel und nicht außer Haus.

Ich begann mit der Sonate in Es-Dur, Köchelverzeichnis 282, zum ersten Mal in einer Probe wirst Du jetzt Satz für Satz das Pflicht- und spätere Konzertprogramm spielen, dachte ich, Tanjas bloßes Erscheinen hat bereits dafür gesorgt. Kein Schumann und kein Scarlatti, hier geht es nun ausschließlich um die spätere Präsentation, um minimale Feinheiten der Tempi und Lautstärken oder um das, was Tanja immer »den Gesamtgestus« nennt. Die Leute kommen nicht in das Konzert, um Mozart, sondern um *Deinen* Mozart zu hören ..., Sätze von dieser Art sagt sie häufig, um die letzten Feinheiten der Interpretation aus mir herauszukitzeln. Und sie hat recht: Man muß sich immer wieder daran erinnern, daß es auf jeden Ton und jede Nuance ankommt und daß aus den subtilsten Schattierungen eben so etwas wie ein »Gesamtgestus« entsteht.

Dieser langsame, erste Satz ist zum Niederknien, dachte ich weiter und hörte meinem Spiel zu, es kam mir um eine Spur zu versunken und feierlich vor, jedes Mal war ich gerade von den ersten Takten so ergriffen und überwältigt, daß ich instinktiv etwas zu langsam und andachtsvoll spielte. Danach aber kommt der Satz Schritt für Schritt in Bewegung, es ist nicht leicht, das hinzubekommen, entweder wird man zu rasch und denkt zu sehr nach vorn, oder man versäumt den Übergang und bleibt zu sehr im langsamen Dahinschreiten stecken. Steigerung!, kontinuierliche Steigerung! ..., das ist die Devise, aber das alles ist leicht gesagt und keine Sache des Willens, sondern der Konzentration und der jeweiligen Stimmung. Konzentration ist vielleicht sogar das Schwierigste überhaupt, ich könnte lange darüber reden, was Konzentration beim Klavierspiel eigentlich ist und bedeutet, behalte meine Überlegungen aber vorläufig für mich.

An dieser Stelle ist vielmehr von Bedeutung, daß ich wenige Takte weiter eine erneute Bewegung im Parkett spürte, ich spielte natürlich weiter und schaute nicht hin, aber ich wußte genau, daß es Judith war, Judith hatte den Konzertsaal betreten und, wie ich vermutete, ganz hinten und am Anfang einer Stuhlreihe Platz genommen. Ihre überraschende Gegenwart brachte mich sofort durcheinander, nein, ich spielte nicht falsch und geriet nicht grundsätzlich aus dem Konzept, aber plötzlich wußte ich nicht mehr, für wen ich eigentlich spielte. Normalerweise hätte ich für Tanja gespielt und damit in etwa so, wie ich am Konzertabend spielen würde, wenn Judith aber meine alleinige Zuhörerin gewesen wäre, hätte ich mit Sicherheit noch einmal ganz anders gespielt und einfach noch mehr ausprobiert. Ich spielte weiter und weiter ..., hatte jedoch die ganze Zeit das Gefühl, als würden die Stücke nicht richtig klingen, ja als kippten die Töne vom Podium herab in die Leere, um dort gleich zu versacken. Es gelang mir nicht, den Raum zu füllen, die Töne trudelten vielmehr mal hierhin, mal dorthin ..., ich bemühte mich, eine Linie in die Sache hineinzubekommen, aber es war vergebens, von einem »Gesamtgestus« war ich sehr weit entfernt.

Nach drei Sonaten machte ich Schluß und stand auf und schaute hinab ins Parkett, ich sah, daß Tanja eifrig notierte und Judith sich gerade von ihrem Platz erhob. Ich sprang vom Podium hinab und ging zunächst zu ihr.

– Wer ist die Frau dort vorn in der dritten Reihe? fragte sie.

– Das ist Tanja Gerke, meine Agentin, antwortete ich, sie ist heute eigens hierher geflogen, um bei den Proben dabeizusein.

– Ah ja, ich verstehe, dann lasse ich Dich lieber mal mit ihr allein.

– Entschuldige, ich wußte nicht, daß Tanja schon heute hier auftauchen würde.

– Du brauchst Dich nicht zu entschuldigen, wir haben eben beide zu arbeiten. Sehen wir uns am Abend?

– Um ehrlich zu sein, Tanja hat mich bereits zum Essen eingeladen, wir gehen bei diesen Gelegenheiten alles durch, was in den nächsten Monaten so anfällt.

– Schade, sehr schade, wie lange dauert denn so ein Arbeitsgespräch?

– Ich werde es ein wenig verkürzen.

– Genau, verkürze es doch ein wenig, ab, sagen wir, 22 Uhr warte ich auf Dich im Restaurant meines Hotels.

– Sehr gut, genauso machen wir es.

– Bis später, mein Liebster.

– Bis später.

Ich zögerte, ob ich ihr einen Kuß geben sollte, tat es aber dann beinahe unwillkürlich, sie griff nach meiner Hand und hielt sie einen Moment fest, dann nahm sie ihren Mantel über den Arm und verschwand. Ich versuchte, einen möglichst unbeteiligten Eindruck zu machen, und ging hinüber zur dritten Reihe, in der Tanja noch immer saß und notierte.

– Ich grüße Dich, meine Liebe, sagte ich.

– Wer war das? antwortete Tanja.

– Das war Judith Selow, wir haben vor über zwanzig Jahren zusammen in Frankfurt studiert und sind uns hier zufällig über den Weg gelaufen.

– Judith Selow? Mit ›ow‹ am Ende?

– Genau, mit ›ow‹.

– Ich kenne den Namen irgendwoher. Spielt sie auch Klavier?

– Nein, sie ist Kunsthistorikerin.

– Hat sie hier zu tun oder macht sie nur Urlaub?

– Ich glaube, sie hält hier einen Vortrag, aber ich weiß es nicht genau.

– Einen Vortrag? Worüber und wo hält sie hier einen Vortrag?

– Ich glaube, sie spricht im Rahmen eines Kolloquiums in der Universität, aber frag mich nicht, was das für ein Kolloquium ist.

– Hast Du mit ihr gestern zu Abend gegessen?

– Nein, habe ich nicht, aber wieso fragst Du?

– Weil die junge Frau an der Hotel-Rezeption nun behauptet hat, daß Du im Hotel weder frühstückst noch ißt.

– Da hat sie recht.

– Sonst hast Du immer im Hotel gefrühstückt und auch häufig dort gegessen.

– Mag sein, diesmal ist mir einfach nicht danach.

– Wo hast Du denn statt dessen gestern zu Abend gegessen?

– Hey, Tanja, was ist los? Ist das ein Verhör?

– Nein, mein Lieber, natürlich nicht, ich spüre nur, daß manche Dinge anders als sonst sind, und da gehe ich lieber gleich den Ursachen nach, bevor sich irgendwelche Katastrophen ergeben.

– Katastrophen? Von welchen Katastrophen sprichst Du, um Himmels willen?

– Von Deinem Klavierspiel, mein Lieber, Dein Klavierspiel war heute absolut katastrophal. Soll ich Dir meine Notizen mal vorlesen, sollen wir meine Liste mal durchgehen?

Ich setzte mich, und sie sprach, Blatt für Blatt las sie vor, was sie sich notiert hatte. Leicht hätte ich ihr erklären können, warum ich mich nicht hatte konzentrieren können und mein Spiel so uneindeutig und ohne Linie gewesen war, doch ich hörte ihr bis zum Ende geduldig zu. Ihre Analyse war wie meist perfekt und lief darauf hinaus, daß ich die Sonaten »klein spielte«, angeblich spielte ich sie viel zu verhuscht und zu sehr als Miniaturen, ja, ich spielte sie »viel zu verlegen«. Mit diesem »viel zu verlegen« hatte Tanja in der Tat etwas getroffen, stimmt genau, dachte ich, Du warst »verlegen«, verlegener als vor jedem Großpublikum, im Grunde wolltest Du gar nicht spielen, Du wolltest verschwinden, deshalb hast Du die Stücke gerade so heruntergespielt.

Es war schon weit nach Mittag, als wir unser Gespräch beendeten. Ich sagte Tanja, daß ich zu müde und zu erschöpft für eine zweite Probe am Nachmittag sei, sie nickte und schlug vor, einen Spaziergang am See entlang zu machen.

– Ich glaube, ich brauche jetzt einmal zwei oder drei Stunden Ruhe, um mir Deine Kritik durch den Kopf gehen zu lassen, sagte ich. Was hältst Du davon, wenn wir uns am Abend gleich im *Orsini* treffen, sagen wir, gegen 19 Uhr?

– Wenn Dir das lieber ist, machen wir es so, antwortete sie, dann werde ich mich bis dahin noch um ein paar andere Dinge kümmern.

– Gut, sagte ich, dann verschwinde ich jetzt in der Garderobe, wir sehen uns am Abend.

Ich begleitete sie noch bis zur Tür des Konzertsaals, dann schlenderte ich in meine Garderobe zurück. Zu verlegen, viel zu verlegen hatte ich also gespielt, kein Wunder, diese feste, nach langen, zähen Verhandlungen mit der Konzertdirektion so vereinbarte Programmfolge paßte mir überhaupt nicht mehr. Ich nahm meinen Bleistift, kam auf meine Idee vom früheren Vormittag zurück und begann, ein vollkommen andersartiges Programm zu entwerfen: Jeweils eine Scarlatti-Sonate und ein Mozart-Sonatensatz wechselten einander ab, so, wie es die ersten, schönen Launen des Morgens erfunden und gedacht hatten. Warum sollst Du Dich an so etwas Künstliches wie Chronologien halten, dachte ich, Chronologien sind etwas für die Musikpedanten, ein Konzertprogramm dagegen ist ein freies Arrangement, eine artistische Präsentation, bei der es auf eine verblüffende Kombination der einzelnen Stücke ankommt.

Ich war von meinem Konzept derart begeistert, daß ich nach meinen Notaten noch einmal in den Konzertsaal ging, um zumindest einige der neuen Varianten anzuspielen. Eine Sonate von Scarlatti … – und ein einzelner Satz einer Mozart-Sonate in der entsprechenden oder in einer relativ verwandten Tonart …, ich probierte, stellte um, ich notierte, ich war selbst verblüfft über all die Einfälle, die mir jetzt zuflogen. Plötzlich wußte ich, wie es mir möglich war, Scarlattis Sonaten öffentlich zu spielen, ich mußte sie nur mit passenden Kompositionen eines anderen Komponisten kombinieren, dann wirkten sie wie erhellende, kleine Strahler, die ein völlig neues Licht auf die anderen Stücke warfen.

Ich spielte noch eine Weile und ging dann hinaus ins Freie. Das Sonnenlicht des frühen Nachmittags machte den weiten See jetzt zu einer glänzenden, vibrierenden Fläche, ich setzte mich in der Nähe der Schiffs-Anlegestelle auf eine Bank und starrte in die Weite. Sollte ich zurück ins Hotel gehen, um mich dort etwas auszuruhen? Nein, die Helligkeit des Nachmittags würde mich in meinem Zimmer nicht zur Ruhe kommen lassen, da war ich sicher. Ich dachte an den Abend und an das Essen mit Tanja im *Orsini*, wie würde sie wohl auf meine neuen Programm-Ideen reagieren? Im Grunde war Tanja nicht die richtige Ansprechpartnerin für solche Experimente, viel lieber überlegte sie sich, wie man aus einer festen Vorgabe das Beste machen und herausholen konnte. Vielleicht wäre es besser, die neuen Ideen vorläufig nicht zu erwähnen und im geheimen weiter an ihnen zu feilen, bis sie auch in meinen Augen spruchreif und perfekt waren.

Ich lehnte mich etwas zurück und breitete meine Arme auf der Rückenlehne der Bank aus, als ich von hinten angesprochen wurde.

– Was sitzen Sie denn so versunken da? Ich denke, Sie wollten uns heute wieder besuchen?

Ich drehte mich um und bemerkte Anna, die anscheinend gerade einen Spaziergang am Seeufer entlang machte.

– Stimmt, eigentlich müßte ich schon längst im Museum sein, antwortete ich, aber das Wetter ist heute einfach zu schön.

Ich rückte etwas an den Rand und deutete auf den leeren Platz auf der Bank.

– Wollen Sie sich nicht setzen? fragte ich, erzählen Sie mir doch, wie es jetzt oben im Ausstellungssaal aussieht.

Anna ging um die Bank herum und blieb vor mir stehen.

– Ich würde lieber etwas spazierengehen, sagte sie, kommen Sie doch mit, ich erzähle Ihnen dann gern mehr von der Ausstellung.

Ich hatte sofort Lust darauf, mit ihr zu gehen, dachte aber noch einen Moment darüber nach, ob ich ihr gegenüber weiter die Rolle eines Journalisten spielen sollte. Am liebsten hätte ich die Wahrheit gesagt, andererseits hätte uns das vielleicht nur aufgehalten und zu langatmigen Erklärungen geführt. Deshalb ließ ich die Sache zunächst auf sich beruhen, stand auf und ging neben ihr her.

– Ich kenne in Zürich kaum einen Menschen, sagte Anna, aber das finde ich gut. Während der Vorbereitung einer Ausstellung kann ich nämlich kaum Ablenkung brauchen, ich konzentriere mich nur auf die Bilder und unser Konzept und all das, was damit zusammenhängt, wie zum Beispiel den Katalog, dessen erste Exemplare übrigens gerade heute aus der Druckerei gekommen sind. Graphisch und optisch ist der Katalog wirklich sehr schön, aber die Lektüre seiner Aufsätze vor Besuch der Ausstellung ist auch eine Gefahr, weil sie viel von dem vorwegnimmt, was jeder Besucher zunächst einmal selbst entdecken und wahrnehmen soll. Haben Sie zum Beispiel schon eine Idee, was die Bilder der Ausstellung verbindet, haben Sie in der Richtung eine Idee?

— Eine Idee? Na ja, ich denke, es geht darum, die Bilder mit den Fotografien zu konfrontieren und dadurch die Wahrnehmung der Besucher auf die Probe zu stellen.

— Genau, antwortete Anna, ein Großteil des Konzepts besteht in der Tat darin, die Bilder mit den Fotografien zu konfrontieren. Die Fotografien verfremden die Bilder, sie vergrößern oder verkleinern oder verzerren bestimmte Sequenzen, sie durchleuchten ein Bild, sie spielen mit ihm, jeder Fotograf hat diese Aufgabe anders gelöst. Daneben aber gibt es sozusagen noch einen zweiten Aspekt, und dieser Aspekt betrifft die Auswahl der Bilder. Wahrscheinlich verblüfft es Sie, wenn ich Ihnen sage, daß nach unserer Vorstellung jedes der Bilder mit Zürich zu tun hat, ja, Zürich ist der geheime Fluchtpunkt aller Bilder der Ausstellung.

Ich blieb stehen und schaute sie an, ich überlegte kurz, ob dieser Hinweis mich auf ein paar neue Gedanken zu der Ausstellung brachte, nein, ich wußte nicht, was sie meinte, ich hatte keine Idee.

— Helfen Sie mir, ich komme nicht drauf, inwiefern haben alle Bilder etwas mit Zürich zu tun? fragte ich.

— Die Ausstellung beobachtet Räume und ganz unterschiedliche Raumformen, antwortete Anna. Es gibt den geschlossenen Raum, den Fernraum, den Fluchtraum, den Raum als Umgebung …, und all diese sowohl auf den Bildern wie in der Ausstellungs-Architektur erscheinenden Raumformen haben ihren geheimen Bezugspunkt in *Zürich*. Der geschlossene Raum zum Beispiel hat mit Gottfried Keller zu tun, vielleicht erinnern Sie sich an das schöne Porträt, das Karl Stauffer vom alten Keller gemalt hat. Der alte Keller sitzt unbeweglich und erstarrt da und schaut dem Betrachter genau in die Augen. Nun haben wir noch ein zweites Keller-Porträt desselben Malers entdeckt, auf ihm sitzt der alte Keller in all seiner Seelenruhe auf einem Stuhl und widmet sich einer Prise Schnupftabak. Diese beiden Bilder werden wir in der Mitte des Ausstellungssaals präsentieren.

— Ah, also doch, Frau Selow erzählte mir bereits von einem der Bilder, meinte aber, es sei vom Format her zu klein für einen so starken Akzent in der Mitte des Saals.

— Ja, das dachten wir zunächst alle, aber dann begriffen wir, was wir aus diesen kleinen Formaten alles herausholen können, wenn wir sie nur richtig plazieren. Wir plazieren sie also exakt in der Mitte des Saals in einem eigens dafür entworfenen sehr kleinen Raum, in dem wir sie an zwei einander gegenüberliegenden Wänden anbringen, die anderen beiden Wände bleiben natürlich leer. Der Raum ist recht dunkel, er wirkt wie eine Klause oder wie eine Zelle, und inmitten dieser Klause befindet sich Zürichs größter Geschichten-Erzähler im Zwiegespräch mit sich selbst, vor sich hin murmelnd und bei einer Prise Schnupftabak. Wir nennen diesen Ur-und Märchen-Raum der Züricher Geschichten das Keller-Zimmer und beziehen uns dabei insgeheim auf ein Keller-Zimmer, das es in Zürich einmal in der früheren Stadtbibliothek im alten Helmhaus an der Limmat gab. Es war eine kleine Gedenk-Stätte mit Keller-Porträts und Skizzen von seiner Hand, mit Briefen und Handschriften. Dieses Zimmer war nur eine Stunde am Tag geöffnet, aber es war ausgerechnet an genau dem Tag geschlossen, als Franz Kafka es während seines Zürich-Aufenthalts im Jahr 1911 aufsuchen wollte.

– Franz Kafka? Franz Kafka hat 1911 Zürich besucht?

– Ja, während einer Reise, die ihn zusammen mit seinem Freund Max Brod über Zürich, Luzern und Lugano nach Mailand führte.

– Und in Zürich wollten die beiden sich ausgerechnet das Keller-Zimmer anschauen?

– Ja, dieses Keller-Zimmer war anscheinend für die beiden Schriftsteller so etwas wie ein kultischer Raum, also nicht nur der Raum bloßer Dichter-Verehrung, sondern der Raum, in dem gleichsam die Überbleibsel eines großen Mythos gehortet waren, Erinnerungen also und Dokumente, Zeugnisse eines alten, geheimnisumwobenen Erzählers. Kafka und Brod waren darüber, daß das Zimmer geschlossen war, sehr erbost und gingen sogar ins damalige Verkehrs-Büro, um sich zu beschweren.

– Und? Haben sie etwas erreicht?

– Nein, nichts, die Intervention hat keinen Erfolg, notierte einer von ihnen in seinem Tagebuch.

– Und was ist aus dem Keller-Zimmer später geworden?

– Als die Stadt- und die Kantonsbibliothek in einem anderen Gebäude zusammengelegt wurden, wurde die Pilgerstätte aufgehoben, die Objekte wurden hierhin und dorthin verstreut oder verschwanden ganz. Genau auf dieses Verschwinden und den verschwundenen, magischen Raum des Erinnerns aber spielen wir mit unserem Keller-Zimmer in der Mitte der Ausstellung an, wir nennen es *den geschlossenen Raum*, jetzt, wo ich Ihnen die Kafka-Geschichte erzählt habe, verstehen Sie den Doppel-Sinn dieser Bezeichnung.

— Ja, sagte ich und mußte beinahe lachen, ich verstehe, diese Bezeichnung gefällt mir, ach was, sie gefällt mir nicht nur, ich finde sie genial. Und was für ein wunderbarer Gedanke, dieses Allerheiligste Zürichs in der Mitte des Ausstellungssaals zu rekonstruieren! Aber bevor Sie mir mehr erzählen, Anna, sagen Sie mir noch, wo Kafka und Brod sich in Zürich sonst noch länger aufgehalten haben.

— Die *Tonhalle* hat sie interessiert.

— Die *Tonhalle*, im Ernst?

— Ja, die *Tonhalle*, und das direkt hier am Bürkli-Platz gelegene Männer-Freibad. Kafka und Brod sind hier schwimmen gegangen.

— Hier? Genau hier, wo wir stehen?

— Ja, hier gab es ein Männer-Bad, mit hölzernen Stegen im See, mit Becken für Schwimmer und Nichtschwimmer und mit einer Fläche fürs Sonnenbaden.

— Schade, daß es dieses Bad nicht mehr gibt, und schade, daß die neueren Bäder jetzt im frühen Herbst schon nicht mehr geöffnet sind, dabei sind diese Herbsttage durchaus noch warm genug, um im See zu baden.

— Baden kann man nicht mehr im See, aber wir könnten uns ein Boot mieten und ein Stück hinausrudern.

— Ein Boot mieten? Ja, Sie haben recht, ein Boot ist bei diesem Wetter besser als ein Spaziergang.

– Dann kommen Sie, der Boots-Verleih dort vorne ist zumindest geöffnet.

Anna ging plötzlich schneller, als müßten wir uns beeilen, um noch ein Boot zu bekommen, dabei sah man doch schon von weitem, daß noch genügend Boote vorhanden waren. Wie alt sie wohl ist?, dachte ich, sie hat etwas wunderbar Frisches, Direktes, und man spürt sofort, wie begeisterungsfähig sie ist. Ein wenig erinnert sie mich an die Judith von früher, jedenfalls ist sie fast ebenso zielstrebig, passioniert und entschieden. Sie jammert keinen Moment, auch dann nicht, wenn sehr viel zu tun ist, und sie ist hervorragend informiert, wie es sich für jemanden gehört, der eine Sache professionell angeht. Das Wichtigste aber ist: ich höre ihr gerne zu, sie erzählt einfach interessant.

Am Bootsverleih war uns ein älterer Mann beim Einsteigen behilflich, Anna setzte sich ins Heck, und ich versuchte, uns mit Hilfe der beiden Ruder aus dem kleinen Bootshafen hinaus ins Freie zu manövrieren.

– Woher wissen Sie all diese Details von Keller und Kafka und von geheimnisvollen, geschlossenen Räumen? fragte ich.

– Ich bin zufällig auf die Details gestoßen, als ich wegen der Keller-Porträts recherchierte, antwortete sie, wenn Sie darüber noch mehr wissen wollen, lesen Sie am besten meinen Aufsatz im Katalog.

– Das werde ich tun, sagte ich, aber erzählen Sie doch noch etwas mehr von den Zürich-Bezügen der Bilder.

– Die Keller-Porträts sind das Zentrum unserer Erzählung, antwortete sie, daran schließen sich die See-Bilder von Hodler an, die als Räume der Umgebung, wie wir sie nennen, zwar nicht direkt den Zürichsee zeigen, wohl aber darauf verweisen. Ruskins Skizze der Alpenspitzen schließlich imaginiert so etwas wie einen Fernraum, und zwar genau einen von der Art, wie man ihn hier, von der Schiffsanlegestelle am Bürkliplatz aus, sieht.

– Und Monets Bilder? Wären das dann die Fluchträume?

– Von Zürich aus gibt es zwei Fluchträume, wie wir sie nennen, gemeint sind Frankreich und Italien, in unserer Ausstellung stehen dafür eine ganze Reihe von Bildern wie etwa die französischen Landschaften Monets, Segantinis Engadin-Bilder oder Guardis Bilder der verfallenen Häuser in der Lagune Venedigs. Die Ausstellung ist also konzipiert wie eine Reise, die in Zürich beginnt und sich dann von hier aus in Stationen fortsetzt. Was wir zeigen, sind lauter Ländereien des Inneren, die wiederum mit lauter Erzählungen und Geschichten von der Art der *Geschichte vom verschlossenen Zimmer* verknüpft sind. Die Fotografien sind die deutlichsten Hinweise auf unsere Lesart, denn sie betrachten die Bilder nicht mehr als Landschaftsmalerei, sondern vertiefen sich in sie, als wären es allesamt Seelen-Gemälde mit unendlich vielen, noch erst zu entdeckenden Geschichten und Dramen.

Ich hörte auf zu rudern, wir befanden uns etwa fünfzig Meter vom Ufer entfernt, irgend etwas von dem, was Anna gesagt hatte, beunruhigte mich, ich wußte aber nicht, was es war. Das verschlossene Zimmer, Zürich, die Ferne, die Anspielungen auf Frankreich und Italien ..., ich überlegte krampfhaft, worin das eigentliche Geheimnis dieser ausgetüftelten und hybriden Ausstellungs-Konzeption denn nun bestand. Das Boot schaukelte ganz leicht auf den Wellen, ich gab die Ruder frei und ließ es etwas treiben, es bewegte sich aber kaum, sondern drehte sich unmerklich auf der Stelle im langsam schwächer werdenden Sonnenlicht. Anna sagte nichts mehr, sondern schaute mich plötzlich unentwegt an, als wäre etwas mit mir nicht in Ordnung, ich schaute weg, als könnte ich ihrem Blick dadurch entgehen, doch als ich sie nach einer Weile wieder anblickte, musterte sie mich noch immer.

– Was ist los? fragte ich, warum schauen Sie mich unentwegt an?

– Ich frage mich, warum ich Ihnen das alles erzähle, wo ich doch genau weiß, daß Sie mir etwas vormachen.

– Aber Anna, was reden Sie da? Ich mache Ihnen nichts vor, mich interessiert jedes Wort, das Sie sagen.

– Ja, gut, ich glaube Ihnen ja, daß es Sie interessiert, aber ich glaube Ihnen nicht, daß Sie von der Presse sind, das habe ich Ihnen schon einmal gesagt.

– Ich bin nicht von der Presse, da haben Sie recht.

– Na bitte, nun geben Sie es endlich zu, ich habe es mir doch die ganze Zeit schon gedacht. Haben Sie Frau Selow auch so getäuscht?

– Nein, ich habe überhaupt niemanden aus eigenem Vorsatz getäuscht. Frau Selow hat mich vielmehr darum gebeten, diese Rolle zu spielen.

– Aber warum? Warum hat sie darum gebeten?

– Das kann ich Ihnen jetzt nicht erklären, es hat mit privaten Dingen zu tun.

— Dann sagen Sie mir wenigstens, was Sie in Zürich eigentlich treiben.

Ich griff wieder nach den Rudern und brachte das Boot mit einigen leichten Schlägen weiter hinaus auf den See. Die Geräusche vom Ufer her waren kaum noch zu hören, Du bewegst Dich jetzt hin zur Stille des Anfangs der Sonate in Es-Dur, dachte ich.

Ich neigte mich etwas nach vorn, zu Anna hin, und sagte ihr, wie ich heiße, ich sprach viel zu leise, es war eher ein Flüstern denn ein richtiges Sprechen, ich räusperte mich, ich schwieg einen Moment, dann sagte ich, jetzt etwas bestimmter und lauter:
— Ich bin Pianist, und ich halte mich in Zürich auf, weil ich in der *Tonhalle*, für die Kafka und Brod sich so interessierten, einen Klavierabend mit Mozart-Sonaten gebe.

Sie schaute mich weiter an, und ich blickte zurück. Es war ein sehr stiller Moment, unglaublich still, als habe jemand aus weiter Ferne alle anderen Geräusche heruntergedreht, um uns besser verstehen zu können. Seltsam, ich war sofort sicher, daß sie mir glauben würde, es irritierte mich nur, daß sie mich so lange anschaute. Was geht nur in ihr vor?, dachte ich, was ist mit ihr?, und warum sagt sie denn nichts? Die Ruder kaum noch bewegend, hielt ich das Boot auf der Stelle, nicht ein Windhauch war zu spüren, gar nichts, ich schaute kurz hinauf in den Himmel, als verfolgte ich dort den langsamen Zug einer Wolke, aber es war keine Wolke zu sehen, kein Weiß, nichts, nicht einmal das.

Ich nahm mir vor, kein Wort zu sagen, und setzte das Rudern fort. Nach einer Weile legte Anna den Kopf in den Nacken und schloß die Augen, als wolle sie sich sonnen. Ich hatte nicht die geringste Idee, worüber sie nachdachte und wie sie mit meiner Erklärung umging, vielleicht wurde sie mit irgend etwas einfach nicht fertig, so kam es mir jedenfalls vor.

Ich ruderte weiter und schaute hinüber zur *Tonhalle*. Mein Gott, wie fern war die Musik manchmal, wie fern! Und wie nah war sie hier, auf dem See, dessen Leuchten jetzt bereits die Schatten von einem der Ufer her anfielen. Hierhin, genau in diese unglaubliche Stille, gehörte der Anfang der Sonate in Es-Dur! Ich atmete durch, ich begann wieder mit kräftigeren Ruderbewegungen, die Bewegungen machten mir Freude, ich schaute zur Seite, ins Wasser, wie es in kleinen Sprühregen vom Boot fortstäubte. Dann schaute ich kurz auf die Uhr, ich hatte nicht mehr viel Zeit, Tanja erwartete mich zum Essen, und ich wollte vorher noch einmal länger zurück ins Hotel. Ich wendete langsam das Boot und ruderte zur Leihstelle zurück, Anna sagte nichts, ich hatte noch immer keine Ahnung, warum sie plötzlich so schweigsam war.

Nachdem wir aus dem Boot gestiegen waren, bezahlte ich, sie ging etwas voraus und wartete vorn am Eingang zur Leihstelle der Boote. Als ich auf sie zukam, schaute sie mich erneut so an wie auf der Mitte des Sees.

— Was ist? Was haben Sie denn? fragte ich.

— Ich kenne Sie, antwortete sie, mir ist plötzlich bewußt geworden, daß ich Sie schon recht lange kenne. Ich habe lauter CDs von Ihnen, Schumann-Einspielungen und etwas von Skrjabin. Vom ersten Moment an, als ich Sie sah, dachte ich, den kennst Du, den kennst Du irgendwoher, ist das nicht seltsam?

– Vielleicht erinnerten Sie sich insgeheim an ein Foto?

– Nein, eben nicht, ich erinnere mich nicht an ein Foto, ich wußte gar nicht, wie Sie aussehen. Aber als ich Sie dann wirklich sah, habe ich Sie sofort mit Musik in Verbindung gebracht. Und eben, auf dem See, bitte lachen Sie nicht, eben auf dem See habe ich Sie spielen gehört, ich habe nämlich genau im Ohr, wie Sie die *Papillons* und den *Carnaval* spielen.

– Jetzt machen Sie mich etwas verlegen, sagte ich.

– Verlegen? Ach was, Sie sind überhaupt nicht verlegen, Sie sind stolz, Sie sind glücklich.

– Ich verschwinde jetzt, sagte ich, sonst ist die Gefahr groß, daß ich mir wirklich etwas einbilde.

– Sie müssen mir versprechen, daß Sie morgen mit mir ein Glas Wein trinken gehen, sagte sie, wenn Sie es versprechen, lasse ich Sie sofort ziehen.

– Ich wette, Sie haben für dieses Glas Wein einen bestimmten Raum im Auge, sagte ich, und ich wette, es ist ein geschlossener Raum.

– Ja, genau, antwortete sie, ein geschlossener Raum, ein Keller-Zimmer, eine dunkle, magische Höhle. Hier, ich gebe Ihnen meine Handy-Nummer, rufen Sie mich nach 17 Uhr an, nach 17 Uhr habe ich Zeit.

– Ich denke darüber nach, sagte ich und griff nach der kleinen Karte, die sie in der Hand hielt, auf Wiedersehen, Anna, und nehmen Sie mir mein Flunkern nicht übel.

– Ich nehme Ihnen nichts übel, antwortete sie, ich nehme Ihnen nur übel, wenn ich morgen vergeblich auf Ihren Anruf warte.

Sie schaute mich noch immer so direkt an, daß ich instinktiv einen Schritt zurück machte. Ich winkte fahrig und kurz mit der Rechten, dann drehte ich mich endgültig um und machte mich auf den Weg zum Hotel.

15

Als ich das *Orsini* mit etwas Verspätung betrat, saß Tanja bereits an einem Ecktisch. Gleich zwei Kellner waren mir beim Ablegen des Mantels behilflich, danach ging ich zu ihr an den Tisch, gab ihr zur Begrüßung einen Kuß und nahm ihr gegenüber Platz. Der rechteckige Raum war nicht allzu groß und hatte eine überschaubare Zahl kleiner Tische, von denen die meisten für genau zwei Personen gedeckt waren. Draußen, auf der schmalen Gasse, bemerkte man das Restaurant kaum, es hatte etwas Diskretes, Verstecktes und war damit genau von der Art, die Tanja so liebte. Keine Extravaganzen, weder im Ambiente noch in den Speisen, dafür aber eine perfekte italienische Küche und Kellner, denen man zutrauen konnte, zumindest einige Dante-Verse auswendig hersagen zu können.

Kaum hatte ich Platz genommen, kam schon einer von ihnen an unseren Tisch, brachte die Karten und erkundigte sich nach unseren Getränke-Wünschen.

– Ahnst Du, was ich heute gegessen habe? fragte ich.

– Wenn Du so fragst, kann ich es mir denken. Du hast einen Kaffee getrunken und dazu ein Croissant gegessen.

– Exakt, sagte ich.

– Also dann, sagte sie, legen wir los! Laß uns doch mit einem Sherry beginnen oder magst Du lieber ein Glas Sekt oder Champagner?

– Sherry ist eine gute Idee, und danach gleich ein Glas Champagner!

Tanja lachte und bestellte sofort, eines unserer vielen Rituale bestand darin, daß grundsätzlich sie bestellte, sie achtete unglaublich genau darauf, daß mir nichts fehlte, und traf instinktiv beinahe immer genau das, wonach ich mich sehnte. Als auch der Sherry sofort gebracht wurde und wir den ersten Schluck genommen hatten, fühlte ich mich entspannt und erleichtert. Die Treffen mit Tanja haben etwas von Auszeiten, dachte ich, für ein paar Stunden scheint alles vollkommen perfekt zu verlaufen, niemand und nichts steht der guten Laune im Weg, und wenn irgendwo etwas Bedrohliches aufzieht, hat Tanja dafür sofort eine Lösung oder wischt es mit einer knappen Bewegung vom Tisch.

Wir blätterten in der Karte, sie war nicht allzu groß, aber jedes Gericht erschien darin wie eine Verführung.

– Es gibt frische Steinpilze, sagte Tanja, damit könnten wir doch beginnen.

Ich antwortete nicht sofort, denn meist stellte Tanja die Speisenfolge für uns beide zusammen, indem sie mir suggerierte, daß ich genau das wollte, was sie vorschlug.

– Die Steinpilze sind gut für Dich, machte sie weiter, ein intensiver, aber doch zarter Geschmack, etwas Nussiges, Herbes, das gerade mal so auf der Zunge zergeht.

Ich mag es, wenn sie so spricht, dachte ich, es ist, als koche sie die Speisen in ihren erotisch aufgeladenen Textküchen schon einmal vor und als brauche man sie danach gar nicht mehr zu essen, weil der eigentliche Genuß – der in der Phantasie – schon hinter einem liegt.

– Frag sie, wie sie die Steinpilze zubereiten, antworte ich, aber frag sie auf italienisch, ich höre das einfach zu gern.

Tanja zögerte nicht, sondern winkte einen der Kellner heran und unterhielt sich mit ihm auf italienisch, meist ist das ein guter und starker Moment, denn meist hat sie von da an jeden italienischen Kellner auf ihrer Seite. Sie spricht das Italienische mühelos und redet im Ton etwas höher und heller als sonst, sie schießt kleine Wort-Salven ab und bekommt ihr ahnungsloses Gegenüber gleich gut in den Griff. In ihrem langen, schwarzen, an den Seiten hochgeschlitzten Kleid sitzt sie da wie eine strenge Zuchtmeisterin, meist nimmt sie die schwarze Brille ganz ab, setzt sie zu kurzen Nachbetrachtungen der Karte aber immer wieder mit einer so entschlossenen Geste auf, daß jeder Kellner sofort begreift, daß mit ihr nicht zu spaßen ist. Seit sie die Haare sehr kurz trägt, hat sich der Domina-Effekt noch verstärkt, wenn ihr etwas nicht paßt, wird sie scharf und nimmt keine Rücksicht, aber so etwas passiert nur sehr selten und fast nie in den Traum-Restaurants, die sie für unsere Treffen auswählt.

– Sie braten die Pilze zunächst leicht in Öl, geben etwas Fleischbrühe und Kräuter hinzu, dämpfen alles auf niedriger Flamme und schwenken es dann kurz in Butter.

– Sag Ihnen, daß ich Peperoncini dazu mag, aber nicht zu viele, und sie sollen das Zeug nicht quer, sondern längs schneiden, zu dünnen, langen Fäden. Und natürlich: Wenig Salz und keinen Pfeffer!

Tanja übersetzte noch während ich sprach, gerade das mag ich besonders, ja, ich liebe es geradezu, mich reden und das Ganze fast gleichzeitig auf italienisch zu hören, der musikalische Effekt ist enorm, als befände man sich in der Szene einer italienischen Oper und als wäre ich für das Libretto, Tanja aber für die Musik zuständig. Dieses Spiel, das wir treiben, hätte dem Marquis de Sade gefallen, dachte ich, ich flüstere meine perversen Wünsche, und Tanja teilt sie den Zeremonienmeistern mit, die kurz verschwinden und wenig später mit den präparierten Körpern der Lustobjekte zurückkehren. Und wirklich nickte der Kellner nach Tanjas Bestellung nicht nur kurz, sondern lächelte sogar ein wenig, was als ein gutes Zeichen dafür gelten konnte, daß er der Küche einiges abverlangte.

– Ich habe zweimal Steinpilze und Champagner bestellt, sagte Tanja und schob die geöffnete Karte etwas beiseite. Nach der ersten Bestellung kehrt erst einmal Ruhe ein, die in der Hierarchie niederen Kellner bringen gesalzene Butter und Brot und tauschen die Gläser aus, Tanja mag dieses Gefummel, wie sie es nennt, gar nicht, deshalb steht sie nach der ersten Bestellung meist auf und verschwindet in einem der kleinen Kabinette in der Nähe des Flurs, wo man nach dem Eintreten ganz unerwartet in Barockmusik eintaucht. Arien von Händel, ja manchmal sogar von Monteverdi übertönen jedes Geräusch von fließendem oder sprudelndem Wasser, ich selbst bin während einer Monteverdi-Arie schon einmal vor einem Spiegel erstarrt, so erhaben fühlte ich mich plötzlich angesichts dieser jenseitig schönen Musik.

Tanja erhob sich also auch diesmal, entschuldigte sich und machte sich auf den Weg zu den barocken Ekstasen. Wenn sie an mir vorbeigeht, beugt sie sich jedes Mal kurz zu mir herunter und gibt mir einen Kuß, ich genieße das, und ich genieße es vor allem, weil wir diesen flüchtigen Lippendruck in den unterschiedlichsten Nuancen ausschließlich in der Öffentlichkeit zelebrieren, uns sonst aber fast niemals küssen. Der heftige, leidenschaftliche Kuß gehört sogar überhaupt nicht zu unserem Repertoire, warum eigentlich nicht, habe ich schon oft gedacht, warum nicht, bisher habe ich die Frage noch nicht zufriedenstellend beantworten können, ich habe nur eine vage Vermutung, aber die gehört nicht hierher. Wenn Tanja sich entfernt, würde ich am liebsten hinter ihr herschauen, die Kellner regen sich nicht mehr, sondern verfolgen jeden ihrer Schritte, bis sie aus dem Blickfeld gerät. Dann höre ich, wie sie sich über ihren Auftritt unterhalten, sie flüstern und seufzen, sie haben eine so große und elegante Frau seit Wochen nicht mehr gesehen. Jeder von ihnen drängt später wenigstens einmal kurz in ihre Nähe, vorerst aber müssen sie stillhalten und sich bescheiden, und so kommen sie denn zu mir an den Tisch und beginnen schweigsam mit dem Um- und Abräumen. Ich weiß nie ganz genau, für wen sie mich halten und in welcher Beziehung zu ihr sie mich sehen, halten sie mich für ihren Liebhaber oder für einen Freund oder denken sie spätestens dann, wenn Tanja ihre Unterlagen auspackt, daß ich nichts anderes bin als ein guter Geschäftspartner?

Kurze Zeit später kam sie wieder zurück, ihr erster Handgriff galt dem Brotkorb und der Schale mit Butter, die sie weit von sich wegrückte und an den Rand des Tisches stellte. Dann griff sie erneut nach der Speisekarte und schaute mich an:

— Keine Suppe?

— Keine Suppe …, und vor allem keinerlei Pasta, die Pasta ist das große Mißverständnis in der italienischen Küche.

— Also dann, keine Suppe und keinerlei Pasta, sondern Rehrücken mit Birnen und Rotkohl und frischen Kastanien und dazu winzige, völlig unauffällige Gnocchi — was hältst Du davon?

— Sehr viel, aber wir nehmen keinen italienischen, sondern einen französischen Rotwein.

— Einen Rotwein aus dem Burgund?

— Ja, genau, einen Rotwein aus dem Burgund.

Wieder bestellte sie rasch, diesmal aber auf deutsch, dann griff sie nach unten, zum Fuß des Tisches, wo sich die braune Ledertasche, die sie schon am Mittag dabeigehabt hatte, befand. Die fünfzehn oder zwanzig Minuten, die wir nach der endgültigen Bestellung Zeit haben, nutzt sie meist für die Geschäfte, die harten Fakten und Daten werden immer vor der eigentlichen Mahlzeit besprochen, später kommen privatere Dinge dran, in allmähli-

chen Steigerungen hin bis zu den intimen. Sie holt ihre
Unterlagen hervor und breitet sie vor sich aus, es handelt
sich um farbige Mappen im DIN-A5-Format, in denen
sie lauter Fotokopien und Dokumente untergebracht hat.
Ganz vorn aber liegt ein einzelnes, weißes Blatt mit ihrer Handschrift, auf diesem Blatt hat sie die dringendsten
Dinge notiert.

Jetzt wird das Leben wieder geordnet, dachte ich, jetzt
macht sie mit Dir eine Zeitreise bis ins kommende Jahr,
daß Dir Hören und Sehen vergeht. Sie begann mit den
unmittelbar anstehenden Konzertterminen, nach meinem Auftritt in Zürich würde ich in Luzern zwei Klavier-
abende geben, ebenfalls mit dem Mozart-Programm, danach hatte ich drei Wochen Pause, doch dann ging es bis
Weihnachten Schlag auf Schlag, fast jeden zweiten Abend
stand ein Konzert an. Nach Weihnachten sollte ich eine
neue CD mit frühen Stücken von Schumann einspielen,
und im Februar reiste ich mehrere Wochen durch Belgien
und Frankreich, wo ich an 15 Abenden immer wieder dasselbe Brahms-Konzert spielte, das zweite in B-Dur, das
ich im vergangenen Frühjahr mit den Bamberger Sym-
phonikern ebenfalls auf CD eingespielt hatte. Sie las die
Liste noch einmal vor und widmete sich dann den finanziellen Details, sie machte Hotel-Vorschläge und schil-
derte den einwöchigen Aufenthalt in Paris in den schil-
lerndsten Farben. Ich sagte nichts, ich hörte zu und trank
Champagner, manchmal mimte ich etwas Interesse, doch
in Wahrheit war ich an alldem nur mäßig interessiert, sie
hatte alles im Griff, das genügte, vor allem aber konnte
ich sicher sein, daß sie harte, ja gnadenlose Verhandlun-

gen führte, bei denen sie bis zur Schmerzgrenze der Verhandlungspartner ging.

Als die Steinpilze serviert wurden, räumte sie ihre Unterlagen sofort beiseite.

– Wir sind durch, sagte sie ruhig, jetzt kümmern wir uns um die schönen Dinge des Lebens.

Ich freute mich, daß der geschäftliche Teil hinter uns lag, ich nahm einen großen Schluck, es war beruhigend und zugleich stimulierend, daß alles so komplikationslos voranging. Ich wollte mich bedanken und ihre Arbeit ausführlich loben, als sie wider Erwarten noch einmal auf den Mittag zurückkam.

– Wir sollten noch einmal darüber sprechen, wie Du heute mittag gespielt hast, ich würde gern darauf verzichten, aber es beunruhigt mich. So wie heute mittag, mein Lieber, hast Du in meinem Dabeisein noch nie gespielt, Du warst nicht nur unkonzentriert, sondern Du warst außen vor, in einer ganz anderen Welt. Ich würde gern hören, wie Du Dir das Ganze erklärst.

Ich hatte nicht die geringste Lust, ihr etwas zu erklären, vor mir stand ein Teller mit Steinpilzen, die im matten Licht der Wandlampen glänzten, als habe man jeden von ihnen einzeln glasiert. Da ich aber wußte, daß sie nicht nachgeben würde, überlegte ich kurz, ob ich irgendein Unwohlsein vorschieben oder doch lieber gleich mit meinen neuen Programm-Ideen herausrücken sollte. Ich trank noch einen Schluck Champagner, ach was, dachte ich, Du fühlst Dich so leicht und beschwingt, daß Du Deinem Enthusiasmus freien Lauf lassen kannst.

– Nun gut, sagte ich, dann will ich versuchen, es Dir zu erklären. Du hast mit den Veranstaltern der Tonhalle lange
verhandelt, und wir haben uns am Ende auf einige Sonaten geeinigt, die ich auswählen durfte und innerhalb des
Gesamtzyklus aller Sonaten spielen werde. Ich habe lange
darüber nachgedacht, welche Sonaten ich spielen möchte,
für mich ist ein Klavierabend eben nicht eine Folge von ein
paar lieb- und gedankenlos ausgewählten Stücken, sondern eine Komposition für sich. Ich gebe zu, die Auswahl
ist mir schwergefallen, und zwar deshalb, weil selbst Mozart nie und nimmer auf den Gedanken gekommen wäre,
einige Klaviersonaten hintereinander an einem einzigen
Abend zu spielen. Mozarts Klaviersonaten, meine Liebe,
sind intime und vorsichtig konzipierte Stücke, im Grunde
bedarf jede einzige von ihnen einer großen und alleinigen
Aufmerksamkeit, zwei, drei oder gar vier von ihnen hintereinander zu spielen, ist allein schon deshalb nicht gut,
weil sich die Stücke dann im Wege stehen oder einander
sogar auslöschen. Und was ist das denn auch für eine Idee?
Irgendein harmloser Veranstaltungs-Trottel ist auf den
Gedanken gekommen, alle Mozart-Sonaten an soundso
vielen Abenden einem gewiß überforderten Publikum zu
präsentieren, es tut mir leid, aber der Gedanke ist akademisch, durch und durch akademisch. Kein Mensch auf
Gottes Erdboden möchte Mozarts Klaviersonaten an soundsovielen Abenden von soundsovielen glänzenden Mo-
zart-Interpreten serviert bekommen, kein Mensch. Es ist
purer Unsinn, dem Publikum so etwas zu präsentieren, der
einzige Gedanke, der diesem Programm zugrunde liegt,
ist der Gedanke der Vollständigkeit. *Alle* Klaviersonaten an soundsovielen Abenden …, na denn Prost, mögen

es nun zwanzig, dreißig oder gar hundert sein. Im Falle Beethovens sind es genau zweiunddreißig, und im Falle Beethovens ist diese Zahl auch kein Zufall, sondern eine Notwendigkeit, über die man philosophieren könnte. Was jedoch Mozart betrifft, ist das anders. Hier ist die Zahl reiner Zufall, es hätten ein paar mehr, aber auch ein paar weniger sein können, jedenfalls ist ihre Zusammenstellung in einem Konzertprogramm von soundsovielen Abenden keinerlei Ereignis, sondern nur das Ergebnis eines elend flachen und auf Vollständigkeit erpichten Denkens.

Ich war etwas erregt, und ich wunderte mich gleichzeitig darüber, daß ich plötzlich so erregt war, wie aus einem Reflex griff ich zu der bereits fast leeren Champagner-Flasche und goß mir den ganzen Rest in das Glas. Tanja schaute auf, ich bemerkte, daß sie jede meiner Bewegungen aufmerksam verfolgte, vor allem aber nahmen die sonst nur im Hintergrund abwartenden Kellner meine Geste wie einen dreisten Übergriff in ihr Metier zur Kenntnis, so daß gleich zwei von ihnen an unserem Tisch erschienen, um mir die leere Flasche aus der Hand zu nehmen.

– Sollen wir jetzt den Rotwein servieren oder möchten Sie noch etwas Champagner? fragte einer von ihnen.

– Wir nehmen noch eine Flasche Champagner, und zwar sofort, sagte ich und begann, von den Steinpilzen zu kosten. Was für eine vollkommene Nahrung, dachte ich, weich und geschmeidig und mit derart vielen erdigen Nuancen, daß man nie mehr Fleisch essen möchte. Tanja hatte bereits gekostet, jetzt aber hielt sie inne und schüttelte nur den Kopf.

– Warum bist Du denn plötzlich so außer Dir? Wir haben das Programm oft besprochen, und ich habe dafür gesorgt, daß Du genau die Sonaten spielen kannst, die Du spielen möchtest.

– Ja, sagte ich, richtig, das stimmt, aber jetzt sehe ich die Sache anders, ich werde die Sonaten in dieser Reihenfolge nicht spielen, auf gar keinen Fall.

Tanja legte ihr Besteck auf den Teller, ich bemerkte es ganz genau, jetzt, dachte ich, ist die Konfrontation also da, jetzt werden die Waffen geschärft. Ich sagte jedoch nichts, sondern aß weiter die Steinpilze, die beiden Kellner kamen herbei, entkorkten die Flasche Champagner und schenkten uns nach.

– Also gut, sagte Tanja, ich habe verstanden, und was gedenkst Du nun zu tun?

Ich nahm einen weiteren Schluck und aß die Steinpilze in Ruhe auf, dann schob ich den Teller beiseite und faltete die Hände vor der Brust.

– Ich werde die Sonaten spielen, ihre einzelnen Sätze aber nicht in der üblichen Reihenfolge hintereinander präsentieren, vielmehr werde ich die Sonatensätze isolieren und mit Sonaten von Scarlatti kombinieren, dadurch wird eine Folge von kurzen, höchstens fünfminütigen Nummern entstehen.

– Das ist nicht Dein Ernst, sagte Tanja, das kann doch nicht Dein Ernst sein.

– Und warum nicht? Warum sollte ich so etwas Wohlüberlegtes nicht tun?

– Weil Du die Zuhörer vor den Kopf stoßen wirst! Die Zuhörer nämlich kommen, um Mozarts Sonaten zu hören und keineswegs irgendein Potpourri, das Du Dir in einem Anfall von Exaltiertheit ausgedacht hast.

– Potpourri? Hast Du Potpourri gesagt?

– Ja natürlich, das habe ich gesagt, und ich meine es auch so.

Ich stand auf und verließ den Tisch, ich durchquerte den Raum und ging in eines der kleinen Kabinette, in dem gerade eine Händel-Arie vor sich hinrauschte. Wie spät ist es eigentlich?, dachte ich und schaute auf die Uhr, es ist kurz nach acht, ich sollte mich weniger aufregen, vor allem aber sollte ich weniger trinken. Ich nahm einen Schluck kaltes Wasser und fuhr mir mit der angefeuchteten Hand durchs Gesicht. Es ist alles in Ordnung, mit Dir ist alles in Ordnung, dachte ich. Dann ging ich zurück und setzte mich wieder.

– Du hast öffentlich noch nie Scarlatti gespielt, sagte Tanja, wenn Du Scarlatti spielen möchtest, dann sag es mir, ich mache sofort einen Vertrag, ach was, ich mache hundert Verträge, wegen mir kannst Du alle Scarlatti-Sonaten auf zehn CDs aufnehmen und auf allen Kontinenten der Welt präsentieren, ich bin einverstanden, und ich organisiere auch das. Mozart-Sonaten dagegen sind Mozart-Sonaten, kein Pianist außer Dir kommt auf den Gedanken, ihre Sätze nicht in der von Mozart konzipierten Folge zu spielen oder sie sogar mit Stücken eines anderen Komponisten zu kombinieren. Ein solches Programm ist hybrid, es ist abenteuerlich und vollkommen hybrid! Was mich aber noch viel mehr irritiert als dieses Programm, ist die Frage, wer Dich darauf gebracht hat. Hast Du Dir das wirklich allein ausgedacht, einfach so, in den wenigen Tagen, in denen Du Dich in Zürich aufgehalten hast? Vor Zürich, mein Lieber, war von so etwas nie die Rede, vorher nicht, es liegt also der Verdacht nahe, daß in diesen wenigen Tagen hier in Zürich etwas geschehen ist, das Dich vollkommen durcheinandergebracht hat. Wir können jetzt gerne weiterreden über Scarlatti und Mozart und über die klugen Ideen, die Du mit Deiner Hybrid-Konstruktion verbindest, vorher jedoch möchte ich klipp und klar wissen, was dahintersteckt. Wir kennen uns nun schon viele Jahre, und Du wirst mir zustimmen, wenn ich sage, daß ich an Deinen großen Erfolgen nicht ganz unbeteiligt bin. Bevor wir zusammengearbeitet haben, warst Du ein hochromantischer, aber undisziplinierter Mensch, und zwar nicht nur, was das Klavier, sondern was Dein ganzes Leben betraf. Ich habe wesentlich dazu beigetragen, daß sich Deine Flausen und Ausbrüche gelegt haben, deshalb denke ich, Du bist es mir schuldig, jetzt die Wahrheit zu sagen. Also: Was ist in den letzten Tagen hier passiert, sag es mir, und sag es mir bitte ohne Umschweife und ganz genau!

Ich spürte, daß meine Finger Lust hatten, sich zu bewegen, am liebsten hätte ich Tanja jetzt mit in die Tonhalle genommen und einfach ein oder zwei Stunden vorgespielt. Keine Worte, keine Erklärungen, jeder Mensch, der Musik zu hören vermochte, begriff nach wenigen Minuten, worum es mir ging. Es geht aber nicht nur um Musik, dachte ich, es geht nicht nur darum, nein, da hat Tanja recht. Was in den letzten Tagen hier in Zürich passiert ist, hat Dich auf all diese neuen Gedanken gebracht, aber wie willst Du ihr davon erzählen, wie bloß? Das Ganze läßt sich doch nicht in wenigen Worten erzählen, es ist eine lange und verzweigte Geschichte, im Grunde ist es so etwas wie ein Roman. Jede Kurzfassung wird alldem nicht gerecht, und außerdem wirst Du es ihr in der Eile nicht so erzählen können, daß sie auch versteht, worum es geht. Laß es sein, laß es, sprich nur von der Musik!

Einer der Kellner kam an unseren Tisch und fragte, wann wir die Hauptmahlzeit einnehmen wollten, Tanja schaute ihn erst gar nicht an, sondern sagte nur:

– In genau zwanzig Minuten!

Dann griff sie wieder nach ihrer Tasche und holte eine weitere ihrer farbigen Mappen hervor.

– Ich habe mir gedacht, daß Du nicht in die Details gehen willst, sagte sie, deswegen habe ich den Nachmittag für Recherchen genutzt. Ich erzähle Dir jetzt, was ich weiß, ich erzähle es Dir Stück für Stück, und danach widmen wir uns dem Rehrücken und dem Burgunder, einverstanden?

– Was?! Was weißt Du angeblich und wovon weißt Du etwas?! Ich verstehe kein Wort!

– Ich weiß einiges über das Leben der Kunsthistorikerin Judith Selow, und genau das werde ich Dir jetzt präsentieren!

– Wie bitte?! Was hat denn Judith Selow mit Scarlatti und Mozart zu tun, was denn, kannst Du mir das einmal genauer erklären?

– Johannes, ich habe Dich eben gebeten, mir die Wahrheit zu sagen, und ich bitte Dich jetzt ganz im Ernst noch ein zweites Mal, mich nicht zu belügen. Hat diese Frau, die Du anscheinend vor kurzem rein zufällig hier in Zürich getroffen hast, etwa nichts mit Scarlatti und Mozart zu tun? Und ist sie wirklich nur eine flüchtige Jugendbekanntschaft, die Dir nicht viel bedeutet? Als wir uns vor vielen Jahren kennenlernten, ging es Dir weiß Gott nicht so gut, wie es Dir heute geht, damals hast Du mir gegenüber eine Frau erwähnt, mit der Du lange Zeit zusammen warst und die Du über alles geliebt hast. Du hast mir den Namen dieser Frau damals nicht genannt, es war nicht nötig, ich brauchte diesen Namen auch nicht zu wissen. Jetzt aber glaube ich, daß ich weiß, wie diese Frau heißt. Sie heißt Judith Selow, nicht wahr?, sie heißt Judith Selow.

Für einen Moment erinnerte ich mich an den Nachmittag auf dem See: Wie still es dort plötzlich gewesen war, dachte ich, es war genau die Stille der geheimen Balance zwischen Scarlatti- und Mozart-Sonaten, es war die Stille des Austauschs, es war die Stille, um derentwillen ich Musik spiele, und es war eine Stille, die Anna sogar Schumanns *Papillons* und den *Carnaval* hören ließ. Anna hat diese Stille bemerkt, Anna ja, vielleicht ist das Keller-Zimmer ihre Erfindung, denn das Keller-Zimmer ist das Zimmer der Stille und des Zwiegesprächs und des Schnupftabak-Nehmens.

– Ich war acht Jahre mit Judith Selow zusammen, sagte ich, danach habe ich sie achtzehn Jahre nicht mehr gesehen. Hier in Zürich sind wir uns durch Zufall wieder über den Weg gelaufen, das ist die Wahrheit.

– Na endlich, antwortete Tanja, endlich gibst Du es zu.

Und Du willst sagen, daß Ihr Euch in den achtzehn Jahren nicht nur nicht gesehen, sondern auch keinen Kontakt gehabt habt?

– Ja, wir hatten in diesen Jahren keinen Kontakt, ich wußte nicht einmal, wo Judith wohnt, ich wußte gar nichts von ihr.

– Nehmen wir einmal an, Ihr habt Euch wirklich rein zufällig hier in Zürich gesehen ...

– Das ist die Wahrheit, Du kannst mir glauben ...

– Nun gut, nehmen wir einmal an, Ihr seid Euch rein zufällig begegnet: was ist in diesen Tagen passiert?

– Wir haben uns vom ersten Augenblick an so gut verstanden wie früher.

– Wie bitte?! Ihr habt so getan, als habe es diese achtzehn Jahre gar nicht gegeben?

– Ja, genau so, die achtzehn Jahre spielten bisher überhaupt keine Rolle, mir kommt es eher so vor, als wären es nur ein paar Wochen gewesen und als habe jeder von uns einen kurzen Ausflug gemacht.

– Einen kurzen Ausflug! Mein Gott, Johannes, tu doch nicht so naiv! Jeder von Euch hat einen kurzen Ausflug gemacht, und dann seid Ihr von Eurem kurzen Ausflug wieder nach Hause gekommen und Euch sofort wieder in die Arme gefallen!

– Ja, wir sind uns wahrhaftig wieder in die Arme gefallen, so könnte man es sagen.

– Und darüber, was in den achtzehn Jahren geschehen ist, habt Ihr natürlich kein Wort verloren?

– Nein, darüber haben wir kaum gesprochen, es hat uns nicht interessiert.

– Und was hat Euch interessiert, kannst Du mir das

sagen? Wofür interessiert sich ein Paar, das sich nach achtzehn Jahren wieder begegnet, wenn nicht dafür, was jeder einzelne in diesen achtzehn Jahren erlebt hat?

— Es interessiert sich nur für das, was der andere zur Zeit tut, sonst aber steht es viel zu sehr unter dem Bann der Wiederbegegnung.

— Unter dem Bann?

— Ja, unter dem Liebesbann oder dem Liebeszauber, nenne es, wie Du willst. Es ist wie eine Blindheit, und es ist ein gewaltiger Schock, ich hätte so etwas nie für möglich gehalten.

— Und diese Blindheit und dieser Schock haben natürlich verhindert, daß Du Dich nach Judith Selows Vergangenheit erkundigt hast!

— Ich habe mich nur nach ein paar wenigen Details erkundigt, danach, wo sie wohnt, danach, wo sie arbeitet. Außerdem aber habe ich noch versucht, über das Internet etwas zu erfahren. Danach hatte ich eine ungefähre Vorstellung, und diese ungefähre Vorstellung hat mir genügt.

— Na immerhin, Du hast zumindest das Internet bemüht und dabei sicher die Stationen einer beeindruckenden Karriere entdeckt.

— Ja, die habe ich natürlich entdeckt.

— Mindestens genauso beeindruckend wie diese Karriere-Stationen finde ich allerdings ihren Verschleiß an Lebensgefährten. Meine Mädels in Köln haben sich den ganzen Nachmittag sehr bemüht, wenigstens etwas Licht in die Sache zu bringen, drei Lebensgefährten stehen eindeutig fest, aber es wird wahrscheinlich noch viele weitere geben. Frau Selow war mit ihnen zwischen einem Jahr oder höchstens drei Jahren liiert, in Paris war es ein Philosoph, in Marseille ein bildender Künstler, und in Bonn war es zuletzt ..., Moment mal, in Bonn war es ...

– Sei jetzt still, Tanja, es reicht!

– ... Moment ..., in Bonn war es ..., ich hatte es doch genau notiert ...

– Ich will es nicht hören, Tanja ...

– ... in Bonn war es irgendeine Kapazität für Alte Sprachen, für Altgriechisch also und für Latein. So, jetzt weißt Du es, oder hast Du auch das schon gewußt?

– Nein, habe ich nicht, und es interessiert mich nicht im geringsten.

– Es interessiert Dich nicht? Das glaube ich nicht, Du kannst mir nicht vormachen, daß Dich das alles nicht irritiert. Frau Professor Selow liebt heiße, aber kurzfristige Romanzen, Frau Professor ist darauf spezialisiert, sich ruckzuck zu verlieben und jede ihrer starken Erfahrungen für ein neues Buch oder einen kleinen Aufsatz fruchtbar zu machen. Über *Die Gestik der Liebe* hat sie über zehn Texte geschrieben, zehn Texte! Und der elfte wird nicht lange auf sich warten lassen, jetzt, wo sie ein neues Opfer gefunden hat!

Ich stand auf und ging zu einem der Kellner, die in einer abwartenden Gruppe in der Nähe des Eingangs standen.

– Sie können den Rehrücken jetzt servieren, sagte ich, und können Sie mir ein Handy für ein kurzes Telefonat ausleihen? Geben Sie es mir bitte möglichst unauffällig, die Dame drüben an meinem Tisch soll es nicht bemerken. Ich ziehe mich für das Telefonat auf die Toilette zurück, Sie bekommen das Handy gleich wieder.

Jetzt glauben sie sicher, daß wir nicht befreundet, sondern nur Geschäftspartner sind, dachte ich, gleich werden sie sich ausführlich darüber unterhalten. Ich stellte mich so mit dem Rücken zu Tanja, daß sie die Übergabe des Handys nicht bemerken konnte, dann ging ich mit dem Gerät auf die Toilette. Ich erkundigte mich nach der Nummer von Judiths Hotel und rief dann sofort dort an, man stellte mich durch, Judith befand sich auf ihrem Zimmer, es läutete drei- oder viermal, dann war sie am Apparat.

– Judith, Liebste, sagte ich, ich sitze mit meiner hypergenauen und pflichtbewußten und aufopferungsvollen Agentin beim Abendessen, und leider ist zu vermuten, daß es viel länger dauern wird, als ich gedacht hatte. Tanja sortiert mein Leben, es geht nicht nur um die Konzerte und Veranstaltungen dieses Jahres, sondern auch gleich noch um das nächste Jahr.

– Ach Johannes, dann sehen wir uns heute abend nicht mehr?

– Nein, leider nicht, denn es wird hier sehr spät werden, bis wir mit all unseren Terminen und Absprachen durch sind. Wir sehen uns morgen, ja? Wir sehen uns morgen gleich dreimal am Tag.

– Dreimal, Johannes, mindestens dreimal! Aber sag noch schnell, wie der Tag heute war, hat Deine Probe noch lange gedauert?

– Ja, lange, ich bin mit bestimmten Programmpunkten nicht zufrieden, aber laß uns morgen darüber reden, es ist etwas kompliziert.

– Morgen erzählst Du mir, worum es geht, ja? Und dann finden wir beide die richtige Lösung.

– Morgen erzähle ich Dir alles haarklein, und natürlich finden wir die einzig richtige Lösung.

– Anna hat mir erzählt, daß sie Dich getroffen hat.

– Ah ja, hat sie davon erzählt? Ich habe seit Jahren nicht mehr gerudert.

– Du hast was nicht?

– Gerudert! Anna und ich – wir haben uns doch ein Ruderboot gemietet, und dann habe ich eben gerudert.

– Davon hat sie nichts erzählt.

– Nicht? Aber warum erzählt sie so etwas nicht?

– Mmm, keine Ahnung, ich werde sie morgen fragen.

– Sie hat mir sehr interessante Details von Eurer Ausstellung erzählt, vom Keller-Zimmer und von der Konzeption der Zürich-Bezüge …

– Das hat sie Dir alles erzählt?

– Ja, hätte sie es etwa nicht erzählen dürfen?

– Doch, natürlich durfte sie davon erzählen, aber es wundert mich, daß Anna einem Journalisten davon erzählt. Sie mag Journalisten nicht, manchmal schickt sie Journalisten sogar mit ein paar erfundenen Auskünften in die Irre.

– Sie hält mich nicht mehr für einen Journalisten, sie weiß, wer ich bin.

– Sie weiß es? Auch davon hat sie nichts gesagt.

– Na so was, sie hat mich sehr ernsthaft gefragt, ob ich wirklich ein Journalist sei, da wollte ich das Spiel nicht übertreiben. War das falsch? Hätte ich lügen sollen?

– Nein, es ist so in Ordnung, ich werde morgen mit ihr darüber sprechen.

– Ich wünsche Dir eine gute Nacht, Liebste, morgen früh melde ich mich, und dann schauen wir, wie das Wetter wird, und dann vereinbaren wir, wo und wann wir uns treffen.

– Morgens, mittags und abends!

– Morgens, mittags und abends, versprochen!

Drei Lebensgefährten stehen also angeblich eindeutig fest, dachte ich und wartete noch einen Moment, bevor ich in den Speiseraum zurückging, ich würde doch zu gerne wissen, ob das auch stimmt. Es ist ein harter Brokken, den mir Tanja da aufgetischt hat, ich muß behutsam damit umgehen, denn mit so etwas hatte ich überhaupt nicht gerechnet. Bloß jetzt nicht nervös werden, bloß nicht in dieses endlose und giftige Nachdenken verfallen und bloß nicht an der alten Wunde rühren! Du wirst Judith darauf ansprechen, aber Du wirst das nicht heute nacht tun, aufgewühlt und erregt, wie Du bist. Für Dich ist es jetzt eindeutig am besten, das Essen zu genießen und ordentlich zu trinken, genieße also den Rehrücken, trink Champagner und den burgundischen Rotwein, laß Dich treiben, und gerate bloß nicht ins Brüten und Grübeln, denn so etwas könnte sich fortsetzen und gar nicht mehr aufhören, das weißt Du aus Erfahrung! Geh jetzt zurück an Deinen Tisch und zeige nicht eine Spur von Reaktion, Du kannst froh sein, daß Du in Tanja eine gute Gesprächspartnerin hast, die Dich ablenken wird, wenn es Dir gelingt, sie von dem heißen Thema wegzukommen. Aber bitte, sei vorsichtig und mach jetzt keinen Fehler, denn es geht um Dein Leben, ja, es geht wahrhaftig um nichts Geringeres als um Dein zukünftiges Leben.

Ich verließ den Toilettenraum und gab das Handy unauffällig zurück, dann ging ich wieder hinüber, an unseren Tisch. Ich bemerkte, daß Tanja ihre Unterlagen beiseitegeräumt hatte, sie unterhielt sich gleich mit zwei Kellnern auf Italienisch, natürlich hatten die Burschen den günstigen Moment ausgenutzt, um sich ihr zu nähern. Als ich mich setzte, gaben sie ihre Annäherungsversuche sofort auf, schade, dachte ich, so etwas zu beobachten, hätte Dich jetzt in der Tat abgelenkt.

– Ist alles in Ordnung mit Dir? fragte Tanja.

– Ja, sagte ich, es ist alles in Ordnung. Die Ladung, die Du abgeschossen hast, war zwar etwas geballt, aber ich habe verstanden, ja, ich habe kapiert.

– Du weißt, daß ich so etwas nur mache, um Dich zu warnen, sagte Tanja. Ich möchte, daß Du der große, wunderbare und einzigartige Pianist bleibst, der Du bist.

– Puuh, antwortete ich, heute muß ich wahrhaftig mit lauter großen Szenen fertig werden, ich sage Dir, das ist gar nicht so leicht.

– Nein, das ist es nicht, es ist nicht leicht, man muß so etwas verdauen. Ich bin froh, mit so etwas nie etwas zu tun gehabt zu haben, ich habe nie unter solchen Geschichten gelitten.

– Aber wieso eigentlich nicht? Wieso nicht?

– Ich habe mir die Liebe verbeten, ich habe mich auf und davon gemacht, wenn ich nur die kleinsten Symptome spürte. Ich habe eine ältere Schwester, die sich nicht so entziehen konnte, meine Schwester hat sich, seit ich mich erinnern kann, laufend verliebt. Bereits in der Schule schickte sie mich immer hin zu den Jungs, damit ich denen flüsterte, meine Schwester sei in sie verliebt.

Und dann dauerte eine Verbindung fünf oder sechs Wochen, bis man sich wieder trennte und die nächste Verbindung anstand. Meine Schwester hat ihr ganzes Leben mit diesem Liebeszeugs ruiniert, sie hat dreimal geheiratet, wurde dreimal geschieden und lebt jetzt doch mutterseelenallein in zwanzigsten Stock eines Kölner Hochhauses mit Blick auf den Rhein, in der immer noch nicht auszurottenden Überzeugung, daß sich unter den Millionen von Männern, die die nächtliche Domstadt im Jahr durchkreisen, genau jener eine befindet, der sie für immer von ihrem Leiden erlöst. Ich hatte die Geschichten meiner Schwester mein Leben lang als Warnung vor Augen, und zum Glück habe ich aus ihrem unruhigen und überanstrengten Liebesleben für mich die Konsequenzen gezogen.

— Eine der Konsequenzen ist, daß Du Dich vorbildlich um all Deine Meister und Talente bemühst und mit einigen von ihnen, wenn es Dir denn gerade gefällt, ins Bett gehst.

— Ach was, woher weißt Du das so genau? Wir beide haben nie über so etwas gesprochen, und wir sollten es auch in Zukunft nicht tun. Ich gehe mit Dir ins Bett, dann und wann, um mehr brauchst Du Dich nicht zu kümmern, und erst recht brauchst Du Dir darüber keine Gedanken zu machen.

— Ich habe mir darüber nie Gedanken gemacht, sagte ich.

— Na siehst Du, antwortete sie, wir haben all die Jahre genau gewußt, was gut für uns ist, und es ging uns so gut, daß wir nicht ein einziges Mal über diesen Kram gesprochen haben.

– Richtig, sagte ich, zum Glück haben wir nie solche Gespräche geführt. Deshalb sollten wir uns an unser erfolgreiches Konzept halten und das Thema jetzt schleunigst beenden. Ich freue mich auf den Rehrücken, und ich freue mich auf noch mehr Champagner und Rotwein aus dem Burgund!

Es wurde ein langer Abend, und sie war so ausgelassen und heiter, wie ich sie selten erlebt hatte. Mit keinem Wort kam sie noch einmal auf die Geschichte zurück, sie trank und aß mit Hingabe, erst als wir die letzten Gäste waren, wurde sie stiller und ruhiger. Sie denkt darüber nach, ob sie auch heute mit Dir ins Bett gehen möchte, dachte ich, sie wägt das Für und Wider gegeneinander ab, aber sie hat etwas zuviel getrunken, um mit der ihr sonst eigenen Rigorosität schnell zu einem Ergebnis zu gelangen. Wie oft seid Ihr nach solchen Nächten gemeinsam zurück ins Hotel gekommen, und wie selbstverständlich war es dann, zusammen ins Bett zu gehen! Fast immer sind wir in ihr Zimmer und nur ganz selten in mein Zimmer gegangen, und fast jedes Mal haben wir uns sofort nach seinem Betreten im gedämpften Licht einer Stehlampe wortlos entkleidet, jeder für sich. Es ist ein altes Ritual, und seltsamerweise ähnelt es dem Ritual von Eheleuten, die einander nichts vormachen und erst recht keine Umwege einschlagen, sondern genau wissen, worauf es ankommt. Dann und wann war die Gier derart stark, daß wir das Entkleiden beschleunigten und es schließlich einer hastigen Raserei gleichkam. Nichts wie weg mit all den Fetzen, weg damit ...: und dann die erste Berührung des anderen, nackten Körpers, unglaublich, ein Tasten und Nachspüren, als habe man so etwas seit Jahren entbehrt, und das alles hellwach, mit einer plötzlich geschärften Präsenz aller Sinne, der Mund an der weichen Biegung des Nackens, das Pulsieren der Lippen, die flattrigen Hände auf der unermüdlichen Suche nach irgendeinem Genügen ...: und schließlich, der lang erwartete und so unendlich ersehnte Zusammenklang der Körper, das Auf- und Ineinander, diese ganze Phalanx eines wilden, leidenschaftlichen Kampfes der Eroberer um das gelobte Land ...

16

NACH DEM Essen gingen wir zum Hotel zurück, Tanja hatte sich zunächst bei mir eingehängt, später legte ich meinen rechten Arm um ihre Schultern, und so gingen wir schließlich ganz so wie früher, und als habe es nicht die geringste Verstimmung gegeben, durch die nächtliche Stadt. Diese gemeinsamen Wege mit ihr zurück zum Hotel hast Du immer besonders gemocht, dachte ich, all die Jahre waren das Wege voller stiller Momente, die von einem starken, fühlbaren Einverständnis getragen waren, manchmal hattest Du sogar das Gefühl, daß es Tanja gerade auf diese Momente ankam, daß sie sich, wenn sie eintraten, wie sonst nie entspannte und das Dasein des ruhigen Mannes neben sich wie eine kleine Erlösung von ihren sonstigen Geschäften empfand. Oft habt Ihr irgendwo noch einen letzten Drink genommen und Eure Gespräche in irgendeiner Bar ausklingen lassen, heute ist uns beiden aber nicht danach, wir sind ein wenig erschöpft, wir haben – ganz anders als sonst – durchaus einige schwere Brocken gewälzt und sie noch nicht endgültig vom Tisch geräumt. Das ist Euch beiden klar, Ihr habt das strittige Thema berührt und behandelt, aber ganz aus den Köpfen ist es noch lange nicht, natürlich nicht, Du bist Dir ja selbst noch nicht im geringsten darüber klar, wie Du mit den gerade erfahrenen Neuigkeiten umgehen sollst.

Dann betraten wir das Hotel, Franziska saß an der Rezeption und begrüßte uns, und die beiden Frauen begannen sofort eine Unterhaltung, anscheinend hatten sie heute bereits mehrmals länger miteinander gesprochen. Ich stand einige Zeit etwas im Hintergrund, dann aber nutzte ich die Gelegenheit, gab Tanja einen Kuß und verschwand rasch im Aufzug. In meinem Zimmer machte ich überall Licht und drückte sofort die Play-Taste des CD-Players, ich wollte einen hellen, vollkommen ausgeleuchteten Raum mit der Musik von Scarlatti im Hintergrund, ja, ich wollte mich auf etwas konzentrieren, um den beunruhigenden, Judiths Vergangenheit betreffenden Phantasien keinen Raum zu lassen. Ich trat an den Tisch und ging den Bücherstapel kurz durch, eine alte Dünndruckausgabe des *Grünen Heinrich* lag ganz unten, ich nahm sie sofort in die Hand und legte mich dann auf das Bett. *Mein Vater war ein Bauernsohn aus einem uralten Dorfe, welches seinen Namen von dem Alemannen erhalten hat, der zur Zeit der Landnahme seinen Spieß dort in die Erde steckte und einen Hof baute ...*, was für ein schöner, gelassener Romananfang, dachte ich, es ist, als stecke Keller selbst einen Spieß in die Erde, um eine feste Markierung zu setzen, von hier aus geht es los, das Leben des Erzählers beginnt mit seinem Vater und dessen Dasein in einem uralten Dorf, das ist sein erster Bezugspunkt, das ist jener Ort in der Welt, von dem aus das ganze, weitere Leben erzählt wird.

Der magische Ort Deines Lebens, dachte ich weiter, war das Klavier- und Musikzimmer Deiner Eltern in einer Wohnung in Frankfurt am Main, an Deinen Vater aber hast Du kaum eine Erinnerung, eine der wenigen allerdings ist dafür besonders stark, Du sitzt auf seinem Schoß, Vater hält ein Kinderbuch mit Noten und Liedern und fährt mit dem gestreckten Zeigefinger die Notenlinien entlang, Note für Note, als wolle er Dir zeigen, daß die Noten verreisen und Dich auf die Reise mitnehmen, wenn Du ihnen folgst und sie singst. Dieses Bild ist aber nicht mehr als ein Traumbild der Frühe, Dein eigentliches Leben beginnt nicht mit Deinem Vater, sondern mit Deiner Mutter, Du sitzt auf einem runden Klavierhocker, Deine Knie streifen die untere Kante des Instruments, und Deine Mutter sagt: Du sitzt viel zu hoch, Johannes, jedes Mal sitzt Du zu hoch. Wenn sie sich zu Dir beugt, riechst Du den starken Maiglöckchen-Duft ihres Parfums. Mit aus Goldpapier ausgeschnittenen Noten, die Du in die Hand nehmen und mit denen Du spielen konntest, hat alles begonnen, von da an warst Du der Musik und Deinem einzigen wirklich geliebten Spielzeug verfallen, denn das Klavier war nicht nur ein großes Spielzeug, sondern ein stets gegenwärtiger und niemals schwieriger Freund und damit ein Wesen, das Du ganz unbedingt und unschuldig vom ersten Moment Deiner Begegnung an liebtest. Immer, wenn Du von draußen in die Wohnung zurückkamst, bist Du zuerst an das Klavier gegangen, und später, in Deiner Schulzeit, hast Du Dir den Ärger eines Vormittags in wenigen Minuten von der Seele gespielt, es gab keine stärkere Freude als das Klavierspiel, und all Deine Sorgen oder Ängste verwandelten sich sofort in Töne, Klänge und Stimmungen, denen Du nachhorchen konntest und die dann für Dich sprachen. So wurde die Musik zu Deinem innersten Ausdruck, mit nichts anderem konntest Du Dich ähnlich gut verständlich machen und zu nichts anderem entstand eine so enge und dauerhafte Bindung. Inzwischen haben fast alle von Dir gespielten Stücke ihre Geschichten und gehören zu einem bestimmten Abschnitt oder sogar Moment Deines Lebens, so daß Du dieses Leben, wenn Du es denn einmal erzählen möchtest, von diesen Klavierstücken her erzählen würdest. Das erste Kapitel würde dann mit dem Kleinen Präludium in C-Dur von Bach beginnen, dieses Präludium war das erste Sonntags-Stück Deines Lebens, ein Stück voller Feierlichkeit und Strenge, mit einem schweren, den Sonntag einläutenden Orgelpunkt gleich zu Beginn, der Dich in eine Kathedrale entrückte und Dich aufblicken ließ, als nähmest Du Kontakt auf zu dem großen Gott dort in der Höhe, der nach Deiner festen, nicht bildlichen, sondern musikalischen Vorstellung auf lauter Orgelpunkten ruhte und sich gründete.

Von der Kindheit an war Dir die Welt nahe, wenn die Musik sie Dir übersetzte, in der Musik war sie kraftvoller und vollständiger da, so daß Deine anderen Wahrnehmungen hinter den musikalischen zurücktraten und nie eine ebenbürtige Rolle spielten. Auch die Freundschaften Deiner Kindheit und Jugend traten hinter den starken Erlebnissen am Klavier zurück, Du hattest Freunde, ja, sicher, aber niemand von ihnen war Dir so teuer, daß Du Dir gewünscht hättest, ihm unbedingt Tag für Tag zu begegnen und Dich lange mit ihm zu unterhalten. Genau das aber machte den besonderen Reiz des Klavierspiels aus, es war eine Unterhaltung intensiverer Art, eine mit dem Instrument, das sofort und mit großer Geduld reagierte, und eine mit Dir selbst, der Du schon nach wenigen Anschlägen instinktiv spürtest, wie es an dem jeweiligen Tag um Dich stand, wie Du Dich fühltest und wie es an diesem Tag weitergehen würde mit Dir. Deine Mutter spielte in diesen Gesprächen anfangs noch die Rolle einer Begleiterin, sie machte Dich mit dem Instrument in allen Einzelheiten bekannt, sie stellte es vor, sie überwachte Deinen Umgang mit ihm. Zu den stärksten Erlebnissen aber wurden schon bald jene Stunden, in denen sie einkaufte oder spazierenging und Du in der Wohnung allein warst, in diesen Stunden nämlich probiertest Du alles Verbotene aus, Du spieltest schneller, lauter und kühner, ja, Du gabst den kleinen, auf Effekte erpichten Virtuosen, der eigene, dahinperlende Stücke erfand, deren auftrumpfender Gestus Dich selbst staunen ließ. Dieses fanatische Kreisen in a-Moll …, warst wirklich Du es, der so etwas hervor brachte, oder war es nicht ein Zauberer tief in Deinem Innern, der Dich verhexte und aus dessen Bannkreis Du Dich nicht zu lösen vermochtest? Aber nein …, also bitte …, jetzt los …, Du hast die Selbstgespräche und die kleinen stimulierenden Kommandos noch genau im Ohr, wenn es gutging, warst Du mit dem Zauberer im Bunde, dann setzte die erwünschte Trance ein und Du erwachtest irgendwann, mit feuchtnassem Nackenhaar und verschwitztem Gesicht, atemlos, als hättest Du einen unendlich anstrengenden, stundenlangen Ritt hinter Dir.

Und Judith …? Welche Rolle spielte Judith in all diesen Zusammenhängen? Na bitte, jetzt war ich mit meinen Grübeleien doch wieder bei ihr angekommen, obwohl ich diesen Verzweigungen unbedingt hatte ausweichen wollen. Ich stand auf und legte den *Grünen Heinrich* mit der aufgeschlagenen ersten Seite zurück auf den Tisch, ich zog die Schuhe an und streifte den Mantel über, dann verließ ich das Zimmer und fuhr mit dem Aufzug wieder hinab. Als ich seine Tür leise öffnete, hörte ich Tanja und Franziska noch immer miteinander sprechen, sie hatten sich in das Restaurant zurückgezogen und unterhielten sich angeregt, zum Glück war die Durchgangstür angelehnt, so daß ich vorbeischlüpfen und das Hotel, ohne weiter aufgehalten zu werden, verlassen konnte. Ich bog nach rechts ab, in Richtung Oper, doch als ich noch einen kurzen Blick in das Restaurant warf, sah ich, daß die beiden Frauen zugleich in meine Richtung blickten und ich auf sie den Eindruck eines unruhigen Menschen machen mußte, der sich auf und davon machte, den Kragen hoch- und den Kopf eingezogen hatte, dieser Mann bewegte sich so, als ob es heftig regnete, dabei war die Nacht sternenklar und voll von jenen Herbstaromen, wie sie sich nur im Verlauf eines ganzen Jahres bilden und dann auch nur in den stillsten und schönsten nächtlichen Stunden aufblühen. Vom ersten Moment meines eiligen Aufbruchs war mir klar, daß ich hin wollte zu Judiths Hotel und damit hin zu dem verschobenen Treffen an diesem Abend, gleichzeitig wußte ich aber ebenso klar, daß ich mich nicht mehr bei ihr melden würde, auf keinen Fall würde ich so etwas tun, auf keinen Fall ..., redete ich mir ein und schüttelte den Kopf, als tadelte ich damit insgeheim mein seltsames Gebaren.

Und doch ..., ich war unterwegs, unterwegs so wie früher in verregneten Nächten, der Herbstwind grapschte nach den längst faserig gewordenen Blättern der Bäume und warf mir den Regen entgegen, das genau wollte ich spüren, den Widerstand und das Chaos, ich lief an der Oper vorbei und überquerte den Bellevue-Platz, die blauen Straßenbahnen kreisten so geduldig und schnurrten über die Brücke oder an der Limmat entlang, warum setzt Du Dich denn nicht hinein, dachte ich, warum läßt Du dich nicht durch die Nacht fahren, hinauf auf den Zürichberg oder weit fort, Du könntest mit Deinen eingezogenen Schultern stillsitzen und Du hättest Licht und etwas zu sehen und Ablenkung pur, aber Du willst ja unbedingt zu Fuß unterwegs sein, und die Musik rauscht wie früher, großes Orchester, ein einziges Rauschen, Rachmaninow, d-Mmoll, es ist dieses teuflisch sich einschmeichelnde Thema gleich zu Beginn des Klavierkonzerts Nummer Drei, wer singt so?, es ist der mächtige, rumorende, innere Gesang von einem, der loszieht, das Ziel klar vor Augen. Früher war dieses Ziel Judiths Wohnung und ihr Fenster, und Du gabst keine Ruhe, bis Du mitten in der Nacht davorstandst und Dich mit ein paar Steinen bemerkbar machtest, so lange, bis drinnen im Zimmer ein schwaches

Licht aufleuchtete und das Fenster einen Spalt geöffnet wurde und die langen, blonden Haare sich zeigten und damit der ganze Gefühlswirbel etwas verebbte, genau im Tempo und Charakter von Rachmaninow Drei, wo alles immer wieder von vorne beginnt und aufbricht und davonwill und dann wieder ausrollt, atem- und schließlich kraftlos, wie die Manie eines ewig Wunden.

Vor der Fassade ihres Hotels befindet sich ein kleiner, fast runder, sanft ansteigender Platz, erst auf diesem Platz machte ich halt und atmete aus und stützte die Hände in beide Hüften, und dann schaute ich durch eines der beiden großen Frontfenster in das bereits abgedunkelte Restaurant und sah Judith an seinem hinteren Ende allein an einem Tisch. Sie saß dort im matten Licht einer kleinen Tischlampe, die man ihr anscheinend eigens hingestellt hatte, denn sie schien noch zu arbeiten, jedenfalls hatte sie den Kopf nach unten gebeugt und hielt einen Stift in der Rechten, *Die lesende Judith*, dachte ich, denn es war ein hinreißendes, beinahe erschreckend schönes und stimmiges Bild, wie sie da in einem roten Kleid, vom umgebenden Dunkel eingehüllt, als eine ferne Erscheinung hinter der Scheibe in der weiten Flucht des Raums aufleuchtete, während sich auf dem Scheibenglas die Lichter der Umgebung als kleine unruhige, umherspringende Flammen spiegelten. Du gibst Dich nicht zu erkennen, sagte ich mir, aber es war gar nicht schwer zu gehorchen, denn um keinen Preis wäre ich diesem Bild zu nahe getreten, ich war der Betrachter, ich stand still, mein Atem ging noch immer rasch, so sehr hatte ich mich mit meinen immer schneller werdenden Schritten vom See aus hierher verausgabt.

So, wie sie jetzt dasitzt, als eine in sich ruhende und doch nur Dir zugewandte Erscheinung, hast Du sie kennengelernt, dachte ich, an jenem Abend vor vielen Jahren löste sich genau diese eine Frau in einem Frankfurter Konzertsaal aus einer Umgebung, die Du nicht zur Kenntnis nehmen wolltest, und trat neben Dich und begleitete Dich und nahm Platz in einem Bistro und sprach beinahe eine Nacht immer vertrauter mit Dir. Von dieser Nacht an wart ihr miteinander verbunden, und die Musik, die Dich Stück für Stück immer mehr beherrscht und dadurch freilich auch einsamer gemacht hatte, hatte einen Gegenpol in einem einzigen Menschen erhalten, der es Dir ermöglichte, wieder einen freieren Zugang zur Welt zu finden. Bis zu dieser Nacht hattest Du so etwas ausgeschlossen, Du hattest es nicht für möglich gehalten, daß es neben der Musik noch etwas vergleichbar Anziehendes und Intensives gab, Unterhaltungen und Vergnügungen mit anderen Menschen hatten Dir solche Intensitäten nie geboten, sondern Dich vielmehr immer wieder enttäuscht. Judith aber hatte begonnen, Dir die Welt zu übersetzen, so, wie die Musik sie Dir in Deinen Kinder- und Jugendjahren übersetzt hatte, die Methode war in beiden Fällen dieselbe: alles Wahrgenommene und bloß undeutlich Empfundene wurde sortiert, benannt und bestimmt und dadurch tiefer und klarer empfunden. Die Liebe und die Musik – damals hast Du allmählich begriffen, wie ähnlich sie waren, denn die Liebe und die Musik wirkten wie Medien einer Verwandlung der Welt ins Emphatische, so wurde die Welt Text und Klang, so wurde sie Erzählung und Komposition.

Sie glitt mit dem Stift einige Zeilen entlang, sie notierte etwas und fuhr sich mit der Rechten durchs Haar, sie griff nach einem Glas Wein und nahm einen Schluck, sie notierte wieder und ordnete einen kleinen Stapel mit Blättern, der über die Tischkante abzustürzen drohte. Ich schaute mich weiter um, nein, im gesamten Restaurant waren keine anderen Gäste zu sehen, sie war allein, nicht einmal eine Bedienung war noch zu entdecken, und wahrhaftig, jetzt stand sie auf und ging hinüber zu dem bereits abgedunkelten Büffet, sie nahm ein Wasserglas und füllte es und setzte sich wieder, das Restaurant war längst eine dunkle Insel und sie deren einzige Bewohnerin. Schon früher hatte sie in Cafés und Restaurants gut arbeiten können, sie hatte sich ihre Unterlagen und Bücher mitgenommen und Stunden an einem Tisch zugebracht und die gesamte Umgebung vergessen. Dieses Hantieren mit dem Stift, dieses unaufhörliche Notieren und Skizzieren war ihr Metier, in gewissem Sinn ähnelte es in seiner trancehaften, selbstvergessenen Art dem Klavierspiel, denn wie ich den Tönen und Klängen folgte, so folgte sie den Stimmen der Erzähler und Wissenschaftler und formte sie um und machte daraus den neuen Text.

Ich knöpfte meinen Mantel zu und steckte die Hände in die Taschen, dann wendete ich mich ab, das Bild der lesenden Judith hatte mich unendlich beruhigt, denn in diesem Bild hatte ich etwas Dauerhaftes wiedergefunden, das sich über die vergangenen achtzehn Jahre hinaus bis jetzt erhalten hatte, es waren Momente eines Daseins jenseits aller Umbrüche und unterschiedlichen Lebensphasen, es war das Bild eines gefestigten, starken Charakters mit all seiner leidenschaftlichen Hingabe an ein Metier. Dieses Bild war mir tief vertraut, es gehörte schließlich zu meinem Leben, ich hatte es eine Weile aus den Augen verloren, nicht mehr, jetzt aber war es mir wieder sehr nahe, völlig unabhängig davon, was sich in der Zwischenzeit alles ereignet hatte. Vielleicht war es am besten, diese Zwischenzeit gar nicht zu berühren, was konnte es denn schon bringen, sich in sie zu vertiefen?, nur die Gegenwart zählte und das Wunder unserer erneuten Begegnungen, die mir so frisch und begeisternd erschienen wie die früheren, ersten, ja vielleicht sogar noch intensiver und aufwühlender, denn jetzt spielte jede von ihnen zugleich auch noch an auf eine Fülle von Jahren und Erfahrungen, während wir uns früher nie auf etwas Vergangenes beziehen konnten, sondern einzig die weite und offene Zukunft vor Augen gehabt hatten.

Ich ging am Fraumünster vorbei und geriet in eine schmale Straße, die wieder zum See führte, aus einer kleinen Bar drangen plötzlich viele Stimmen, eine Tafel mit russischdeutschem Text stand wie vergessen vor dem Eingang. Noch einen letzten Schluck wollte ich nehmen, deshalb ging ich rasch hinein, drinnen sah es genauso aus, wie ich es mir vorgestellt hatte, eine lange Theke krümmte sich durch das ganze Lokal, sie war dicht besetzt, auch in der zweiten und dritten Reihe standen Menschen in kleinen Gruppen, während die Paare in den Fauteuils und Sesseln am Rand entlang der dunklen Holzwände saßen. Ich sah in dem überfüllten Salon keinen einzigen Platz, an dem ich hätte stehenbleiben können, deshalb drängte ich durch die diskutierenden Gruppen immer weiter nach hinten, dort stand ein Flügel, eine ältere Frau spielte, direkt neben dem Flügel war ein Verweilen höchstens noch möglich, ich lächelte der Spielenden vorsorglich schon einmal zu, ich bettelte darum, mich neben sie stellen und auf ein Glas Whisky warten zu dürfen. Sie nickte mir zu, sie nickte sogar zweimal und lächelte dann, ich mochte nicht, was sie spielte, im Grunde spielte sie auch gar nicht richtig, sondern deutete nur verhalten ein paar Akkorde an, als komme sie sowieso nicht gegen das Stimmengewirr an und als komme sie nur einer Pflicht nach, der sie gerade noch gehorchte, auf die aber sonst niemand mehr etwas gab.

Hinter der Theke bedienten zwei junge Frauen, ich hörte sofort, daß sie russisch sprachen, anscheinend sprachen fast alle Gäste hier russisch oder eine andere Fremdsprache, das Deutsche jedenfalls war nirgends zu hören. Die beiden Frauen sahen wie Zwillinge aus, nur daß die eine hellblonde, die andere aber tiefschwarze Haare hatte, beide hatten ihre Haare offensichtlich gefärbt, auch ihre Kleidung hatten sie wie ein Kontrastprogramm aufeinander abgestimmt, denn die Blonde trug ein tief dekolletiertes, weißes Kleid, während das Kleid der Schwarzhaarigen schwarz und bis zum Hals geschlossen war. In welches Märchen bist Du hier denn geraten?, dachte ich, denn wahrhaftig handelte es sich um eine Märchenstube mit Draufgängern und Räubern und lauten Stimmen, die anscheinend von den letzten Schlachten und Betrügereien erzählten, während die Alte am Klavier nichts anderes war als eine abgeschobene und ihrer Künste beraubte Hexe und die Zwillinge nichts anderes als schöne Prinzessinnen, die hier bis zu ihrer Erlösung schlimme Frondienste verrichten mußten.

Ich machte einen kleinen Schritt nach vorn Richtung Theke und gab der Blonden ein Zeichen, sie schaute sofort zu mir hin und lächelte und fragte nach meiner Bestellung, ich mußte die Whisky-Sorte dreimal rufen, ich rief immer lauter, wie ein Süchtiger, der sich nicht mehr gedulden kann und dringend das nächste Glas braucht. Als ich es in der Hand hielt, zog ich mich zu dem alten Flügel zurück, ich hörte die Alte nicht mehr spielen, vielleicht war sie verschwunden, doch als ich mich nach ihr umdrehte, erhob sie sich und begann, immer lauter zu klatschen, was ist denn?, was treibt Sie da?, fragte ich mich, hey, holla!, rief die Alte und klatschte, daß ihr schmaler, knochiger Leib in Bewegung geriet. Ihr lautes Klatschen machte die anderen aufmerksam, einige riefen sofort psst! und dergleichen und taten sich wichtig damit, auf die Alte aufmerksam zu machen, es war mir unangenehm, daß ich so dicht neben ihr stand und damit unweigerlich ebenfalls bemerkt wurde, nein, das wollte ich ja nun um gar keinen Preis!

Ich wollte fort, noch weiter nach hinten ins Dunkel dieses verräucherten Etablissements, als mich die Alte am Arm festhielt, das geht zu weit, dachte ich, was hat sie denn vor?, sie hielt mich jedoch nur einen Moment und deutete hinüber zur Wand, ich schaute hin, mein Gott, sie hatte mich anscheinend wirklich erkannt, sie hatte das Foto auf dem Konzert-Plakat mit mir in Verbindung gebracht, kein Wunder, wahrscheinlich hatte sie es während ihres nächtlichen Klimperns seit Tagen vor Augen gehabt. Ich lächelte verlegen, jetzt sah es so aus, als hätte ich mich absichtlich bis zu diesem Flügel gedrängt, um ins Scheinwerferlicht zu geraten, allmählich verstand man, was die Alte meinte, die Blicke der Gäste wanderten zwischen dem Plakat und mir hin und her, so daß eine immer lauter werdende Woge von Ermunterungen und Holla-Rufen heranschwappte, ich konnte mich dem nicht entziehen, hilflos leerte ich mein Glas mit einem Schluck und spürte die schwere, im Hals ätzende Flüssigkeit wie ein bitteres Gift, das genau zu der Menschenversammlung um mich herum paßte. Swingswing, rief ein Alter direkt neben mir, spielen Sie Swing, ich lächelte wie ein dummer Junge, und die Alte zog mich wieder am Arm und deutete auf das Instrument, ich sollte spielen, hey, holla!, spielen soll der große Pianist aus dem fernen Deutschland! Fern, wieso fern?, dachte ich noch, dann aber begriff ich, *Deutschland* war für all diese Gäste hier unglaublich weit weg, es lag jenseits von allem, worüber man in diesem Salon sprach, ja, es war vielleicht überhaupt nicht vorhanden.

Als Achtzehnjähriger hatte ich einmal in den Kellern eines römischen Restaurants nahe am Tiber gespielt, ich erinnerte mich wieder an die dortige Versammlung von Gästen, die dieser hier keineswegs nachstand, diese römischen Keller waren schwach erleuchtete Höhlen gewesen, in denen die ganze Nacht hindurch Musik gemacht und getanzt wurde, damals hatte mich jemand aufgefordert, Jazz zu spielen, doch ich hatte den geforderten Jazz verweigert und Skrjabin gespielt, gerade das aber hatte die Aufmerksamkeit für mein Spiel mehr als jeder Jazz erregt und gesteigert, ich hatte Skrjabin spielen müssen, immer wieder Skrjabin, der unter den Gästen weitgehend unbekannte Name hatte die Runde gemacht wie ein elektrisierender Funke.

Ich erinnerte mich daran und gab der Alten endlich nach, ich setzte mich an den Flügel und schraubte den Klavierstuhl etwas höher, Du sitzt viel zu hoch, Johannes, Du sitzt viel zu hoch! Es wurde still, selbst die Psst!-Schreier verstummten, ich schaute zu den Zwillingen, sie standen regungslos dicht nebeneinander hinter der Theke, die Alte arbeitete sich gerade zu ihnen vor, dann ergab sich das Bild einer Dreiergruppe, es ist Hexerei!, dachte ich noch. Das Whisky-Gift und die Hexenbräuche hatten mich aber längst überwältigt, aus dem fernen Deutschland! rief ich mit seltsam rauher Stimme, was wollte ich spielen, was sollte denn aus dem fernen Deutschland hierher gepflanzt werden in den Untergrund dieser Stadt?

Swingswing, swinging ..., rasendes Tempo, und gleich mit dem ersten Takt beginnt der nächtliche Lauf und das Stürmen und die beiden Stimmen, die hintereinander her sind und sich verfolgen und sich an den Händen zu fassen bekommen und weiterstürmen und über Stock und Stein die kleine Anhöhe erklimmen und eilen und eilen ..., es ist die Erfindung des Swing, der frühste Swing, das Präludium der Zweiten Englischen Suite von Bach, Dein fanatisches Kindheits-A-Moll, die Raserei der Stunden, in denen Deine Mutter, wie es immer hieß, auswärtig war und die Teufel in der Wohnung umhersprangen, Swingteufelchen, holla!, hey!

Niemand, nichts regte sich, über sechs Minuten erfror diese Mörderbude und Hexenstube zu einem Standbild, seit Jahren hatte ich dieses Stück nicht mehr gespielt, aber jetzt spielte ich es so gut, wie ich es nach den intensivsten Proben nie gespielt hätte, ich hörte meinem Spiel zu, die Klangleitern und schmetternden, kurzen Akkord-Fanfaren stürzten hinter mir drein, Johannes!, Bub!, so bleib doch, so bleib!, Bübchen!, bleib! ..., aber nichts da, ich war nicht mehr zu fassen, ich war der Erste im Ziel, verausgabt und atemlos trafen die beiden Stimmen hinter mir ein und trotteten aus in dem krachenden Beifall, der das Zauberhäuschen wie ein starker Orkan durchwehte.

17

Ich hatte nur wenige Stunden geschlafen, als es an der Tür meines Hotelzimmers klopfte, ich drehte mich auf die Seite und griff nach meiner Uhr, die auf dem Nachttisch lag. Es war kurz nach sieben, es war viel zu früh, um nach einer langen Nacht in der Unterwelt und mit lauter Hadeswächtern geweckt zu werden, daher stellte ich mich taub, bis ich endlich begriff, daß es Judith sein mußte, die vorsichtig gegen meine Zimmertür pochte.

– Johannes?! Ich bin's, Judith.

Ich stand auf und zog die Übergardinen beiseite, die ersten Schimmer des Sonnenlichts breiteten sich schon auf den Dächern der Nachbarhäuser aus, ich rieb mir die Augen, dann ging ich zur Tür und öffnete sie. Judith schlich sofort herein und gab mir einen Kuß, sie sah sehr morgenfrisch aus und wirkte hellwach, ich schaute ihr etwas belustigt zu, wie sie gleich zum Tisch ging und die Bücher und CDs in die Hand nahm, dabei aber immerfort redete.

— Morgens, mittags und abends wollen wir uns heute treffen, Johannes, so haben wir es gestern vereinbart. Es ist früher Morgen, voilà, ich bin da, laß uns gleich aufbrechen!

— Aufbrechen? Aber wohin denn?

— Wir nehmen die Straßenbahn und fahren hinauf auf den Zürichberg, wir setzen uns auf die Terrasse des alten Hotels und frühstücken dort.

— Das ist eine fabelhafte Idee, aber laß mir noch ein paar Minuten Zeit zum Rasieren und Duschen!

— Für das Rasieren gebe ich Dir zwei Minuten, denn gut rasiert solltest Du sein, sonst bekommst Du heute nicht einen einzigen Kuß, das Duschen dagegen ist eine blöde Angewohnheit, Du kannst es Dir heute sparen.

— Neinnein, ich brauche eine kalte oder besser noch eiskalte Dusche, es ist gestern nacht spät geworden.

— Aber wo warst Du, um Himmels willen? Warst Du so lange mit Deiner smarten Agentin unterwegs?

— Ich habe keine smarte Agentin, meine Agentin ist eine kluge, alle Gefahren des Lebens von mir fernhaltende Frau, um deren Fürsorge mich die Kollegen beneiden.

— Und wohin führst Du eine so kluge Frau aus, nachdem Ihr Euch in irgendeinem Gourmet-Tempel gelabt habt?

— Ich habe sie brav zurück ins Hotel gebracht und dann noch allein einen Streifzug gemacht.

— Aber warum bist Du denn nicht mehr zu mir gekommen? Du hättest ruhig kommen können, ich habe noch lange unten im Restaurant meines Hotels gesessen und gearbeitet, ich hatte irgendwie im Gefühl, daß Du noch kommen würdest, leider hatte ich mich getäuscht.

– Ach, ich fand, es sei einfach zu spät, ich habe mich noch ein bißchen herumgetrieben und bin dann in einer russischen Bar in der Nähe des Frauenmünsters gelandet, es war skurril, denn der Laden hatte Schwung und war doch vollkommen fremd. Sie haben mich gezwungen, Klavier zu spielen, und ich habe sie mit dem Präludium von Bachs Zweiter Englischer Suite begeistert.

– Das hört sich wunderbar an, ich wäre gerne dabeigewesen.

– Wir gehen zusammen hin, ich verspreche es Dir, und dann zeige ich Dir eine alte, Klavier spielende Hexe und weibliche Zwillinge in Blond und in Schwarz und einen Mann, der sich Direktor nennt und alle dort kommandiert.

– Umarme mich, umarme mich fest, Johannes, und gib mir einen Kuß. Dann gehe ich hinunter, trinke einen Kaffee und warte genau fünf Minuten auf Dich!

Ich umarmte und küßte sie, all die gespenstischen Phantasien der vergangenen Nacht waren verflogen, ja ich begriff kaum noch, warum ich mir überhaupt solche Gedanken gemacht hatte. Wir hatten den alten Gesprächston doch wiedergefunden, in diesem Ton ließ sich alles besprechen und erklären, es war ein leichter, müheloser und liebevoller Ton, in dem man die ernsthaftesten oder obszönsten Dinge sagen konnte, ohne daß es je zu einem Streit oder zu scharfen Auseinandersetzungen gekommen wäre. Judith hatte diesen Ton einmal den *französischen* Ton genannt, sie verband damit irgendeine Theorie von den Eigentümlichkeiten französischer *conversation* und französischer Musik, welche französische Musik meinst Du?, hatte ich sie einmal gefragt, französische Musik gibt es doch gar nicht, es gibt nur ein paar Stücke von Debussy und Ravel und noch dies und das, aber französische *Musik*, nein, die gibt es nicht. Solche Übertreibungen und Verrisse gehörten zu unserem Ton, manchmal war Judith ganz versessen auf das triumphale Schlachten von heiligen Kühen oder auf das Verdrehen von gängigen Urteilen, sie betrieb so etwas sehr ausgelassen, bis hin zur Blödelei.

Ich rasierte und duschte mich und zog mich eilig an, dann fuhr ich mit dem Aufzug hinunter, Judith stand an der Rezeption und setzte gerade die leere Kaffeetasse ab. Ich wünschte Franziska einen guten Morgen und sagte:

— Franziska, diese Frau hier ist gekommen, mich zu entführen, also werde ich das Frühstück erneut ausfallen lassen. Sagen Sie Frau Gerke aber bitte nichts von alldem, sagen Sie ihr, ich sei sehr früh spazierengegangen und würde mich freuen, sie später in der Tonhalle zu sehen.

— Das wäre dann wohl unser zweites Geheimnis, antwortete Franziska.

— Ach, ihr habt Geheimnisse? schaltete Judith sich ein, laßt mal hören, worum handelt es sich?

— Wir haben Geheimnisse, und die behalten wir natürlich für uns, sagte ich und nahm sie am Arm.

Wir verließen das Hotel und machten uns schnell auf den Weg, es war ein schöner, strahlender Morgen, und wir gingen ein kleines Stück am See entlang.

– Genau von hier aus bin ich gestern mit Anna hinaus auf den See gerudert, sagte ich.

– Ach ja, antwortete Judith, gestern abend habe ich noch mit ihr telefoniert und sie auch darauf angesprochen. Sie sagte, daß sie richtig erschrocken gewesen sei, als Du ihr Deinen Namen genannt hast. Stell Dir vor, sie hat CDs mit Deinen Schumann-Einspielungen dabei, sie hat sie mit nach Zürich genommen, ohne natürlich zu ahnen, daß sie Dir begegnen würde.

– Kennst Du sie schon sehr lange?

– Ja, wir arbeiten schon ein paar Jahre zusammen, und doch traue ich mich nicht, ihr die ganze Wahrheit zu sagen.

– Du hast ihr also nicht erzählt, wie lange auch wir uns schon kennen?

– Nein, ich wollte es sagen, fand dann aber nicht den richtigen Ton. Nur daß wir vor vielen Jahren zusammen in Frankfurt studiert haben, das habe ich ihr gesagt.

– Sie nimmt also an, daß wir uns zufällig begegnet sind?

– Sind wir uns etwa nicht zufällig hier begegnet?

– Doch, schon, so meine ich es nicht, ich meine, sie nimmt an, es handle sich um eine zufällige, kurze Begegnung von flüchtigen Bekannten.

– Ja, genau so, sie hat keine Ahnung, um was für eine Begegnung es sich wirklich handelt.

– Um was für eine Begegnung handelt es sich denn nach Deiner Meinung?

– Johannes, was fragst Du denn so? Du spürst doch genau so wie ich, was hier mit uns passiert. Wir haben endlich wieder zueinandergefunden, das ist ein großes, unvorstellbares Glück.

Ich blieb stehen und schaute sie an, unwillkürlich trat ich einen Schritt zurück.

– Und was machen wir aus unserem Glück? fragte ich.

– Wir genießen es und schauen zu, was weiter mit uns geschieht.

– Wir schauen zu? So einfach ist das?

– So einfach. Wir werden unser Glück nicht zerreden, und wir werden uns über unsere Trennung und all das, was damit zusammenhängt, vorerst nicht unterhalten.

– Und die letzten achtzehn Jahre? Sollen wir etwa so tun, als interessierten sie uns überhaupt nicht?

– Genau das, denn das, was jeder von uns in diesen achtzehn Jahren erlebt hat, kommt schon noch zur Sprache. Oder eben auch nicht. Denkst Du etwa anders darüber?

– Um ehrlich zu sein: Ich habe die halbe Nacht darüber nachgedacht.

– Und was ist dabei herausgekommen?

– Daß wir unser Glück genießen sollten und zuschauen, was weiter mit uns geschieht.

– Wunderbar, genau das hatte ich auch von Dir erwartet. Ich frage mich sowieso, ob es uns, selbst wenn wir wollten, gelingen würde, heftig miteinander zu streiten. Wir haben uns nie gestritten, erinnerst Du Dich? Und wir haben nie irgendwelche Debatten darüber geführt, ob und wie wir miteinander leben sollten. Statt dessen waren wir all die Jahre lang völlig selbstverständlich und bedingungslos zusammen, habe ich recht?

– Wir waren völlig selbstverständlich und bedingungslos zusammen, bis Dir dieses Zusammensein nicht mehr genügte.

– Johannes! Wir wollten über unsere Trennung nicht sprechen, wir waren uns gerade noch einig.

– Ich möchte über unsere Trennung nicht sprechen, ich möchte nur eine bestimmte Kleinigkeit nicht unerwähnt lassen.

– Gut, Du hast sie erwähnt, Deine Kleinigkeit. Können wir jetzt auf den Zürichberg fahren oder sollten noch andere Details vorher geklärt werden?

– Wir fahren jetzt auf den Zürichberg, Liebste, und wir frühstücken dort hoch oben auf einer großen Terrasse mit dem Blick auf die Alpenspitzen von Ruskin.

Am Bellevue-Platz nahmen wir eine Straßenbahn und fuhren dann die vielen Stationen hinauf auf den Zürichberg, wir saßen dicht nebeneinander, Judith lehnte sich an mich und deutete immer wieder hinaus, schau mal …, ich hörte zu, ich mochte es doch so, wenn sie sich für die Landschaft oder einen Ausblick begeisterte, alle Bedenken erschienen wahrhaftig fortgewischt, wir freuten uns wie Schulkinder, denen man unverhofft ein paar Stunden freigegeben hatte. An der Endstation stiegen wir aus, die Stadt war kaum noch zu erkennen, es war wohltuend still, wir gingen noch etwas weiter hinauf zur Höhe, man fühlte sich dem ganzen Leben unten am See sehr entrückt. Ein Wald, lauter sanft abfallende, schon etwas bleiche Grünflächen, ein paar schmale, gekrümmte Pfade und Wege …, schließlich erreichten wir das alte Hotel, auf der Terrasse waren einige Tische für das Frühstück gedeckt, aber kein Mensch hatte dort Platz genommen. Wir setzten uns, von der Terrasse aus hatte man einen weiten, bis zu den Alpen reichenden Blick, die Bergspitzen stachen am Horizont aus dem Dunst einiger schwacher Nebel hervor, davor streckte sich der blaßblaue See zwischen den sich auf mittlerer Höhe entlang ziehenden Hügelketten.

Wir bestellten das Frühstück, und als Judith einen Moment verschwand, kam es mir so vor, als seien wir wieder gemeinsam auf Reisen, wir standen gemeinsam auf und machten uns auf den Weg, wir schauten uns etwas an und trennten uns für eine Weile und trafen uns wieder …, früher waren solche Reisetage richtige Kompositionen aus gemeinsam und allein verbrachten Stunden gewesen, nur an den Abenden und in den Nächten waren wir immer zusammengeblieben.

– Ich wollte Dir diesen Ort hier oben unbedingt zeigen, sagte Judith, von genau hier aus nämlich haben wir die Ausstellung konzipiert. Das Kunsthaus wollte einen Teil seiner Bestände in dieser Ausstellung neu präsentiert sehen, deshalb fragten sie bei mir an, ob ich mir dafür ein Konzept ausdenken könne. Ich bin für zwei Wochen nach Zürich gefahren und habe nichts anderes getan, als mich ununterbrochen in der Stadt zu bewegen. Ich hatte Fotografien der in Frage kommenden Bilder dabei, die habe ich immer wieder neu gemischt und zusammengesetzt, es kam jedoch nicht viel dabei heraus. Dann fuhr ich eher zufällig mit der Straßenbahn hier hinauf und überschaute das Ganze von oben. Es gab die entlang der Limmat geschnürte Stadt mit ihren leicht ansteigenden Gassen und Straßen, es gab die Weite des Sees mit dem Horizont-Gerippe der Alpen, und es gab die Sehnsucht, über diesen Horizont hinauszugelangen, in die Alpenregionen und nach

Italien und Frankreich. Plötzlich sah ich Zürich wie eine große Drehscheibe: all die Besucher und Gäste, die hier am See gelandet waren und es damit genug sein ließen, all die, die von hier aus den Absprung in die Sehnsuchtsländer unternommen haben, und dann natürlich die Zürich-Erzähler und Zürich-Spaziergänger, Schriftsteller wie Gottfried Keller und Robert Walser, James Joyce oder Elias Canetti. Mit Keller haben wir uns dann länger beschäftigt, wir hatten die beiden Porträts von Karl Stauffer, und wir stießen auf die Geschichte vom Keller-Zimmer, die Anna Dir bereits erzählt hat. Gottfried Keller also …, für uns hortete Gottfried Keller die Geschichten der Zürcher, gleichsam das uralte Herz dieser Stadt. Von ihm aus konzipierten wir nun das Ganze, von diesem Herz aus verliefen die weiteren Adern und all die vielen Geschichten ins Weite, von der Kahn-Fahrt des naturtrunkenen Klopstock auf dem Zürcher See über die Berglandschaften auf den Bildern Segantinis bis zu den Bergell-Bildern von Giacomettis Vater Giovanni und den Venedig-Veduten von Canaletto. Und weißt Du, was mir dann plötzlich auffiel? Mir fiel auf, daß diese Reisen von Zürich aus in die Weite genau unseren gemeinsamen früheren Reisen entsprachen, zuerst nämlich haben wir uns nur bis Zürich getraut und uns hier eine Weile niedergelassen, dann ging es weiter durch die Alpenlandschaften ins Engadin und über das Bergell schließlich auch nach Italien. Mailand, Florenz, Venedig …, das waren unsere Städte, und wiederum später kamen die Reisen nach Frankreich hinzu. Genau in diesem Raum haben wir uns aufgehalten in all den acht Jahren, Venedig, Rom, Marseille und Paris waren schließlich unsere Ziele. Mit der Ausnahme von Paris sind wir dorthin auf immer denselben Wegen gereist, über Zürich, so daß die *Ländereien* dieser Ausstellung letztlich auch unsere Ländereien sind, die Ländereien unserer frühen Liebe, unserer Lektüren, Speisen und Vorlieben. Wie hartnäckig haben wir damals all diese Regionen erobert, als wollten wir davon nicht lassen und als müsse jede Reise erst im schon Vertrauten beginnen, um sich dann langsam, Stück für Stück, etwas Neuland und Fremde hinzuzugewinnen! Manchmal sind wir sogar steckengeblieben, erinnerst Du Dich?, im Engadin wollten wir einen Halt von ein paar Tagen machen, und dann setzte ein unendlicher Schneefall ein, und wir wollten Tag für Tag auf die Berge oder zum Schlittschuhlaufen auf den Silvaplanersee. In der Ausstellung trifft man auf ein Bild Hodlers, das diesen See zeigt, nackte, fast schneefreie Berge spiegeln sich an den Ufern des Sees und lauter intensive Blau-Töne in den Schluchten der Berge und auf den Matten der Wiesen reizen das Auge und lassen es das Bild auf der Suche nach immer neuen Nuancen durchwandern. Dieses Suchen, Abtasten und Erkunden ..., das hat mich auf den Gedanken gebracht, mir eine Methode zur Auflösung der gröberen Bildstrukturen zu überlegen, eine Methode also, die den Betrachter zwingt, sich in die kleinsten Feinheiten eines Bildes zu vertiefen. Dadurch kam ich auf die Fotografien, verstehst Du, die Fotografien vermitteln die Hartnäckigkeit des Sehens, die Lust am Mikroskopischen, die Freude am Innehalten. Wenn man nicht innehält, wird man mit den Dingen erst gar nicht vertraut, die Ausstellung aber soll Vertrautheit herstellen und sie auch vermitteln, so daß der Betrachter sich vielleicht am Ende selbst als ein Zürcher Spaziergänger erlebt und zu erzählen beginnt.

Ich nahm einen großen Schluck Kaffee und schaute auf das in den Herbstfarben leuchtende Panorama in der Ferne und weit unter uns, ich war sehr verblüfft, denn Judith hatte vollkommen recht, all unsere früheren Reisen hatten ein ganz bestimmtes, uraltes, europäisches Terrain zum Ziel, innerhalb dieses Terrains hatten wir uns immer wieder bewegt, und Zürich war der Ausgangspunkt und manchmal sogar die Mitte gewesen. Die stete Wiederkehr in diese Regionen und die erneuten Aufbrüche hatten uns mit diesen Ländereien verbunden, wir hatten sie nicht durchreist, sondern uns in ihnen jeweils so lange aufgehalten, bis die Sehnsucht, den nächsten Schritt zu tun, beinahe unerträglich geworden war. Deshalb hatten wir es in den acht Jahren unseres Zusammenseins, obwohl wir doch viel unterwegs gewesen waren, letztlich nicht allzu weit gebracht, wir waren weder in den Norden noch in den Osten gefahren, wir hatten weder Spanien oder Portugal, geschweige denn Griechenland oder gar die Türkei gesehen. Statt einmal hierhin und dann wieder dorthin zu reisen, hatten wir uns an die immer gleichen, alten Reisewege nach Süden und Westen gehalten, im Grunde waren wir wie vor zweihundert Jahren gereist, in Tagesetappen von höchstens fünfzig, meist aber viel weniger Kilometern, von Florenz aus waren wir durch die Toscana und Umbrien sogar die ganze Strecke bis Rom zu Fuß gegangen. Diese langsame Fortbewegung war die ideale Form unseres Zusammenseins gewesen, denn es hatte etwas Zeitloses gehabt, als bräuchten wir uns um die Zeit nicht zu kümmern, ja, als zählten Monate und Jahre für uns überhaupt nicht.

– Mein Gott, Judith, Du hast völlig recht, sagte ich, wir haben uns bei unseren Reisen auf ein ganz bestimmtes Terrain konzentriert und so getan, als hätten wir ewig Zeit, es Schritt für Schritt zu erkunden, einmal sind wir sogar nach Paris auf dem Umweg über Zürich gefahren, erinnerst Du Dich?, von Zürich aus fuhren wir durch das Burgund und weiter an die Loire …

– … ja, genau, und von dort zu den Flußlandschaften der Seine, von nichts waren wir so begeistert wie von den Bildern Monets, in all seinen Seine-Orten haben wir uns einquartiert, was gab es Schöneres als die vom Wind gepeitschten und beinahe kahl gefressenen Pappeln Monets, diese langen, aus dem Grün der Wiesen herausragenden zeremoniellen Stämme, unglaublich dünn, oder erinnere Dich an seine hellen Frühlingslandschaften mit ihren noch schwachen Schatten und dem überwältigenden ersten Licht des Jahres …, das alles waren unsere Ländereien, mein Liebster, und sie waren es, weil wir uns so liebten und nur dieser Liebe folgten und nichts und niemandem sonst.

– Im nachhinein hat diese Zeit etwas beinahe Irreales, wir hatten keine Sorgen, wir waren ausschließlich damit beschäftigt, unseren Hunger nach den starken und großen Eindrücken zu stillen, seien es nun solche der Natur oder der Kunst …

– … ja, aber vergiß nicht das Lesen, das tägliche Lesen und Vorlesen, wir haben vor allem Werke des neunzehnten Jahrhunderts gelesen, Romane, Erzählungen oder Biographien, in denen anschaulich und ruhig, prägnant und in beinahe rührender Kleinteiligkeit erzählt wurde …

– … und vergessen wir schließlich nicht die Musik,

denn wo habe ich nicht überall Klavier gespielt? In den kleinen Ortschaften an der Loire, in den Bergdörfern des Engadins, in den kleinen, verlassenen Häuseransammlungen auf den umbrischen Hügeln ..., überall fand ich schnell ein Klavier oder sogar einen Flügel, sie standen in den Speisesälen oder neben einer Theke in einer Wirtschaft, seit langem hatte niemand mehr auf diesen Instrumenten gespielt, aber ich tat so, als habe man sie dort stehengelassen, damit ich auf ihnen üben könne. Nach dem Frühstück habe ich auf ihnen geübt, und Du bist etwas spazierengegangen und hast Dir den Ort angeschaut, und dann haben wir uns in irgendeinem Bistro oder einer Trattoria getroffen und sind gemeinsame Wege gegangen, und an manchem letzten Abend in einem dieser Orte habe ich ein kleines Konzert gegeben, und man hat uns am nächsten Morgen dann weiterziehen lassen, ohne daß wir für die Übernachtungen zu zahlen brauchten.

– Ich habe noch meine Reisetagebücher aus all den Jahren, Hunderte von Seiten sind es, in einigen stecken noch die am Wegrand gepflückten Blumen, die wir gepreßt haben. Wenn man so ein Tagebuch aufschlägt und einem dann eine dieser Blumen in die Finger gerät ..., ich sage Dir, Johannes, das jagt Dir einen wahren Schauer über den Rücken. Plötzlich ist man dem irritierenden und vielbödigen Wesen der Zeit ganz nahe, Du spürst und siehst die Vergänglichkeit auf einen Blick, und doch ist dieses Vergangene ja noch lebendig und präsent, kein einziges Blättchen ist verlorengegangen, die schöne Form stimmt noch wie eh, und dann sieht man sich als das junge Wesen, das diese Pflanze einmal pflückte, und sieht sich zugleich als die Frau, welche die getrocknete Form jetzt in die Hand nimmt, so etwas ist ergreifend, das kannst Du mir glauben, man ist ganz nahe dran an der Lebensessenz …

Ab und zu kam der Kellner nach draußen auf die Terrasse und fragte nach, ob wir noch etwas wünschten, ja, wir nahmen noch einen großen Kaffee, und Judith bestellte heiße Milch mit etwas Honig und frisch ausgepreßten Orangensaft, und ich frühstückte ganz gegen meine Gewohnheit ebenfalls ausgiebig. Die ganze Zeit aber schauten wir hinunter in die Ebene, und dann glitt der Blick über die immer heller schimmernden Wasserflächen des Sees und an seinen immer präziser sich abzeichnenden Rändern entlang, so veränderte sich langsam auch das große und weite Bild vor unseren Augen, während wir uns weiter unermüdlich von unseren Reisen erzählten, als seien wir süchtig nach diesen Erinnerungen.

– Wir kamen das erste Mal nach Paris und verließen den *gare de l'est* und gingen ziellos einen endlos langen Boulevard immer weiter hinein in die Stadt, da nahmst Du mich am Arm und zogst mich mit hinein in ein Bistro und stelltest Dich an die Theke und bestelltest *eau-de-vie*, zweimal, einfach so. Du hattest keine Ahnung, was sie uns bringen würden, Du hattest, wie Du mir später sagtest, nur dieses klingende, verlockende Wort im Kopf, ein Wort gegen die Müdigkeit und zur Weckung der Lebensgeister, deshalb bestelltest Du das gnadenlos brennende Zeug und wir tranken zur Begrüßung von Paris *eau de vie*. Es wurden aber immer mehr Gläser, und dann kam der Rotwein hinzu, und schließlich haben wir das Bistro überhaupt nicht mehr verlassen, bis der Patron uns ein kleines Zimmer im obersten Stock des schmalen Gebäudes gezeigt hat und wir dort dann übernachteten.

– Ja, antwortete ich, und in Rom, erinnerst Du Dich, in Rom war es ganz ähnlich, wir stiegen an der *Stazione Termini* aus, es war eine unglaublich schwülwarme Nacht, wir wollten laufen, nichts als laufen, wir hatten noch keine Unterkunft, nichts, aber wir liefen dann fast eine Stunde hinab in die Stadt, bis wir an einem kleinen Weinladen vorbeikamen, wir gingen hinein, ich glaube, den Geruch noch genau zu riechen, eine leicht säuerliche Fäulnis, die von den Weinfässern her nach draußen wehte, ich wollte bestellen, aber dann zeigte man uns einen kleinen Durchschlupf in den hinteren, abgesperrten Teil des Ladens, und als wir ihn betraten, saßen dort lauter trinkende, essende und rauchende Männer, und es gab den besten, kühlen Wein von den Albaner Bergen und lang eingekochte Kutteln, *trippa alla romana*, und wir verbrachten die ganze Nacht in diesem Raum und spielten mit einer Gruppe von jungen Römern Karten bis zum Morgengrauen.

– Oder Lodi ..., weißt Du noch?, fragte sie, Lodi ..., dieser kleine Ort in der Nähe von Mailand, wir waren dort irgendwie steckengeblieben und wollten doch weiter, und dann ging Dir der Name des Ortes nicht aus dem Sinn, irgend etwas ist mit diesem Namen, wenn ich nur wüßte, was, hast Du mehrmals gesagt, und dann entdeckten wir in der Nähe des Rathauses ein kleines Hotel und aßen in einem winzigen Speiseraum mit höchstens vier oder fünf Tischen zu Abend. Als wir schon die Wendeltreppe hinauf zu den Zimmern gehen wollten, entdecktest Du neben der Tür einen kleinen, rührend gerahmten Stich, er zeigte den jungen Mozart und seinen Vater, da fiel es Dir plötzlich ein, natürlich, Lodi …, hier in Lodi hatte der junge Mozart auf der Durchreise noch tief in der Nacht sein erstes Streichquartett komponiert! Du erzähltest plötzlich davon, wir standen zu zweit vor diesem alten Stich, der offensichtlich als eine Erinnerung an dieses Ereignis dort hing, Du erzähltest also und erklärtest mir alles, als der Wirt herbeikam und sich mit uns freute, daß wir von diesem Mozart-Aufenthalt wußten. Trinken wir noch einen Schluck auf Mozart und Lodi! …, so lud er uns ein und führte uns hinüber in das Eßzimmer seiner Wohnung, dieses Zimmer war drei-, nein, viermal so groß wie der winzige Speiseraum seines Hotels, es war das wahre, frühere Speisezimmer des alten Hotels, und als wir es in all seiner Pracht und Höhe sahen, sagtest Du, genau hier, genau in diesem Raum hat Mozart sein erstes Streichquartett komponiert, da bin ich sicher. In einer Nische dieses Raums stand ein Klavier, und Du hast keine Sekunde gezögert, sondern sofort gespielt, und ich sehe noch jetzt das völlig konsternierte Gesicht des Wirtes, dem plötzlich die Tränen kamen und der uns dann bat, Platz zu nehmen, und uns etwas einschenkte und viele Minuten lang sehr laut von einem Nebenraum aus telefonierte, während Du weiter Mozart gespielt hast, ganz ruhig, einen Sonatensatz nach dem andern, und dann öffnete sich plötzlich die Tür, und drei Frauen und ein junger Mann traten trotz der späten Stunde mit ihren Instrumenten ein und spielten dann, ich glaube, es war kurz nach eins, Mozarts erstes Streichquartett, zu Ehren Mozarts und zur Ehre der musikalischen Gäste.

– Ja, genauso war es, sagte ich, aber vergiß auch nicht den Frühsommertag in der venezianischen Lagune, wir waren von Venedig aus hinübergefahren in das kleine Torcello mit seinen wenigen Häusern und seinen zwei alten Kirchen, wir hatten seinen stolzen Glockenturm bestiegen und die schönste Aussicht auf die Lagune genossen, die es überhaupt gibt, die schmalen, silbergrauen Kanäle mäanderten durch die Violett-Töne der Salzwiesen, die dunkelblauen Boote der Fischer tuckerten durch die brackigen Fahrrinnen, wir hatten viel Zeit in der Höhe verbracht und stiegen dann langsam hinunter, wir hatten nicht mehr viel Zeit, bis das letzte Schiff uns nach Venedig zurückfahren würde, aber wir kamen an einem der damals noch kleinen und unscheinbaren Gartenlokale vorbei, komm!, sagtest Du, laß uns dort noch eine Kleinigkeit essen!, wir hatten kaum eine Stunde, und dann wurde für uns unter einer Pergola draußen im Freien eingedeckt, allein das Eindecken dauerte mindestens dreißig Minuten, und dann saßen wir an einem wunderbar großen, runden und weiß gedeckten Tisch, und ein kühle Flasche Weißwein wurde in den bis oben hin mit Eiswasser gefüllten Kühler versenkt, und Du sagtest: Diese Nacht bleiben wir hier, kein Mensch bringt mich in dieser Nacht noch fort von Torcello. Es gab aber in dieser Nacht kein Bett mehr in Torcello, die alte Locanda, die einzige, in der man hätte übernachten können, war geschlossen, und so saßen wir nach unserer langen Mahlzeit verloren herum, bis der Wirt des kleinen Restaurants sich unser annahm und uns zu einem Boot führte, mit dem wir dann kaum vier oder fünf Minuten unterwegs waren. Weißt Du noch? …, am nächsten Morgen erwachten wir in dieser alten und winzigen Hütte direkt am Ufer eines Kanals, es gab nur ein einziges Zimmer, Du öffnetest die armseligen Fensterläden und schautest hinaus und drehtest Dich nach mir um und sagtest: Ich möchte nie mehr von hier fort! ...

So vergingen über zwei Stunden, wir konnten nicht aufhören, in unseren Geschichten zu schwelgen, der Kellner hatte längst verstanden, wie es um uns stand, jedes Mal, wenn er nach draußen kam, brachte er uns eine andere Kleinigkeit, ein kleines Omelett mit Kräutern, ein krosses Toastbrot mit winzigen Krabben, eine Scheibe Pumpernickel mit einer Paste aus dunklen Oliven ..., wir hatten das alles überhaupt nicht bestellt, es paßte aber vorzüglich zu unseren Geschichten, ja, es heizte sie immer stärker und heftiger an, bis wir schließlich erschöpft aufhörten und bemerkten, wie spät es schon war.

Die leichte Erschöpfung war der Grund dafür, daß ich mich innerlich plötzlich etwas abrupt von unseren Erinnerungen trennte, ich wollte sie beenden, nicht mehr hatte ich vor, doch dann entschlüpfte mir eine Frage, die viel gewichtiger klang und viel mehr berührte als ich je fragen und berühren wollte:

    – Und später? Wie war es nach unserer Zeit? Nach unserer Zeit hast Du Dich doch sicherlich rasch aus unseren alten Terrains entfernt?

    Judith schaute mich an, ich erkannte sofort, daß sie in dieser Frage eine Entgleisung sah, wir waren so ausgelassen mit unseren Erinnerungen umgegangen, wir hatten uns in ihnen gesuhlt, ja gebadet, und jetzt durchtrennte ich all diese guten Impulse und tat so, als sei alles nur Träumerei gewesen und als sei es jetzt Zeit, zu den eher unangenehmen und bitteren Wahrheiten des Lebens zurückzukehren.

– Johannes, antwortete sie, ich bin mit Dir nicht hier hinaufgefahren, um darüber zu sprechen, ich wollte Dir von unserer Ausstellung erzählen und davon, was diese Ausstellung mit uns beiden verbindet.

– Ja, ich weiß, sagte ich, ich weiß aber auch, daß Du einen Teil der letzten achtzehn Jahre zum Beispiel in Paris, Marseille und Florenz verbracht und dort gelehrt hast. Und so etwas könnte schließlich auch mit der Ausstellung hier zu tun haben.

– Wie bitte?! Woher weißt Du denn so etwas?!

– Ich weiß es durch ein paar nächtliche, kurze Recherchen im Internet.

– Du schnüffelst heimlich im Netz, um mehr über mich zu erfahren?

– Das Netz ist nichts Heimliches, Judith, das Netz ist so öffentlich und plakativ, wie es früher jede Litfaßsäule war. Ich war unruhig und neugierig, eine ganze Nacht lang haben mich lauter wirre Gedanken gequält, ich mußte einfach irgendwas tun, und da kam ich in meiner Hilflosigkeit auf diesen Gedanken. Was ist daran so schlimm? Ich habe nichts herausgefunden, was Dein Privatleben irgend berührte, nur ein paar trockene Fakten hatte ich nach meinem Gefummel am Computer des Hotels schließlich in Händen. Gastprofessuren in Paris, Marseille und Florenz – auch diese Gastprofessuren haben also in unseren Ländereien stattgefunden, mehr will ich dazu nicht sagen.

– Mehr willst Du nicht sagen?! Was soll denn das nun wiederum heißen?!

– Na ja, man könnte doch auch vermuten, daß Du in Paris, Marseille und Florenz nicht immer allein warst, sondern Dein Leben mit anderen Menschen geteilt hast. Solche Gedanken sind nicht ganz abwegig, nicht wahr?

– Nein, das sind sie nicht, aber was wäre denn schon dabei, wenn ich in diesen Städten nicht allein gelebt hätte? Hätte ich Dich anrufen und um Erlaubnis fragen sollen? Oder hätte ich in einem strengen, allein der Wissenschaft geweihten Zölibat leben müssen? Unsere gemeinsamen Jahre waren zu Ende, mach Dir das bitte klar, ich habe nie mehr damit gerechnet, Dich noch einmal zu treffen, geschweige denn, mit Dir noch einmal eine Nacht zu verbringen. Und bitte: Wie war es denn in Deinem Fall? Hast Du etwa in totaler Askese, einzig und nur für die Musik, gelebt?

– Ja, in gewissem Sinn habe ich das getan, jedenfalls habe ich in all den achtzehn Jahren mit keiner Frau zusammengelebt.

– Und die Nächte all dieser Jahre? Die hast Du im Kloster verbracht?

– Nein, die habe ich dann und wann auch mit einer Frau verbracht, verliebt allerdings habe ich mich nie mehr, das kannst Du glauben, ich habe mich nie mehr in einen anderen Menschen verliebt.

– Wenn Du es genau wissen willst: Ich habe mich auch nie mehr verliebt. Ich hatte drei Beziehungen kurzfristiger Art, ich habe diese Männer geschätzt und gemocht, geliebt habe ich sie aber nicht.

Der See war jetzt auf seiner Mitte mit einer kleinen Anzahl von Segelbooten bestückt, die weißen Segel bewegten sich aber kaum vorwärts. Ich trank meinen Kaffee leer und schaute kurz auf die Uhr.

– Kannst Du Dich noch ungefähr daran erinnern, wie dieses berühmte Klopstock-Gedicht über den Zürichsee anfängt? fragte ich.

– Ja, kann ich, antwortete Judith, ich weiß den Anfang sogar auswendig: *Schön ist, Mutter Natur, deiner Erfindung Pracht* ...

– Ah ja, jetzt erinnere ich mich auch wieder, sagte ich. Merkwürdig, daß einen so ein Vers nicht losläßt, dabei besteht er doch aus lauter abgenutzten Substantiven und einem Adjektiv, das blasser nicht sein könnte.

– ... *Komm und lehre mein Lied jugendlich heiter sein, süße Freude* ..., setzte Judith erneut an, es ist ein einziger Freudengesang, unproportioniert, fahrig und ziemlich verquer, aber gerade deshalb gar nicht so schlecht. Man glaubt ihm all seine Freude, er bringt das starke Gefühl nur noch nicht richtig unter, er hat noch nicht die richtigen biegsamen Worte für das, was er sieht, und Stimmungen, die kann er erst recht nicht beschreiben. *Die Welle wieget unsern Kahn, im Rudertakt hinauf, und Berge, wolkig himmelan, begegnen unserm Lauf* ..., hörst Du?, das ist nicht nur ein klein wenig, sondern entscheidend besser, es sitzt, Wort für Wort, bei Goethe klingt das alles ganz leicht und selbstverständlich.

– Komm, meine Liebste, sagte ich, brechen wir auf, laß uns ein wenig unseren Tätigkeiten nachgehen, und dann treffen wir uns am späten Mittag unten am Quai und drehen auf dem See mit dem Schiff eine Runde.

Ich stand auf und ging in das Restaurant, um zu bezahlen. Als ich zurückkam, stand Judith ganz vorn am Geländer der Terrasse und schaute noch immer auf den See.

– Morgens, mittags und abends, ja? sagte sie leise.

– Der Morgen hier oben war sehr schön, antwortete ich, am Mittag aber steigern wir die Freude noch um eine kleine Klopstock-Nuance.

– Mindestens, sagte Judith, ab jetzt ist ein Klopstock die kleinste Maßeinheit aller Freudennuancen.

18

Vom Hotel aus gingen wir wieder hinunter zur Endhaltestelle der Straßenbahn, eine Bahn stand bereit, wir setzten uns in einen Wagen und warteten auf die Abfahrt, niemand außer uns beiden war noch unterwegs.

– Am liebsten würde ich mit Dir jeden Morgen eine Fahrt mit der Straßenbahn machen, sagte ich zu Judith, es gibt keine andere Stadt, in der ich so gern wie in Zürich Straßenbahn fahre.

– Es heißt nicht Straßenbahn, sondern Tram, antwortete Judith, weeles Tram mues y nää?, welche Bahn muß ich nehmen?, in letzter Zeit habe ich wieder etwas Schwyzerdütsch gelernt, im Museum gibt es einen Wärter, der mir lauter neue Wendungen beibringt.

– Früher hast Du manchmal abwechselnd Schwyzerdütsch und Französisch gesprochen, erinnerst Du Dich? fragte ich.

– Quel tram dois-je prendre? antwortete Judith, ich spreche jetzt so gut Französisch, daß Du Dich wundern würdest, wenn ich einmal so richtig loslegen würde.

– Hast Du in Frankreich etwa Vorlesungen auf französisch gehalten?

– Nein, natürlich nicht, das habe ich mich nicht getraut. Aber ich habe alle Seminare und einen Semester-Abschlußvortrag auf französisch gehalten, mein Gott, war das ernsthaft und feierlich! Als ein Kollege mich den Zuhörern vorstellte, rief er: Permettez moi de faire les présentations: voici Madame Judith Selow ..., und dann kamen zehn Titel, von denen mir höchstens zwei oder drei selbst eingefallen wären. Meint er wirklich Dich? dachte ich, bist Du wirklich ein so glänzendes Produkt der deutsch-französischen Wissensgesellschaft? Du glaubst es nicht, aber ich war es anscheinend wirklich, denn wenige Wochen später verlieh man mir einen weiteren Ehrentitel, angeblich hatte mein Abschlußvortrag großen Eindruck gemacht.

– Wie lange hast Du denn insgesamt in Frankreich gelebt?

– Oh, laß mich nachrechnen, insgesamt sind es fast acht Jahre gewesen. Aber jetzt Schluß damit, es geht los!

Die Straßenbahn setzte sich in Bewegung, na bitte, dachte ich, Stück für Stück kommt Ihr in Euren Gesprächen voran, jetzt erzählt sie bereits von Frankreich und der Zeit, die sie dort verbracht hat. Du mußt es machen wie gerade eben, Du mußt sie auf Umwegen auf diese Zeit ansprechen, dann wird sich alles von selbst ergeben.

– Bei Deinem Telefonat gestern abend hast Du von

Deinem Konzertprogramm gesprochen, was ist mit dem Programm, möchtest Du mir davon erzählen? fragte Judith.

Ich erzählte ihr, wie unzufrieden ich mit dem vereinbarten Programm war und welches Programm ich mir inzwischen als Alternative überlegt hatte, ich summte ihr die Anfänge einiger Scarlatti-Sonaten vor, wir waren noch immer allein in dem langsam wieder talwärts fahrenden Wagen, in dem ich abwechselnd Scarlatti und Mozart summte und pfiff. Judith lachte, dann aber unterbrach sie mich:

– Sag mal, was ist mit Deiner Agentin? …, über so ein Problem würde ich mich an Deiner Stelle mit meiner Agentin unterhalten.

– Das hab ich getan, den halben gestrigen Abend.

– Und? Was hat sie gesagt?

– Sie hat mich für verrückt erklärt und beschworen, mich an das vereinbarte Programm zu halten.

– Und weiter?

– Wie weiter?

– Das ist alles? Sie hat Dir keine Vorschläge gemacht, wie Du mit dieser wundervollen Paarungs-Idee von Scarlatti mit Mozart umgehen könntest?

– Nein, das hat sie nicht. Hast Du etwa eine Idee?

– Ich würde mich an Deiner Stelle an das vereinbarte Programm halten, es geht nicht anders, alle erwarten genau dieses Programm von Dir, und wenn Du etwas anderes spielen würdest, käme der gesamte Zyklus durcheinander. Die Scarlatti-Sonaten mit den Mozart-Sonatensätzen zu kombinieren …, diese Idee würde ich auf einer CD verwirklichen, und zwar möglichst bald. Und paß auf, wenn diese CD im Handel ist, wird niemand mehr von Dir verlangen, brave Mozartsonaten-Programme vorzutragen, wie sie hundert andere Pianisten auch spielen. Man wird Dich mit *Deinem* Programm hören wollen, vielleicht wird man überhaupt nur noch Deine Programme hören wollen.

– Wie meinst Du das?

– Warum überlegst Du Dir nicht noch weitere solcher Kombinationen? Warum nimmst Du bestimmte Zyklen eines Komponisten nicht auseinander und kombinierst die einzelnen Sätze mit Stücken eines anderen Komponisten? Du beginnst mit dem …, nehmen wir einmal ein sehr einfaches Beispiel, Du beginnst mit Bachs *C-Dur-Präludium* aus dem *Wohltemperierten Klavier* und machst weiter mit dem *C-Dur-Präludium* von Schostakowitschs *24 Präludien und Fugen* …

– Ja, genau so …

– Das wären wunderbar subtile Programme, in Frankreich würde man sie sofort vollmundig Programme der *déconstruction* oder – vielleicht noch besser – ein *déconcertment* nennen und Dich feiern, da bin ich absolut sicher. Ich könnte Dir sogar bestimmte Kontakte vermitteln, ich weiß genau, an wen ich mich wenden würde. Ich würde von der *déconstruction* der zyklischen Form und vom *déconcerter* sprechen und von der *reconstruction* eines imaginären Raums, der nicht mehr der des Komponisten, sondern der des Pianisten wäre. Ein Pianist, der seine eigenen musikalischen Räume entwirft …, Liebster, in Frankreich wäre das eine absolute Sensation. Aber es müßte elegant vorbereitet werden, es bräuchte eine Art von Theorie, eine theoretische Grundlage, etwas Programmatisches, mit dem Du Dein Vorhaben rechtfertigen und mit dem Du in die Offensive gehen könntest. Denn natürlich, es wird viel Empörung geben, der gesamte konservative Klüngel, der nichts als Werktreue will, wird Dich verdammen und steinigen. Du mußt Dir gut überlegen, ob Du Dich dem allem aussetzen willst, wenn ja, wirst Du es nicht einfach haben, aber man wird von Dir sprechen, überall, in halb Europa wird man von Deinen Aufnahmen und Konzertprogrammen sprechen, das weiß ich genau.

Ich saß still und gebannt neben ihr, sie hatte recht, natürlich hatte sie recht, die Sache mußte gut vorbereitet werden, ich durfte sie nicht leichtfertig und unvorbereitet während eines einzigen Konzertabends verheizen. Eine klug komponierte CD, viele sorgfältig geplante und vorbereitete Auftritte, eine weitere CD ... so würde ich in der Tat Schritt für Schritt zu meinen eigenen Programmen finden.

– Johannes? Ich will Dich nicht drängen, aber ich sage Dir eins: Ich wäre genau die Richtige, um Dir bei diesem Vorhaben zu helfen. Dein Vorhaben leuchtet mir nämlich nicht nur aus musikalischen, sondern auch aus grundlegenderen, ästhetischen Erwägungen ein. In meiner Ausstellung arbeite ich ganz ähnlich, ich trenne die Bilder aus ihren Werkkomplexen, versetze sie in neue Zusammenhänge und durchleuchte sie mit Hilfe der Fotografie. Was so entsteht, ist ein imaginärer Erinnerungsraum mit seinen eigenen, verstreuten Geschichten, verstehst Du? Oh, ich habe über diese Themen und Überlegungen jahrelang gearbeitet, ich bin darin eine Expertin und kenne die Debatten genau. Dein Programm und die Theorie ..., daran könnten wir gemeinsam arbeiten, wenn Du denn dazu bereit wärest.

– Warum sollte ich denn nicht dazu bereit sein, um Himmels willen? fragte ich, wir haben doch auch früher immer gemeinsam geplant und gearbeitet.

– Genau, antwortete Judith, schon früher, in unserem gemeinsamen Dasein, wie ich es immer genannt habe, erinnerst Du Dich? ..., schon früher haben wir gut zusammengearbeitet, aber jetzt sind wir besser, viel besser, jetzt sind wir zusammen überhaupt nicht mehr zu schlagen, ist Dir das klar?

Ich lachte, ich lachte so laut und beinahe wie toll, daß ich mich verschluckte und aufstehen mußte, ich lief durch den ganzen Wagen und brummte abwechselnd Motive von Scarlatti und Mozart, ich breitete die Arme weit aus, ja, ich war auf einem langsamen Gleitflug hinab in die Stadt, ich schwebte hoch über der Erde, die Ländereien flogen unter meinen Füßen vorbei.

– Diese Ideen sind wunderbar, Judith, rief ich, genauso machen wir es, wir arbeiten gemeinsam an diesen Dingen, und dann stellen wir sie in Frankreich zuerst vor und gehen dann auf Tournee ..., Konzert- und Ausstellungsprogramme, am Ende läßt sich auch das noch kombinieren, mein Gott, es ist wahnsinnig, ja, es ist zum Wahnsinnigwerden!

– Wenn faart dr näggschti Zuug nach Paris? rief nun auch Judith und stand auf, à quelle heure part le prochain train? Gare de l'est ..., *voici le soir charmant, ami du criminel*, ein *eau de vie* bitte, merci ...

Derart ausgelassen liefen wir hin und her durch den ganzen Wagen, ich trommelte gegen die Scheiben und setzte mein Intonieren und Singen fort, dann winkten wir den Passanten draußen, die stehenblieben und uns wahrscheinlich wirklich für wahnsinnig hielten. Wir trieben den Spaß bis zur Atemlosigkeit, weiter und weiter, und dann stießen wir plötzlich zusammen und umarmten uns und hielten uns vor lauter Glück fest, es wurde still, wir standen in der Mitte des Wagens, engumschlungen, und die Wagentüren öffneten sich klappernd, ein älteres Paar stieg mühsam ein und blieb neben uns stehen und betrachtete uns, und die Frau sagte:

– Mache Si sich s nur begwääm!

Wir setzten uns nicht mehr, wir fuhren langsam auf die großen Gebäude der Universität zu, Judith wollte am Kunsthaus, an einer der nächsten Stationen, aussteigen, während ich weiter, direkt bis zur *Tonhalle*, fahren wollte. Beim Blick auf die Universitätsgebäude aber durchzuckte es mich plötzlich, ich erinnerte mich an einen früheren Spaziergang hier hinauf und fragte:

– Sag mal, ist hier in der Nähe nicht das kleine Thomas-Mann-Museum, wo man sein Arbeitszimmer und seine Bibliothek zu sehen bekommt?

– Doch, genau, es liegt direkt dort drüben, keine hundert Meter von hier.

– Ich würde es mir gern noch einmal anschauen.

– Jetzt? Sofort?

– Ja, warum nicht? Jetzt, sofort.

– Ach, mein Lieber, ich muß dringend ins Museum, sie werden dort sowieso schon längst auf mich warten.

– Nun gut, dann steige ich allein aus und werfe einen kurzen Blick hinein, und wir sehen uns gegen 14 Uhr unten an der Schiffsanlegestelle.

– So machen wir es, genau so!

Ich stieg aus und bog in die schmale Straße zwischen den Universitätsgebäuden ein, die mir Judith gezeigt hatte, es waren wirklich nur wenige Meter, dann stand ich vor dem alten Dichterhäuschen, in dem sich vor Jahrhunderten Scharen von Besuchern und Gästen bei dem Zürcher Hausdichter Bodmer eingefunden hatten, um ihm Reverenz zu erweisen und von den Fenstern aus einen Blick auf die weite Landschaft zu werfen. Ich klingelte, eine Frau mittleren Alters öffnete mir und erklärte, daß das Museum heute geschlossen und nur zweimal in der Woche zu bestimmten Stunden geöffnet sei.

– Geben Sie mir fünf Minuten! sagte ich, ich möchte nur einen Blick in Thomas Manns Arbeitszimmer werfen.

– Bitte sehr, fünf Minuten!, aber nicht mehr.

Ich ging die schmale Stiege hinauf und wurde in das Arbeitszimmer geführt, schon beim ersten Hineinblicken erinnerte ich mich wieder genau, ja, dort stand der alte Schreibtisch, an dem er sein Leben lang gearbeitet hatte und an den Wänden entlang waren die Bücher gereiht, das Ganze machte den Eindruck eines unberührbaren und von Jahr zu Jahr immer mehr ersterbenden Raums, ja, es ähnelte einer altägyptischen Grabkammer, deren Gegenstände und Dinge mit den Jahren eine mumienhafte Aura erhalten hatten, die den ganzen Raum allen zudringlichen Blicken immer stärker entzog und ihn im Geheimnishaften verschloß. Ich blieb vor dem Schreibtisch stehen und betrachtete die darauf drapierten Dinge, ich sah eine Buddha-Statue und einen alten Abreißkalender und zwei feierlich postierte Kerzenhalter, Stück für Stück schaute ich mir die kleine Sammlung an, die auf dem glänzenden Mahagoni-Möbel rings um die eigentliche Schreibfläche in einer rituellen und wahrscheinlich jahrzehntelang unveränderten Ordnung aufgebaut war. Schließlich hörte ich, daß die Frau, die mich eingelassen hatte, in den Raum zurück kam, ich drehte mich nach ihr um, und sie fragte:

— Haben Sie Ihre fünf Minuten auch gut genutzt?

— Ja, sagte ich, ich glaube schon, da ich nur fünf Minuten hatte, habe ich mich vor allem auf den Schreibtisch konzentriert.

— Da haben Sie recht dran getan, antwortete sie, der Schreibtisch war Thomas Manns Lieblingsmöbel, seine Stätte von Kampf und Opfer ...

— Hat er ihn so beschrieben? Als eine Stätte von Kampf und Opfer ...?

— Genau so, als eine Stätte von Kampf und Opfer und zungenschnalzendem Glück ...

— Wie bitte? Von was für einem Glück?

— ... Von zungenschnalzendem Glück!

— Zun-gen-schnal-zend?!

— Von zun-gen-schnal-zen-dem Glück!

— Das hat er wirklich geschrieben, zungenschnalzendes Glück?

— Ja, gewiß, auch das hat er geschrieben.

— Na, fabelhaft, das finde ich denn doch fabelhaft ..., allein schon die Vorstellung, wie er Tag für Tag hinter diesem Schreibtisch verbringt und in den höchsten, glücklichsten Momenten mal so leicht mit der Zunge schnalzt …, das ist ja beinahe eine eigene, starke Geschichte!

— Nun ja, es war wohl doch mehr die Stätte von Kampf und Opfer als von diesem gewissen Glück …

— Das glaube ich nicht, antwortete ich, ich glaube, das zungenschnalzende Glück war das Höchste, um dieses Glückes willen hat er überhaupt Tag für Tag an diesem Möbel Platz genommen.

— Das behaupten *Sie*, viele Forscher sind da sehr anderer Meinung.

— Sind sie das? Vielleicht sind sie zu unerfahren in Momenten des zungenschnalzenden Glücks, vielleicht haben sie kaum eine Ahnung, um was für ein besonderes Glück es sich eigentlich handelt. Es ist nämlich ein Glück, das einem etwas auftut oder in dem einem etwas aufgeht, es ist eine Art Ernte-Glück, wenn ich es einmal so nennen darf, es ist der blitzhafte Moment der Intuition und einer Empfindung von Stimmigkeit, Richtigkeit …, mitten im haarsträubendsten Chaos.

— Entschuldigen Sie, sagte sie da, aber Ihre fünf Minuten sind nun wirklich vorbei.

— Schade, ja, sie sind wohl vorbei, aber ich danke Ihnen, es waren fünf starke Minuten …

Sie schaute mich etwas irritiert an, dann begleitete sie mich Stufe für Stufe bis hinunter zur Tür. Sie schloß auf, sie wartete, bis ich mich verabschiedet und bis zum Zaun entfernt hatte, dann verriegelte sie die kleine Tür gleich zweimal mit einer Heftigkeit, als schließe sie damit endgültig aus, daß an diesem Tag noch ein weiterer, dreister Bittsteller den Weg hineinfinden könne.

19

ICH HATTE erwartet, daß Tanja bereits in der *Tonhalle* auf mich wartete, aber sie war noch nicht da, als ich das Podium betrat. Ich setzte mich auf den schwarzen Klavierhocker, drehte ihn ein wenig höher und begann zu spielen. Ohne Umschweife begann ich mit dem langsamen Satz der Sonate in Es-Dur, KV 282, ich spielte sie genauso, wie Mozart sie entworfen hatte, auf den langsamen Satz folgt ein Menuett und noch ein Menuett, der letzte Satz ist ein Allegro. Ich spürte, daß ich vollkommen ruhig geworden war und daß ich die Sonate so gut spielte, wie ich sie in den letzten Tagen noch nie gespielt hatte, jetzt hatte ich genau die richtige Balance gefunden, ich war hochkonzentriert und mischte mich doch nicht in jedem Moment gestalterisch ein, ich hörte einfach nur sehr aufmerksam zu und versuchte, die Spannung alle Sätze hindurch zu halten, ohne irgendwo mehr zu beschleunigen oder zu verlangsamen als nötig.

Nach diesem Beginn machte ich mich an das zweite in meinem Programm vorgesehene Stück, ich war weiter hellwach, doch ich bemerkte nach wenigen Minuten, daß irgend etwas anders als sonst war, ich schaute kurz hinunter ins Parkett, Tanja war eingetroffen und saß in der Mitte einer Stuhlreihe, sie saß da und hörte zu, sie hatte ihren Block in der Tasche gelassen, ich sah ein leicht verändertes, ungewohntes Bild, nur daß sie ein Bein übers andere geschlagen hatte, erinnerte noch an früher. Ich unterbrach mein Spiel, doch sie gab mir sofort ein Zeichen, sie machte eine kurze Drehbewegung mit der rechten Hand, auch das hatte ich noch nie an ihr gesehen, denn es machte einen sehr zurückhaltenden Eindruck, als wolle sie sich um keinen Preis einmischen und als sei diese Präsentation einzig meine Sache.

Ich spielte mein ganzes Programm, ohne Pause, dann ging ich zu ihr hinunter ins Parkett.

– Man bekommt Dich ja kaum noch zu sehen, sagte sie.

– Ich schlafe schlecht, antwortete ich, ich stehe sehr früh auf und bewege mich viel, ich bin etwas nervös und angespannt.

– Zum Glück hört man das Deinem Spiel heute nicht an, sagte sie.

– Was hast Du diesmal zu kritisieren? fragte ich.

– Gar nichts, es war perfekt, einzigartig, es war von unglaublicher Ruhe und Schönheit.

– Tanja, ich bitte Dich, machst Du Witze?

– Nein, mache ich nicht, ich meine es vollkommen ernst. Ich gebe zu, daß ich selbst erstaunt bin, ich kann es mir auch nicht erklären, solche Schwankungen in Deinem Spiel von einem Tag auf den andern habe ich noch nie erlebt. Ich kann Dir nur raten, morgen abend genauso zu spielen wie eben, dann wird Dich der ganze Saal feiern. Und ich nehme an, Du hast Dir meine Einwände gegen Deine neuen Programm-Ideen zu Herzen genommen und verwirrst die Zuhörer nicht mit einigen unverhofft eingestreuten Stücken von Scarlatti.

– Keine Sorge, ich werde sie nicht verwirren, antwortete ich, ich werde mich an genau das Programm halten, das wir vereinbart haben. Ich werde es morgen abend und dann noch einmal in Luzern spielen, danach aber werde ich mich nie mehr auf so etwas festlegen lassen.

– Ach nein? Wirst Du nicht? Und was willst Du statt dessen spielen, darf ich das erfahren?

– Natürlich, antwortete ich, ich möchte Dich ja gern überzeugen. Aber sag mir zunächst, was Du heute noch vorhast und wieviel Zeit wir haben.

– Wir haben nicht viel Zeit, ich fahre in zwei Stunden nach Luzern und morgen weiter nach Lugano und übermorgen nach Mailand. Zu Deiner Generalprobe in Luzern bin ich aber wieder zurück, die möchte ich nicht verpassen, obwohl ich Dich ja anscheinend nicht mehr ganz für mich allein habe.

– In Luzern werde ich allein sein, daran wird sich nichts ändern, sagte ich. In Luzern werden wir uns mehr Zeit nehmen, und ich werde mit Dir besprechen, was ich mir für die weitere Zukunft vorgenommen habe. Ich sage Dir, es ist revolutionär, und ich weiß, daß Du am Ende von all meinen Ideen so begeistert sein wirst wie ich.

– Johannes?

– Ja, meine Liebe?

– Es täte mir sehr weh, Dich zu verlieren, das weißt Du. Und Du weißt auch, daß es mir nicht nur wegen unserer beträchtlichen finanziellen Erfolge sehr weh täte. Geh also bitte nicht zu leichtfertig mit all dem um, was wir in vielen Jahren aufgebaut haben. Du kannst dieses große Kapital und all die Bewunderung, die Dir Deine Zuhörer entgegenbringen, in wenigen Wochen verspielen.

– Ich weiß, meine Liebe, ich werde nichts tun, ohne es mit Dir genau zu besprechen, und wir werden weiter und noch besser zusammenarbeiten.

– Johannes?

– Ja, meine Liebe?

– Gib mir einen Kuß, bitte sofort, und dann begleite mich hinaus und laß uns zu Fuß zum Hotel gehen, ich bestelle mir dort dann ein Taxi.

Ich umarmte sie und gab ihr einen Kuß, dann gingen wir hinaus in das inzwischen alles durchflutende Licht, wir überquerten die stark befahrene Uferstraße und erreichten den See, in kaum einer Stunde wirst Du mit Judith diese glänzende Fläche befahren, dachte ich. Tanja hängte sich bei mir ein, ich war froh, daß sie keine weiteren Erklärungen verlangte, und doch spürte ich, daß ich ihr noch etwas mit auf den Weg geben sollte, etwas, das sie beruhigte und zumindest andeutete, woran ich für die Zukunft dachte.

– Es tut mir leid, daß ich nicht soviel Zeit für Dich hatte wie sonst, sagte ich.

– Ist schon gut, antwortete Tanja, ich hoffe nur, daß es eine vorübergehende Sache ist, und ich hoffe, ich habe Dir mit meinen Hinweisen etwas helfen können. Du weißt, es war nicht böse gemeint, ich will Dich nur vor Fehlern bewahren.

– Ich weiß, wie Du es gemeint hast, sagte ich, und ich danke Dir für Deine Hinweise, sie haben mir ein ganzes Stück weitergeholfen. Was aber meine Programm-Ideen betrifft, so hoffe ich wirklich, Dich noch zu überzeugen. Stell Dir nur einmal vor, wie es im Normalfall in den nächsten Jahren weitergehen wird, stell Dir das einmal ganz konkret vor! Von Jahr zu Jahr werden wir etwas höhere Maßstäbe anlegen, wir werden versuchen, in der

Berliner Philharmonie nicht nur an *einem* Abend, sondern gleich an vier oder fünf Abenden mit allen zweiunddreißig Beethoven-Sonaten zu konzertieren, ein Jahr später werden wir uns auf die Carnegie-Hall verlegen, und wieder ein Jahr später werden wir alles daransetzen, während der Salzburger Festspiele mit einem Solo-Programm *und* einem Abend mit Orchester-Begleitung präsent zu sein. Wir werden meine Kollegen und Rivalen im Auge behalten, wir werden eisern darum kämpfen, bessere Konditionen als sie zu erzielen, nicht um irgendein Festival-Konzert werden wir uns also bemühen, sondern um ein Eröffnungskonzert, das mindestens von zwei Fernsehanstalten aufgezeichnet oder sogar live übertragen wird. So und zwar genau so werden unsere gemeinsamen Ziele aussehen, wir werden zu einem Höhenflug in Anerkennung ansetzen, und ein großer Reiz unserer Zusammenarbeit wird darin bestehen, diesen Höhenflug immer erlesener zu gestalten. In einigen Jahren werde ich Beethovens fünf Klavierkonzerte, auf die einzelnen Erdteile verteilt, an fünf Abenden hintereinander spielen und gleich auch noch von den zuständigen Staatsoberhäuptern mit den höchsten Orden ihres Landes geehrt werden ..., so, meine Liebe, wird es ausgehen, genauso! Ich werde mein Pensum wie bisher ohne Murren erfüllen, ich werde besser werden und immer besser, man wird mich mit Preisen und Auszeichnungen geradezu überhäufen, in spätestens zehn Jahren werde ich alle Mozart- und Beethoven-Sonaten sowie das gesamte Klavierwerk von Schumann und Brahms eingespielt haben, egal, das wird uns nicht in Verlegenheit bringen, denn in den darauf folgenden zehn Jahren werde ich mich dann eben darum bemühen, alle Mozart-

und Beethoven-Sonaten sowie das gesamte Klavierwerk von Schumann und Brahms noch ein zweites Mal einzuspielen, natürlich altersreifer oder gebändigter oder wie auch immer es in solchen Fällen dann klischeehaft genug heißt. Natürlich werde ich auch die alten Virtuosen-Stükke immer wieder gern zelebrieren, alle Rachmaninow-Konzerte werde ich spielen und die zwei Brahms-Konzerte, selbstverständlich, sehr gern, nur die Klavierkonzerte von Chopin, ja, die wirst Du mir vielleicht noch ersparen, denn sie sind den Aufwand nun wirklich nicht wert. Tschaikowsky aber, Tschaikowsky! ..., ich werde das b-Moll-Konzert in Paris, Rom und selbst in Tokio schmettern, das Tschaikowsky-Konzert wird meine Haus-Marke werden, gut durchgegoren und abgehangen und mit einem Aroma von Moskau! Und so werde ich älter und älter werden, und meine Kunst wird eine gewisse Camembert-Reife und einen gewissen Gorgonzola-Schimmel ansetzen, während ich selbst nie etwas anderes sein werde als das manisch übende Kind, das ich einmal war, oder der bis zur absoluten Verausgabung übende Jüngling! Ich werde ein alternder Frackträger werden, die Übungsdummheit wird man mir aus meinem Gesicht ablesen können, ich werde aus perfekt trainierten Fingern und einem Elefanten-Gedächtnis für sämtliche Partituren, aber aus sonst nichts bestehen, so wird es kommen! Verstehst Du, Tanja, mich reizt eine solche Pianisten-Karriere nicht im geringsten, und sie reizt mich selbst dann nicht, wenn ich den pianistischen Olymp stürmen und neben Horowitz, Arrau oder Glenn Gould ein weiteres Glied des pianistischen Götterhimmels werden würde! Ich werde mein Leben nicht damit verbringen, ein Schumann- oder Brahms-

Medium zu werden, das die Stücke der Meister immer perfekter abfackelt! Das alles habe ich lange genug getan, jetzt aber spüre ich, daß es damit vorbei ist. Statt all die braven Konzertprogramme für taube Ohren zu spielen, werde ich eine ganz neue Art von Programmen entwikkeln und durchsetzen, ich werde den erstarrten Klassik-Markt revolutionieren, ich werde ihm ganz neue und ungewohnte Konzerträume erobern, Zirkuszelte! ..., wo die Zuhörer rundherum um ein kleines Podium sitzen und das Spiel ganz aus der Nähe verfolgen, Wald- und Seebühnen in freier Natur! ..., wo die Zuhörer Stücke zu hören bekommen, die mit der Umgebung wirklich etwas zu tun haben! Ich sehe einen ganz neuen Kontinent von großen, neuen Konzerterfahrungen, eine ganz neue Ära des Konzertwesens liegt vor uns, eine Ära, in der die klassische Musik kein Ausführprogramm für schlecht durchgelüftete Abendgarderoben mehr sein wird, sondern eine vitale, explosive Erzählung!

Ich löste mich von Tanja und machte einige schnellere Schritte voraus, dann drehte ich mich zu ihr um und sagte:

– Aber jetzt genug, ich werde Dir das alles viel besser erklären, wenn ich mir noch genauere Gedanken darüber gemacht habe. Eigentlich wollte ich auch nur andeuten, was mich gerade so sehr beschäftigt, es tut mir leid, ich bin in all meiner Rage etwas über das Ziel hinausgeschossen. Ich hoffe, Du verstehst meine Unruhe jetzt, und ich hoffe, Du betrachtest das alles nicht als etwas, das sich gegen Dich richtet. Natürlich werde ich all diese wundervollen Stücke auch weiterhin spielen, aber eben nicht mehr in demselben Rahmen und unter denselben Bedingungen wie bisher.

Ich blieb stehen, mein Herz klopfte fühlbar stärker als sonst, was mutest Du Deinem Herzen in diesen Tagen nur zu?, dachte ich. Tanja aber machte einen letzten Schritt zu mir hin und lehnte sich dann langsam an mich, während sie mich mit beiden Armen umschlang.

– Jetzt beruhige Dich doch, sagte sie, jetzt komm doch endlich einmal zur Ruhe! Wir werden in Luzern über alles sprechen, wir werden uns über alles Gedanken machen, und ich werde Dir helfen, so gut ich kann, ich habe Dir doch immer geholfen.

Es ist alles in Ordnung, dachte ich, sie ist eine wirklich kluge und hingebungsvolle und ausdauernde Agentin, vielleicht unterschätzt Du sogar, was sie alles für Dich empfindet, das alles darf Dich aber nicht interessieren, nein, das darf es nicht. Wenn sie Deine neuen Konzepte wirklich versteht und sie mit Begeisterung gegen alle Widerstände verteidigt und durchsetzt, werdet ihr beide genau das gut eingespielte Paar bleiben und sein, das ihr viele Jahre lang wart. Ich atmete tief durch, dann umarmte ich sie und ging mit ihr weiter zum Hotel.

An der Rezeption begegneten wir Franziska, sie schaute uns beide etwas erstaunt an, ich ahnte, was ihr durch den Kopf ging.

– Bestellen Sie doch ein Taxi für Frau Gerke! sagte ich.

– Mach ich, antwortete Franziska. Und Sie bleiben bis übermorgen, wie geplant?

– Richtig, sagte ich, und ich bleibe bis übermorgen, bis zum Tag nach meinem Konzert.

20

Iᴄʜ ᴡᴀʀᴛᴇᴛᴇ draußen vor dem Hotel, bis das Taxi gekommen war, und dann winkte ich Tanja hinterher, ich war sehr zufrieden damit, wie wir uns zum Schluß noch bemüht hatten, unsere lange, enge Verbindung in der Balance zu halten. Dann aber ging ich wieder hinüber zum See, ich setzte mich auf eine Bank und holte eines der kubanischen Zigarillos aus meiner Manteltasche, von denen ich nun schon einige Zeit keines mehr geraucht hatte. Ich saß eine Weile in der vollen Herbstsonne und rauchte, ich fühlte mich unternehmungslustig, und ich dachte einen Moment darüber nach, wann ich schon einmal eine derartige Aufbruchsstimmung erlebt hatte. Damals, nach Deiner Aufnahmeprüfung für die Musikhochschule, dachte ich, damals war es ganz ähnlich, Du bist das hohe Treppenhaus in großen Sätzen heruntergesprungen und dann weiter und weiter ziellos durch Frankfurt gelaufen, oder damals, nach Deinem ersten Pariser Konzert, standest Du noch in der späten Nacht an der Spitze der Île de la Cité in dem wahnhaften Glauben, jetzt zum kleinen Kreis der wirklich sehr guten Pianisten zu gehören. Immer hatten solche Momente etwas mit dem Gefühl einer offenen Zukunft zu tun, alles ist möglich, alles liegt allein in Deinen Händen, das war die Grundstimmung, die vielleicht letztlich nichts anderes war als eine Empfindung von Freiheit, von einer Freiheit also, die allein auf Deinem Können und Willen beruht. Natürlich wurde Dir das Illusionäre solcher Vorstellungen schon bald wieder klar, doch egal, die starken, großen Aufbruchsmomente haben Deinem Leben immer wieder Schwung und Antrieb gegeben, und ohne diesen Schwung und Antrieb wäre alles nichts und Du wärest verloren. Die Liebe aber ..., die Liebe übersteigt noch solche Momente, denn sie ist ja nicht nur der einzigartige und laufend in Bewegung bleibende Motor für so etwas wie den inneren Schwung und Antrieb, sondern sie fügt Deiner Lebens- und Aufbruchslust ja noch die Lebens- und Aufbruchslust eines anderen Menschen auf ideale Weise hinzu, daß Ihr zusammen so etwas seid wie ein Territorium der Unabhängigkeit oder wie ein freier Staat oder eine schöne Gesellschaft im Kleinen. Diese Unabhängigkeit und Stärke – das macht die Liebe letztlich aus, sie macht Dich immun gegen das Kleinteilige und Sorgenbehängte und ärmlich Verdruckste, und sie versöhnt Dich mit der dürftig bemessenen, Tag für Tag bis zum Tod hin knapper werdenden Zeit ...

Ich schaute auf die Uhr, es war soweit, in einer Viertelstunde würde das Schiff ablegen, deshalb machte ich mich sofort auf den Weg zu der Schiffs-Anlegestelle. Als ich Judith schon von weitem erkannte, spürte ich plötzlich wieder für einen Augenblick das pochende Herz, unwillkürlich blieb ich stehen und betrachtete sie aus der Ferne, wie sie da mit ihrem weit geöffneten, hellen und leichten Mantel wartete. Diese Frau dort wartet auf Dich und zwar nur auf Dich!, dachte ich, mach Dir bitte klar, daß diese Frau zu keinem anderen Anlaß an genau diese Stelle gekommen ist als dazu, um mit Dir ein Schiff zu besteigen und den Zürichsee zu befahren! Dann beschleunigte ich meinen Gang und ging zu ihr hinüber, und wir kauften uns rasch zwei Karten und liefen dann eilig über eine schmale Landungsbrücke auf das abfahrbereite Schiff. Wir stiegen die weißen Treppen hinauf auf das offene Deck und setzten uns dort ins Freie, kurze Zeit später schob sich das Schiff auch schon von der Landungsbrücke fort, machte eine halbe Drehung und nahm Kurs auf einen der kleinen Orte in geringer Entfernung, direkt am Rande des Sees.

– Erzähl mal, sagte Judith, wie war Dein Aufenthalt im Thomas-Mann-Zimmer?

– Eigentlich war es heute geschlossen, antwortete ich, sie haben aber eine Ausnahme gemacht und mich für fünf Minuten hineingelassen.

– Und? Was hattest Du für einen Eindruck?

– Den stärksten Eindruck machte der Schreibtisch, sagte ich, es ist ein altes Möbel, das Thomas Manns ganzes Leben begleitet und alle Umzüge mitgemacht hat. Ich hatte ihn viel größer in Erinnerung, er ist aber gar nicht so groß, sondern eher schmal, und diese schmale Form paßt gut zu dem schlanken, alten Herrn, wie er auf einem Foto vor seinem Kilchberger Alterssitz steht, mit dem Zürichsee im Hintergrund. Es handelt sich also nicht um einen der schweren und monströsen Altherrenschreibtische, wie man sie in diesen Zeiten üblicherweise in den besseren Häusern plazierte, nein, es handelt sich eher um ein luftiges Möbel, dem man eine Reise durchaus zumuten konnte.

Sie wollte mehr und immer mehr wissen, sie erkundigte sich genau nach den Einzelheiten, den Gegenständen auf dem Schreibtisch, dem sonstigen Mobiliar, den Bildern an den Wänden, dem Blick vom Zimmer aus hinaus auf den See. Dann fragte sie, wie meine Probe verlaufen sei, auch hier hakte sie nach und ging dann in die Details, aus unseren früheren Zeiten war ich dieses Nachhaken und Fragen bereits gewohnt, doch es war inzwischen noch viel ausschweifender und direkter geworden.

— Du sitzt am Flügel noch immer etwas zu hoch, sagte sie.

— Ja, ich weiß, antwortete ich, es ist eine alte, nicht auszurottende Unart. Vor jeder Probe drehe ich den Hokker etwas höher, und hinterher, wenn ich dann fort bin, kommt ein Mann von der Haustechnik vorbei, wundert sich und schraubt den Hocker wieder herunter.

— Gestern hast Du gespielt, als wolltest Du möglichst rasch wieder vom Podium fort.

— Ja, das stimmt, gestern war ich überhaupt nicht bei der Sache, aber heute, heute stimmte alles, heute ging es gut.

— Möchtest Du, daß ich mir Dein Konzert morgen abend anhöre?

— Aber natürlich, wieso fragst Du? Ich lasse Dir an der Abendkasse eine Karte zurücklegen.

— Anna möchte auch unbedingt in Dein Konzert. Kannst Du auch ihr eine Karte zurücklegen lassen?

— Selbstverständlich, auch für sie liegt eine Karte bereit.

— Was machst Du an einem Tag wie morgen, an dem Du ein Konzert gibst? Früher bist Du an so einem Tag oft Fahrrad gefahren, den halben Vormittag lang, das war eine richtige Marotte von Dir. Und hinterher hast Du noch einmal geprobt, aber nur kurz, nicht das ganze Programm. Ist das alles heute noch genauso? Erzähl mal, wie ich mir so einen Tag vorstellen muß.

– Oh, da hat sich nicht sehr viel verändert, so ein Tag ist noch immer ein Tag der festen Rituale. Wenn es irgend geht, fahre ich tatsächlich am Vormittag eine kleine Strecke mit dem Fahrrad, dann probe ich kurz und keineswegs das ganze Programm. Ich muß mich auf das Spielen am Abend noch freuen können, ich muß es als Ganzes noch vor mir haben, das ist der Grund dafür, daß ich die Stücke am Morgen nur anspiele. Am späten Mittag esse ich eine winzige Kleinigkeit, die den Hunger verdrängt, und dann lege ich mich zwei, drei Stunden ins Bett und versuche zu schlafen. Ich verlasse das Zimmer nicht mehr, ich lese nichts, ich höre etwas Musik und liege dösend auf meinem Bett, bis es Zeit ist, zum Konzert aufzubrechen. Etwa anderthalb Stunden vor Beginn treffe ich in meiner Garderobe ein, ich ziehe mich um, ich höre noch einmal etwas Musik, die letzte halbe Stunde vor dem Auftritt sitze ich regungslos auf einem Stuhl und gehe das Programm in Gedanken noch einmal durch. Dann kommt der große Augenblick, jemand klopft an die Tür, das ist das Zeichen, daß ich aufs Podium muß.

– Früher warst Du nie aufgeregt, das hat mir immer so imponiert.

– Nein, aufgeregt bin ich nicht, höchstens angespannt, sehr angespannt und vollkommen konzentriert. Wenn ich das Podium betrete, versuche ich, diese Konzentration bis hin zum Flügel zu retten, ich schaue nur auf den Boden, ich gebe mir Mühe, den Beifall so wenig wie möglich zur Kenntnis zu nehmen. Ich verbeuge mich und blicke weiter stur auf den Boden, dann nehme ich Platz, und meist schraube ich den Hocker unwillkürlich ein wenig höher. Ich atme ein und halte die Luft einen Moment an, es ist der Moment des Absprungs, nach dem Ausatmen geht es dann sofort los.

– Und wann weißt Du, wie der Abend verläuft, wann weißt Du, ob es gut läuft oder nicht?

– Das weiß ich sehr bald, nach kaum einer Minute. Wenn es mir gelingt, hoch konzentriert zu bleiben, bemerke ich nämlich nichts sonst mehr, nicht einmal mehr mein eigenes Spiel. Es ist eine Art Trance, ich bewege mich in der Musik, als füllte sie mich vollständig aus, als wäre ich mit diesem Klangraum identisch. Eine so hohe Konzentration gelingt nur in einem Konzert, in den Proben erreiche ich nie dieses Niveau. Die Anspannung im Saal, die Konzentration der Zuhörer, die plötzliche Regungslosigkeit von vielen hundert Menschen – sie treffen mit meiner eigenen Anspannung zusammen und reichern sie an. Ich sitze und spiele im Fokus, ja im Brennpunkt all dieser Blicke, eine solche Fokussierung wirkt wie eine gewaltige, starke Hypnose, ich spüre sie physisch, mein ganzer Körper erliegt ihr.

Manche von diesen seltsamen Zuständen sind mit der Liebesempfindung durchaus zu vergleichen, dachte ich, sagte es aber nicht, denn auch die Liebe besteht ja aus einer Fokussierung des Blicks und wirkt wie eine Hypnose, der Unterschied ist nur der, daß die Liebes-Hypnose andauert und durch keinerlei äußere Eingriffe aufgehoben oder gar ganz beseitigt werden kann.

– Hast Du Hunger? fragte ich Judith, soll ich uns etwas zu essen besorgen?

– Nein, danke, antwortete Judith, zum Glück haben wir am Morgen ja sehr gut gefrühstückt. Essen möchte ich erst wieder am Abend, zusammen mit Dir, ich habe da schon ein bestimmtes Lokal im Auge.

– Verrätst Du mir, welches?

– Nein, das verrate ich lieber noch nicht, es soll eine Überraschung bleiben. Aber ein Glas Weißwein hätte ich jetzt gerne, holst Du mir ein Glas Fendant?

– Ich hole uns sofort zwei Gläser Fendant, sagte ich.

Als ich mit den beiden Gläsern zurückkam, hatte sie einen kleinen Tisch nahe an unsere Stühle gerückt. Ich sah, daß sie einen großen Bogen Papier mit lauter bunten Skizzen auf ihm ausgebreitet hatte, ich reichte ihr ein Glas, wir stießen an und tranken. Das Schiff entfernte sich rasch von der Stadt, die mit wachsender Entfernung immer mehr ein dörfliches Bild annahm, als wäre auch sie letztlich nur eine der kleinen Siedlungen am See, an denen wir nun anlegten. Die Sonne hüllte die schilfigen Uferstreifen in einen flimmernden Glanz und ließ die unterschiedlichen Grün-Töne stark hervortreten, die Hügel aber waren so dicht besiedelt, daß man rasch darüber hinwegschaute, hinauf zu den Waldkämmen oder hinüber zu den hellen Wiesenzonen unterhalb der Berglandschaften. Judith strich den großen Bogen Papier glatt und deutete auf den Grundriß der Ausstellungs-Architektur, jetzt waren die einzelnen Terrains deutlich bezeichnet und voneinander abgegrenzt, in der Mitte befand sich das Gottfried-Keller-Zimmer, von dort aus ergaben sich die

verschiedensten Wege und Verbindungen, von den See-
über die Alpen-Landschaften bis hin zu den Sehnsuchts-
bildern der französischen und italienischen Ferne.

– Stell Dir vor, daß all diese Räume und Zonen auch
farblich ganz unterschiedlich gestaltet sind. Kein Raum
ähnelt dem andern, so daß man sich beim Hindurchgehen
durchaus verlaufen kann, jedenfalls gibt es keine chrono-
logische, sondern nur eine thematische Ordnung, die den
Besuchern aber weder durch Tafeln im Ausstellungssaal
noch durch Texte im Katalog erklärt wird. Statt Erklärungen zu bieten, erzählen wir lauter Geschichten, die
Geschichte von Kellers Zimmer, die von Segantinis Wan-
derungen durchs Engadin, die von Monets Atelier-Boo-
ten auf der Seine, von denen aus er die umgebende Landschaft gemalt hat. Wir erzählen, aber wir kommentieren
nichts, die Besucher werden sich also laufend selbst fragen müssen, warum es was bei dieser Ausstellung gibt
und wie die einzelnen Räume und Zonen sich aufeinander beziehen. Manche werden mit Gewalt Verbindungen
suchen und herstellen wollen, andere werden sich in die
Fotografien und in die Details der Bilder verlieren, beide
Arten, sich der Ausstellung zu nähern, sind im Grunde
Irrwege, die Kunst besteht eben darin, die Details genau
zu studieren und dabei langsam ein Gefühl für die Zusammenhänge zu entwickeln.

– Und wie weit seid ihr? Sind die Räume schon aufgebaut und die Wände bemalt?

– Nein, mit all diesen Arbeiten fangen wir gerade an,
aber das alles geht jetzt sehr rasch, in wenigen Tagen.
Gerade das jetzige Stadium der Arbeiten liebe ich sehr,

ich liebe es, wenn die Handwerker beschäftigt sind, wenn die einen die Trennwände zuschneiden, montieren und anstreichen, andere sich um das Licht kümmern, ach, ich liebe es, wenn die dunkelblauen Hebebühnen durch den Saal fahren und der Platz jedes einzelnen Bildes genau ausgemessen und bestimmt wird. Wenn all diese Arbeiten fertig sind, herrscht plötzlich eine unheimliche Stille, man steht da und schaut sich entgeistert um, die Bilder haben ihre Plätze eingenommen wie fremde Wesen, die bereit sind, die Besucherscharen zu verdauen oder zu ängstigen oder hinters Licht zu führen. Kaum etwas ist erschreckender als dieser erste Moment der absoluten Stille, wenn man auf einmal kein Handwerker-Geräusch mehr zu hören bekommt. Dieser Augenblick des Schocks und der Erstarrung – das ist so etwas wie eine große, gewaltige Pause, ja es ist wie eine Fermate in der Musik. Das Schweigen …, die Ruhe …, und dann sprechen nur noch die Bilder, untereinander, und man macht sich wie einer, der in diesen Räumen nichts mehr verloren hat, auf und davon.

– Man könnte sich aber auch einen geplanten und gezielten Einsatz von Musik in der Ausstellung vorstellen, sagte ich, keine musikalische Begleitung, keine Hintergrundmusik, sondern einen geplanten, gezielten Einsatz.

– Und wie würde sich so etwas anhören? fragte Judith.

– Man würde einen Komponisten bitten, eine Musik zu genau dieser Ausstellung zu schreiben, antwortete ich. Man würde diese Musik sowohl im ganzen Saal als auch in den einzelnen Räumen hören können, in den Räumen würde sich ihr Charakter aber verändern. Verstehst Du, wie ich es mir vorstelle? Die Besucher betreten den Saal und tauchen in die Komposition ein, diese Musik wird der Klangteppich bleiben, der sie die ganze Zeit umgibt, in den einzelnen Räumen aber wird dieser Klangteppich zerlegt, er wird zersplittern und sich unmerklich verändern. Kommt man in den großen Saal zurück, wird man wieder von der Komposition am Anfang in Empfang genommen, so erlebt man gleichsam ein Hin und Her zwischen einem thematischen Kernbau und seinen Variationen.

Ich beugte mich über den großen Bogen und versuchte, mir das Ganze konkret vorzustellen, ich fuhr die einzelnen Zonen mit dem Finger ab, ja, es wäre bestimmt möglich gewesen, diese Präsentation mit einer musikalischen zu verbinden. Als ich aufschaute, bemerkte ich, daß Judith aufgestanden war, sie schaute hinüber zum fernen Horizont der Bergmassive, die, je näher wir auf sie zufuhren, um so ferner und unerreichbarer wegrückten.

— Das ist eine wunderbare Idee, Johannes, sagte sie, wie schade, daß wir nicht früher über das ganze Konzept gesprochen haben, denn jetzt ist es für ein solches Vorhaben leider zu spät. Sag mir, wie bist Du darauf gekommen, wie kommst Du so schnell auf einen derartig verblüffenden Einfall?

— Ach, das ist ganz einfach, ich habe mir schon längere Zeit Gedanken darüber gemacht, welche Musik zu welchen Räumen gehört. Angefangen hat das schon vor einiger Zeit, als ich zum ersten Mal mit einem MP3-Player im Freien unterwegs war. Plötzlich hatte ich Hunderte von Klavierkompositionen dabei, die ich auf CDs eingespielt oder die ich privat, nur für mich selbst also, aufgenommen hatte, mit Hilfe des MP3-Players konnte ich diese Aufnahmen nun jederzeit und an jedem Ort hören und mein Spiel dadurch besser studieren. Es kam aber etwas ganz anderes dabei heraus, denn ich bemerkte rasch, daß ich die Kompositionen keineswegs an allen Orten im Freien hören konnte, manche Stücke widersetzten sich dem jeweiligen Ort, sie paßten einfach nicht, umgekehrt aber schienen manche Orte für bestimmte Stücke geradezu prädestiniert. Wie und wodurch solche Verbindungen entstehen, ist schwer zu sagen, ich gehe dem aber gerade sehr intensiv nach.

– Hast Du Deinen MP3-Player dabei?

– Aber ja, ich habe ihn fast immer dabei.

– Dann machen wir einen Test, ja? Laß mich einmal etwas hören, damit ich besser nachvollziehen kann, wie solche Annäherungen oder Abstoßungen zwischen Räumen und Musik jeweils entstehen.

– Gut, sagte ich, dann nimm bitte Platz, laß es uns einmal versuchen!

Ich reichte ihr meinen MP3-Player und die Kopfhörer, dann spielte ich einige Stücke an, sie saß schauend und lauschend neben mir, dicht an mich gelehnt, ich rückte meinen Stuhl noch näher heran, und so fuhren wir über die schimmernde, ruhige Fläche des Sees, tranken Fendant und unterhielten uns ausgiebig über die Wirkung der Musikstücke und ihren möglichen Bezug zu den Räumen unserer Umgebung. Schumanns Carnaval ... – Episoden des stetigen Gehens, ja des hörbaren Voranschreitens und Sich-Umschauens!, Debussys Préludes ... – Standbilder des langsamen Zerfalls einer geschlossenen Szenerie!, Schuberts Moments musicaux ... – kurze Fabeln aus einem fernen, unerreichbaren Zauberreich jenseits der Berge! Judith war von meinen Hinweisen und Kommentaren ganz hingerissen und wollte nicht, daß ich mit den Musik-Beispielen und meinen Erklärungen aufhörte, so habe ich Musik noch nie gehört!, rief sie mehrmals, alles, was ich sagte, erschien ihr wie eine Offenbarung von etwas vollkommen Neuem.

Als wir nur noch wenige Minuten von unserer Endstation entfernt waren, sagte ich:

— Darf ich noch eine letzte Idee zu Deiner Ausstellung beisteuern? Sie hat aber mit Musik nichts zu tun.

— Ja natürlich, bitte sag, was Dir noch durch den Kopf geht, antwortete Judith.

— Das Gottfried-Keller-Zimmer ist doch eine Art Installation, es ist ein geschlossener, abgedunkelter Raum mit zwei Bildern, es ist ein Erzähl-Raum, habe ich recht?

— Ja, genau das ist es, es ist ein Erzähl-Raum.

— Ich hätte noch einen zweiten Erzählraum in die Ausstellung integriert, und ich hätte auch diesen Raum erscheinen lassen wie eine Installation.

— Und was hättest Du in diesem zweiten Raum präsentiert?

— Thomas Manns Schreibtisch, mit all den von ihm geliebten Gegenständen auf der Tischplatte, mit dem Stuhl – und daneben seine Spazierstöcke in einem Schirmständer, dicht neben den Schreibtisch postiert!

Judith antwortete nicht, sie schaute mich etwas fassungslos an, und ich sah, daß sie sich das Bild vorzustellen versuchte: Ein kleiner, leerer, abgedunkelter Raum mit

Thomas Manns Schreibtisch, seinem Stuhl und seinen Spazierstöcken in einem Schirmständer ...

– Thomas Mann wäre der Gegenpol zu Gottfried Keller, sagte ich, denn Thomas Manns Schreibtisch würde an all die Besucher, Emigranten und Fremden erinnern, denen Zürich soviel verdankt. Diese Menschen erzählen andere Zürich-Geschichten, nicht wie Gottfried Keller aus dem Herzen der Stadt, sondern von jener Ferne, aus der sie nach Zürich gekommen sind und die sie nach ihrer Ankunft einbringen wollen in dieses Gelände rund um den See und entlang der Limmat.

– Du hast vollkommen recht, antwortete Judith, all diese Erzählungen kommen in unserem Tableau bisher nicht vor.

– Dann findest Du meinen Einfall also gar nicht so schlecht? fragte ich.

– Ich werde nie mehr eine Ausstellung ohne Dich planen, antwortete Judith und begann, ihre Unterlagen zusammenzulegen. Ich schaute ihr zu, sie ahnte gar nicht, wie sehr mich ihre letzte Bemerkung berührte, *nie mehr?*, nie mehr wollte sie ohne mich planen?, wie stellte sie sich denn unsere Planungen und unser gemeinsames Leben bloß vor?

– Habe ich Dich richtig verstanden? Du willst nie mehr ohne mich planen? fragte ich.

– Ja, Du hast richtig verstanden, ich werde keine Ausstellung mehr ohne Dich planen, und Du wirst Deine Konzertprogramme nicht mehr ohne mich planen.

– Das steht für Dich fest?

– Für Dich etwa nicht?

– Judith, wir müssen darüber genauer sprechen, möglichst bald.

– Aber wir sprechen doch darüber genauer, nämlich heute Abend, in dem Lokal, in das ich Dich einladen möchte.

– Wann und wo treffen wir uns?

– Ich muß jetzt noch einmal für ein paar Stunden hinauf ins Museum, ich schlage vor, wir treffen uns gegen 19 Uhr.

– Und wo?

– Na, wo schon, Johannes? Wir treffen uns auf dem Lindenhof, auf dem Lindenhof haben wir uns doch immer getroffen.

21

ICH SCHAUTE Judith hinterher, wie sie zum Bellevue-Platz eilte, um von dort eine Straßenbahn hinauf zum Kunsthaus zu nehmen, ich war etwas unschlüssig, ob ich zum Hotel zurückgehen sollte, entschied mich wegen des guten Wetters jedoch dagegen und ging statt dessen an der Limmat entlang. Ich machte auf der Münsterbrücke halt und beobachtete, wie einige der flachen, gedrungenen und mit einem Glasdach ausgestatteten Schiffe mit lauter Fremden an Bord unter der Brücke hindurch in die Stadt hineinfuhren und schließlich zwischen den Häusern verschwanden. Dann ging ich weiter zur Rathausbrücke und blickte von dort zu den Arkaden des Hotel *Storchen* direkt am Ufer und zu der kleinen Bar, in der ich mich mit Judith getroffen hatte. Ich war zu unruhig und mit mir selbst beschäftigt, um mir irgendwo etwas anzuschauen, deshalb ging ich zum *Barchetta* und setzte mich nach draußen auf einen Barhocker und bestellte mir einen Kaffee und etwas Wasser.

So ereignisreiche und intensive Tage wie diese hast Du noch selten erlebt, dachte ich, Dein Leben ist im Umbruch und erhält neue Konturen. Insgeheim hast Du auf einen solchen Umbruch immer gerechnet und gehofft, jetzt aber ist doch alles anders als in der Vorstellung ausgemalt, denn die Veränderungen gehen viel tiefer als jemals erwartet. Es ist, als seist Du dabei, Dein jetziges Leben mit dem Enthusiasmus und der Kraft der Jugend wieder zusammenzubringen, die Lebenslust ist plötzlich wieder voll erwacht, und Du spürst, wie sehr Du diesen Schwung und diese Entschlossenheit zuletzt vermißt hast. Im Grunde hast Du Dich die ganze Zeit nach der Liebe gesehnt, danach, Dein Leben und Deine Kunst mit einem anderen Menschen teilen zu können. Eine solche Verbindung beschert Dir das Empfinden einer unaufhörlichen, leidenschaftlichen Bewegung, die Deine Hingabe an das Leben bündelt und steigert. All das, was Du siehst und wahrnimmst, setzt sich nicht mehr in Dir ab, sondern bleibt wach und erregbar und wird von den Empfindungen und Wahrnehmungen eines anderen Menschen erwidert und auf diese Weise ununterbrochen in Schwingungen versetzt. Das Ganze hat etwas Musikalisches, ja, es ist ein Fortspinnen von Motiven mit Umkehrungen und Reprisen, ein Zerlegen und Variieren, eine einzige, große Komposition. War das nicht genau die Erwartung, die Du als junger Mensch vom Leben hattest? Hast Du nicht genau davon geträumt?

Ich starrte auf die ruhig vorbeifließende Limmat und stellte mir den großen Ausstellungssaal mit all den Menschen darin vor, von denen Judith gesprochen hatte, plötzlich erinnerte ich mich wieder an Anna, ich hatte ihr doch versprochen, sie am Nachmittag anzurufen, ich durfte sie nicht enttäuschen. Ich stand auf und ging in die Bar und telefonierte von dort, und als Anna mich fragte, von wo aus ich anrufe, erklärte ich ihr, wo ich mich befand. Sie schlug vor, daß ich warten solle, mit dem Fahrrad werde sie in kaum einer Viertelstunde dasein, ich bemerkte, daß sie sich einmal versprach und mich duzte, ich tat so, als habe ich es nicht bemerkt, und antwortete, daß sie sich Zeit lassen solle und daß ich im *Barchetta* auf sie warten werde.

Das Sitzen draußen unter den dunklen Arkaden ist angenehm, dachte ich, man schaut den Ausflugsschiffen zu, die an der nahen Anlegestelle haltmachen, man verfolgt die Ruderer, die mit ihren schmalen Booten die Limmat befahren, und man hat einen guten Blick auf das gegenüberliegende Ufer und den kleinen Markt ganz in der Nähe. Dieser Platz hier ist eben ein Platz, genau wie Du ihn magst, die Arkaden sind ein Schutz und erlauben Dir einen unbeobachteten Rückzug, während die nächste Umgebung aus lauter abwechslungsreichen Bildern besteht. Es ist aber eher ein Platz für einen allein als ein Platz für zwei. Judith und Du ..., ihr habt früher vor allem die alten Wirtshäuser gemocht, Wirtshäuser mit schlichten Holzstühlen und Holztischen mit blank polierten Tischplatten, Wirtshäuser mit dunklen Holzwänden und alter Tradition, vor allem auf dem Land und südlich des Mains gab es sie hier und da noch, und in ihnen wurden meist nur regionale Gerichte serviert und dazu ein guter Wein oder ein gutes Bier, ebenfalls nur aus der Region. Ich zündete mir ein weiteres Zigarillo an und bestellte mir einen Campari, ich überließ mich weiter meinen Gedanken, alles läuft jetzt auf das Konzert und die Ausstellung zu, dachte ich, es ist genauso, wie Du vor Tagen zu Judith gesagt hast, paß auf, wir bespielen diese Stadt von zwei Seiten …, nur was danach kommt, das ist Dir und auch wahrscheinlich Judith noch keineswegs klar. Judith wird bis zur Ausstellungseröffnung noch einige Tage in Zürich verbringen, Du aber wirst übermorgen nach Luzern, zu Deinem nächsten Konzert, fahren …

Als ich Anna auf der Rathausbrücke erkannte, stand ich auf und winkte ihr, sie winkte kurz zurück und schwang sich vom Fahrrad, dann kam sie mit dem Rad, das sie neben sich herschob, direkt auf mich zu.

— Wollen wir hier etwas trinken? fragte ich.

— Ich würde Sie lieber auf die andere Seite der Limmat entführen, antwortete sie, ich möchte Ihnen dort etwas zeigen.

— Gern, sagte ich, ich bezahle drinnen in der Bar und komme sofort zurück.

Als ich an der Theke bezahlte und kurz hinausschaute, sah ich, daß Anna in einem Buch blätterte. Ich trank noch rasch einen Schluck Wasser, dann ging ich wieder zu ihr hinaus.

— Was für ein Buch haben Sie denn dabei? fragte ich.

— Es ist ein Roman von Gottfried Keller, antwortete sie.

– Ist es *Der grüne Heinrich*?

– Ja, genau, kennen Sie den Roman?

– Aber ja, und ob ich ihn kenne!

– Wann haben Sie ihn gelesen?

– Oh, ich habe noch vor kurzem einmal wieder den Anfang gelesen, allerdings nur die ersten Sätze.

– Ich habe ihn dabei, weil ich Ihnen etwas daraus vorlesen möchte.

– Sie möchten mir daraus vorlesen?

– Kommen Sie mit, lassen Sie uns über die Brücke gehen, ich erkläre Ihnen alles später.

Wir gingen über die Rathausbrücke, und ich hörte ihr zu, wie sie von ihrer Arbeit erzählte, sie erwähnte Judith mit keinem Wort, ja nach ihren Erzählungen hätte man sogar annehmen können, daß nicht Judith, sondern sie die Ausstellung konzipiert hatte. Ich ließ das auf sich beruhen, ich hatte nicht vor, mich in die Beziehung zwischen den beiden Frauen einzumischen, deshalb ging ich dem nicht weiter nach.

– Und Sie? fragte sie schließlich, was machen Sie eigentlich den ganzen Tag? Üben Sie von morgens bis abends? Sitzen Sie stundenlang am Klavier?

– Nein, antwortete ich, wenn ich auf Konzertreise bin, übe ich gar nicht, sondern ich probe, das Üben hebe ich mir für zu Hause auf, da habe ich Zeit dafür.

– Proben Sie jeden Tag? Und wie lange dauert denn so eine Probe?

– Wenn es irgend möglich ist, probe ich jeden Tag, das heißt, ich probe in dem Raum, in dem ich später auftreten werde, genau die Stücke, die ich im Konzert spiele.

So eine Probe dauert nicht lang, höchstens zwei Stunden, wenn nichts dazwischenkommt.

– Was sollte denn dazwischenkommen?

– Ach, manchmal packt mich der Furor, und ich bin undiszipliniert, dann spiele ich einfach, was ich an dem jeweiligen Tag spielen möchte, so etwas dauert erheblich länger, manchmal sogar bis zu vier oder fünf Stunden.

– Ich freue mich sehr auf Ihr Konzert morgen abend.

– Hat Ihnen Judith gesagt, daß ich Ihnen eine Karte an der Abendkasse zurücklegen lasse?

– Ja, das hat sie mir gesagt, vielen Dank.

– Und nach dem Konzert, Anna, nach dem Konzert sind Sie eingeladen, da ziehen wir zusammen mit Judith und noch einigen anderen Zuhörern in eine russische Bar.

– Ist das Ihr Ernst?

– Aber ja, selbstverständlich, nach dem Konzert feiern wir, und Sie werden staunen, wie gut man in dieser Bar feiern kann.

– Wird nach einem Konzert oft gefeiert?

– Nein, aber morgen, da habe ich Lust zu feiern, in der Bar steht ein Flügel, und ich denke, es wird dort den zweiten Teil des Konzerts geben. Meine russischen Freunde werden mich jedenfalls nicht ziehen lassen, bevor ich nicht gespielt habe.

– Hören diese Freunde sich auch Ihr Konzert in der Tonhalle an?

– Ja, natürlich, Sie können sie übrigens leicht am Beifall erkennen, niemand sonst spendet solchen Beifall, Sie werden schon sehen.

Als Anna lachte, mußte auch ich lachen, die Erinnerung an den Abend in der Bar war mir plötzlich sehr gegenwärtig, so daß ich ihr davon ausführlich erzählte. Wir gingen nebeneinander durch einige schmale und gewundene, manchmal auch ansteigende und wieder abfallende Gassen mit kleineren Läden, Cafés und Ateliers, was man sah, waren beinahe dörfliche, ruhige Szenen, es gab keinen Verkehr, wir konnten uns ungestört unterhalten.

Schließlich blieben wir vor einem alten und unscheinbaren Haus stehen, schauen Sie, sagte Anna, dieses Haus hier wollte ich Ihnen zeigen, in diesem Haus wurde Gottfried Keller geboren. Es war ein einfaches, nicht besonders hervorgehobenes, von der Gasse etwas entfernt liegendes Haus, ich ging ein paar Schritte darauf zu und stand dann eine Weile davor und schaute es mir genauer an. Kommen Sie, sagte Anna nach einer Weile, in der wir stumm nebeneinandergestanden hatten, ich möchte Ihnen noch ein weiteres Haus zeigen, und zwar das, in dem Gottfried Keller aufgewachsen ist, nachdem die Familie aus seinem Geburtshaus ausgezogen war und der Vater ein anderes Haus gekauft hatte. Wir gingen die Gasse wieder ein Stück zurück, niemand von uns sprach ein Wort, ich hatte das Gefühl, daß Anna diese Wege immer wieder gegangen war und daß es ihr viel bedeutete, mir das alles zu zeigen.

Sie zeigte mir dann auch das zweite Haus, und wieder standen wir eine Zeitlang davor, ohne ein Wort miteinander zu wechseln.

– Ich habe Ihnen versprochen, Sie zu einem Glas Wein

einzuladen, sagte Anna plötzlich, mitten hinein in die Stille.

– Ja, sagte ich, ich weiß, und ich habe jetzt auch eine Vermutung, wohin Sie mich einladen werden.

– Ah ja? Dann sagen Sie mir, was Sie vermuten.

– Sie werden mich in eine Weinstube einladen, in der Gottfried Keller dann und wann Wein getrunken hat, habe ich recht?

– Genau, antwortete Anna, es gibt hier gleich um die Ecke eine alte Weinstube, in der er seinen Wein getrunken haben soll.

– Vergessen Sie nicht, daß Sie mir aus dem *Grünen Heinrich* vorlesen wollten, sagte ich.

– Keine Angst, das habe ich nicht vergessen, ich werde Ihnen in der Weinstube vorlesen, hier auf der Straße ist es zu unbequem.

Bis zu dem kleinen, schmalen Haus war es nicht weit, Anna stellte ihr Fahrrad ab, und dann gingen wir eine steile Stiege hinauf in einen niedrigen Flur, von dem aus ein enger Durchgang in eine alte Stube führte, in deren Holzwänden sich viele Gäste mit Inschriften und Zeichen verewigt hatten. Die Fenster der Stube waren geöffnet, und wenn man hinausschaute, sah man das schwächer werdende Sonnenlicht eines herbstlichen Nachmittags. Da es noch keine weiteren Gäste gab, konnten wir den Tisch, an dem wir Platz nehmen wollten, selbst aussuchen. Ich fragte Anna, wo sie sitzen wolle, und sie entschied sich für einen Tisch etwas im Abseits, von dem aus man die Fenster gut im Blick hatte. Von draußen drangen wenige Geräusche herein, nur die alten Bohlen knarrten, wenn man den Raum durchquerte oder wenn der Kellner hereinkam und dann mit vorsichtigen Schritten, um nicht unnötig zu stören, wieder hinausging.

– Ich war die Vorhut unseres Ausstellungsteams, sagte Anna, ich bin als erste nach Zürich gefahren, und ich habe das alles hier als erste entdeckt. Es ist das Keller-Territorium, wie ich es nenne, es ist das alte Herz dieser Stadt. Bei meiner ersten Reise hatte ich den *Grünen Heinrich* dabei, am ersten Abend meines Aufenthalts habe ich im Hotel mit der Lektüre begonnen, doch nachdem ich die Häuser und die Umgebung, die ich Ihnen gerade gezeigt habe, kennengelernt hatte, habe ich den Roman nicht mehr im Hotel, sondern nur noch hier, in dieser Weinstube, gelesen.

– Sie haben den ganzen Roman hier gelesen? fragte ich.

– Ja, antwortete sie, ich war jeden Nachmittag der erste Gast, ich habe mir ein Glas Wein bestellt und den *Grünen Heinrich* gelesen, diese Tage werde ich in meinem ganzen Leben nicht mehr vergessen.

– Dann lesen Sie mir doch jetzt etwas vor, sagte ich, ich bin gespannt, um welche Stelle es geht.

– Laß uns noch einen Moment warten, bis der Wein da ist, antwortete Anna, dann aber stockte sie und schüttelte kurz den Kopf, anscheinend war es ihr peinlich, daß sie mich wieder geduzt hatte, an ihrem irritierten Gesichtsausdruck erkannte ich, daß sie es nicht absichtlich gemacht hatte, sondern daß ihr das Du in wenigen Stunden zum zweiten Mal unterlaufen war.

– Entschuldigen Sie, sagte sie, ich glaube, ich duze Sie jetzt schon zum zweiten Mal, eben am Telefon ist es mir schon einmal passiert.

– Du brauchst Dich nicht zu entschuldigen, Anna, sagte ich, ich hätte Ihnen längst das Du anbieten sollen.

– Ich glaube, es kommt daher, daß ich Sie schon lange kenne, antwortete Anna.

– Daß ich *Dich* schon lange kenne, sagte ich.

– Ich meine, ich kenne Deine CDs schon lange Zeit, ich habe sie schon vor Jahren gehört.

– Ich weiß genau, was Du meinst, sagte ich.

– Was weißt Du genau? fragte sie.

– Na, ich verstehe, was Du sagen willst, sagte ich.

– Ich glaube nicht, daß Du es ganz und gar verstehst, aber das ist im Moment ja auch nicht so wichtig, antwortete sie.

– Dochdoch, sagte ich, es ist wichtig, sag nur genau, was Du meinst.

Sie schwieg, sie schaute mich an, dann bemerkte ich, daß sie den Blick senkte und auf meine Hände richtete. Ich sah, daß sie meine Hände genau betrachtete, sie schien sie richtiggehend zu studieren, als habe sie ein Stilleben oder eine Skizze vor sich.

– Du bist mir einfach sehr nah, sagte Anna, und das nicht erst, seit ich Dich kennengelernt habe. Ich habe all Deine Aufnahmen gesammelt, kein Pianist hat mich so sehr beeindruckt. Wenn ich Dich spielen hörte, war es, als ob Du mit mir sprechen würdest, ich habe genau verstanden, warum Du bestimmte Phrasen so spielst, wie Du sie spielst, und ich habe dann oft gedacht, ja, genau so ist es richtig, genau so stimmt es, genau so würde ich das auch spielen.

– Du spielst also auch Klavier?

– Ja, dann und wann, aber natürlich nicht professionell,

ich habe Musikwissenschaften studiert, für die Musik-hochschule war mein Klavierspiel nicht gut genug.

Ich war etwas erleichtert, als der Kellner mit den beiden Gläsern Weißwein hereinkam, er bewegte sich wieder sehr vorsichtig und langsam und stellte die Gläser mit einem leichten Seufzer auf unserem Tisch ab. Wir stießen mit den Gläsern an und tranken, wie so oft versetzte der erste Schluck kühlen Weins mir einen leichten Kick; wie es wohl wäre, dachte ich, wenn Du ein paar Jahre jünger wärst und dieser jungen Frau gegenübersitzen würdest? Und weiter – was wäre, wenn Du hier in Zürich nicht zu-fällig Judith begegnet wärest, sondern Anna?

Die Nähe, von der sie gesprochen hatte, war beinahe phy-sisch zu spüren, plötzlich schien es mir gar nicht so un-wahrscheinlich, daß sie sich in mich verliebt hatte. Viel-leicht ist es nicht erst in diesen Tagen, als wir uns zum ersten Mal sahen, geschehen, sondern hat schon früher begonnen, vielleicht hat unsere erste Begegnung die zuvor höchstens schwelenden Sympathien richtiggehend ent-flammt? dachte ich. Diese Nähe ist es aber nicht, die mich vor allem beschäftigt, es ist eine andere Nähe, nämlich die Nähe Annas zu Judith. Obwohl Anna viel schweigsa-mer und zurückhaltender ist, ähneln die beiden sich doch in manchen Momenten sehr, ja man spürt, wie stark Anna durch Judith geprägt wurde. Die junge, ehrgeizige Schü-lerin und die souveräne, die Themen vorgebende Lehre-rin …, auf den ersten Blick scheinen die beiden sich gut zu verstehen, und doch ist diese Verbindung hinter den Kulissen sicher nicht problemlos.

– Ich lese Dir jetzt die Stelle aus dem *Grünen Heinrich* vor, die alles ins Rollen gebracht hat, sagte Anna.

– Was hat die Stelle ins Rollen gebracht? fragte ich.

– Warte nur ab!, sagte Anna, Du wirst gleich verstehen.

Sie schlug den Roman auf und begann, leise und ruhig zu lesen, es war eine Passage, die von Kellers Kindheit in Zürich erzählte, von der Trauer und Sorge der Mutter nach dem frühen Tod des Vaters und von der Einrichtung des kleinen Hauses, das dem Kind wie ein abenteuerliches und geheimnisvolles Terrain vorgekommen war, das es Stück für Stück zu entdecken galt. Mehrmals war von den *kleinen Höfen* der Nachbarn im Innern des Häuserviertels, die das Kind stundenlang betrachtet habe, die Rede, dann auch von dem *eigenen Höfchen* mit seinem kleinen Stück Rasen, den zwei Vogelbeerbäumchen und einem Brünnchen, und schließlich von dem Blick des Kindes vom Dach des Hauses aus in die weite Ferne, als es, wie es hieß, *zum ersten Mal rittlings auf dem obersten Grate unseres hohen, ungeheuerlichen Daches saß und die ganze ausgebreitete Pracht des Sees übersah, aus welchem die Berge in festen Gestalten, mit grünen Füßen aufstiegen ...*

Anna las etwa eine Viertelstunde, während ich ihr zuhörte, schaute ich durch die geöffneten Fenster hinaus in den langsam eindunkelnden Himmel, jetzt, wo mir jemand aus dem *Grünen Heinrich* vorlas, empfand ich ihn beinahe wie Musik, der leichte märchenhafte und so gelassen bei jedem Detail verweilende Erzählton hatte etwas von der Versponnenheit mancher Kompositionen

Franz Schuberts, auch Schuberts Geheimnishaftigkeit erkannte ich wieder, sein Heimlichtun und seine Fähigkeit, in bestimmten Momenten eine Art von Entrücktheit zu imaginieren, als sei plötzlich von einem fernen, niemals erreichbaren Glücksland die Rede, dessen Konturen und Ufer nur ganz schwach am Horizont sichtbar wurden und dann sofort wieder verblaßten.

Schließlich hörte Anna mit dem Vorlesen auf, sie klappte das Buch zu und schob es von sich weg, als wolle sie auf das Vorgelesene nicht weiter eingehen.

– Und diese Passage hat also etwas ins Rollen gebracht, sagte ich.

– Ja, denn in ihr ist das gesamte Konzept unserer Ausstellung enthalten, antwortete Anna. Keller erzählt von den kleinen Hinterhöfen und dem eigenen Höfchen, von den Stiegen im Haus hinauf zum Dach und vom Ausblick von dort in die Ferne, dem Blick auf die weit ausgebreitete Fläche des Sees und die Berge. Diese Erzählung kam mir wie ein Entwurf der Ur-Szenerie Zürichs vor, denn in ihr sind alle räumlichen Elemente enthalten, die diese Stadt ausmachen: Die alten, kleinen Häuser mit der Verschwiegenheit ihrer Höfe, die in die Höhe führenden Treppen und Wege, der See und die Berge mit all ihrer in die Ferne lockenden Gestik. Von dieser Passage bin ich ausgegangen, von diesem Kindheits-Kapitel des *Grünen Heinrich* aus habe ich das erste Ausstellungs-Konzept entworfen.

Mir fiel ein, was Judith mir in den vergangenen Tagen alles erzählt hatte, deshalb fragte ich:

– Dann hat nicht Judith, also ich meine Frau Selow, dieses Konzept entwickelt, sondern Du hast es entdeckt.

– Nun ja, antwortete Anna, man kann das nicht so genau trennen, ich habe ein paar Vorschläge gemacht, und dann haben wir das Konzept gemeinsam entwickelt. Vielleicht könnte man sagen, daß ich die Ur-Idee hatte und daß aus dieser Ur-Idee dann alles Weitere Stück für Stück entstand.

Ich lehnte mich etwas zurück und nahm einen großen Schluck Wein, jetzt verstand ich, warum Anna mir das alles unbedingt hatte zeigen wollen, sie wollte Judiths Erzählungen von der Entstehung der Ausstellung und den damit einhergehenden Überlegungen korrigieren, sie wollte den starken Anteil markieren, den sie selbst an der Entstehung der Ausstellung hatte.

– Versteht Ihr Euch eigentlich gut, Judith und Du? fragte ich.

– Ja, wir verstehen uns sehr gut, antwortete Anna, es ist nur so, daß unsere Beziehung mich manchmal auch belastet, Judith ist sehr stark und bestimmend; als ihre Schülerin muß man sich ununterbrochen behaupten, sonst geht man mit den eigenen Ideen und Gedanken in ihrem großen Gedankenreichtum unter oder verschwindet darin wie ein kleines, mit der Zeit immer unauffälliger werdendes Zitat. Diese Ausstellung ist jedenfalls die letzte, die ich mit ihr zusammen konzipiere, danach werde ich etwas Eigenes machen.

Ich entschuldigte mich und ging für einen Moment hinaus auf den Flur, ich suchte nach der Toilette, fand sie aber nicht, und so stieg ich hinauf in den nächsten Stock, wo es noch weitere Räume gab, in denen ebenfalls noch keine Gäste saßen. Auch hier waren die Fenster weit geöffnet, ich ging hin und schaute nach der einen Seite zu der gewundenen Gasse und weit über die Dächer der Nachbarhäuser hinaus, dann aber ging ich zur anderen Seite des schmalen Gebäudes und schaute in ein geschlossenes, kleines Garten-Terrain genau von der Art, wie Keller es im *Grünen Heinrich* beschrieben hatte. Es handelte sich um einen weiten, ovalen Innenhof, der von vielen Häusern eingekreist war, es gab sogar einen kleinen Brunnen und eine Ansammlung immer wieder zurückgeschnittener, dicht beieinanderstehender Bäume. Das alles aber erschien mir unzugänglich, als könne kein Fremder jemals dort hineinfinden, ich konnte mich eine ganze Weile nicht von diesem Anblick lösen.

Als die einbrechende Dunkelheit dann aber immer stärker wurde, blickte ich auf die Uhr, in kaum einer halben Stunde wollte ich mich mit Judith auf dem Lindenhof treffen, ich mußte mich von Anna verabschieden, so leid es mir in diesem Augenblick auch tat und so gern ich mit ihr noch weiter in diesem verwunschenen Haus gesessen und mit ihr noch ein Glas Wein getrunken hätte. Ich stieg die knarrende Treppe wieder herunter und ging zu Anna zurück.

– Es ist seltsam, Anna, sagte ich, jedes Mal, wenn wir etwas zusammen trinken, muß ich mich verabschieden, weil ich mit Judith verabredet bin.

– Ich weiß, daß Du mit Judith verabredet bist, antwortete Anna, sie hat heute nachmittag davon gesprochen.

– Tut mir leid, sagte ich, ich kann diese Verabredung

nicht rückgängig machen, so gern ich jetzt noch hiergeblieben wäre und mich weiter mit Dir unterhalten hätte.

– Morgen, nach dem Konzert, unterhalten wir uns weiter, antwortete Anna, versprichst Du mir das?

– Ja, sagte ich, bis morgen, nach dem Konzert!

Ich stand auf, ich nickte ihr zu, ich wollte die Weinstube jetzt möglichst rasch verlassen, da sah ich, daß Anna zur Verabschiedung aufstand und hinter dem Tisch hervor kam.

– Johannes, gib mir noch einen Kuß! sagte sie.

Ich zögerte kurz, dann umarmte ich sie und gab ihr einen Kuß auf die Stirn. Ich bemerkte, daß sie die Augen schloß, dieses Bild war aber so stark und überraschend, daß ich sie noch ein zweites und drittes Mal küßte. Es waren sehr kurze, flüchtige und beinahe hastige Küsse, was tust Du?, dachte ich, was geht hier vor?

– Du mußt jetzt gehen! hörte ich sie sagen.

– Ja, sagte ich schließlich, ich muß jetzt gehen, bis morgen, nach dem Konzert!

Ich wendete mich von ihr ab und ging zur Tür, ich drehte mich noch einmal um, sie stand immer noch vor dem Tisch und schaute mir nach, ich winkte kurz, dann löste ich mich von diesem Anblick und ging die Stiege zur Gasse hinab.

22

Ich machte mich nicht sofort auf den Weg zum Lindenhof, sondern versuchte zuvor noch, den ovalen Hof zu finden, den ich von einem der oberen Stockwerke der Weinstube aus gesehen hatte. Ich bog von der Gasse nach links ab, umrundete die gesamte Häuserreihe und bog dann wieder in die nächste parallele Gasse ein, es gelang mir aber trotzdem nicht, die stille und entrückte Parzelle zu finden. Da ich nur noch wenig Zeit hatte, ließ ich schließlich von meinem Vorhaben ab und ging zur Limmat hinunter, ich überquerte sie und stieg dann eine breite Treppenanlage zum Lindenhof hinauf. Als ich oben ankam, sah ich Judith bereits auf einer Bank sitzen, sie las in einem Buch, das sie aber gleich wegsteckte, als ich mich näherte. Ich ging zu ihr und setzte mich neben sie, ich legte meinen rechten Arm um ihre Schultern und atmete tief aus.

– Puh, sagte ich, fast hätte ich mich etwas verspätet. Wartest Du schon lange?

– Neinnein, antwortete Judith, ich bin gerade erst hier hinaufgekommen, ich war vorher noch kurz in meinem Hotel, um mir einen anderen Mantel zu holen. Und wo hast Du Dich den Nachmittag herumgetrieben?

– Darüber reden wir später, antwortete ich, ich habe jetzt großen Hunger, laß uns schnell etwas essen gehen.

– Erinnerst Du Dich noch an die Ich-bin-hungrig-wo-gehen-wir-hin-essen?-Sätze des alten Hemingway, die Du früher auswendig kanntest?

– Ja, Moment mal, wie hieß es noch? *Hunger ist gesund, und Bilder sehen schöner aus, wenn man hungrig ist …*

– *… Aber Essen ist auch wunderbar, und weißt Du, wo Du jetzt sofort etwas essen wirst?*

– *… Bei »Lipps« wirst Du essen und trinken …* Ah, jetzt verstehe ich, Du möchtest ins *Lipp*, auch hier in Zürich gibt es ja eins, ich glaube in der Nähe vom Bahnhof.

– Das *Lipp*, mein Liebster, heben wir uns für Deinen Abreisetag auf, ein Mittagessen im *Lipp* paßt genau zur Abreise von Zürich, wir essen und trinken im *Lipp*, und dann gehen wir zusammen die paar Schritte hinüber zum Bahnhof, und Du setzt Dich in den Zug nach Luzern.

– Fabelhaft, Frau Professor, sagte ich, Sie haben bereits alles geplant, und natürlich haben Sie es so geplant, wie es nicht besser geplant werden könnte. Ein französisches Mittagessen im *Lipp*, ein Gang zum Bahnhof, und dann geht jeder von uns wieder seinen eigenen Geschäften nach. Schön war sie, unsere Begegnung, leider aber hat alles einmal ein Ende …

– Aber Johannes, was ist denn in Dich gefahren, wie redest Du denn plötzlich? Ich habe mir das alles ganz anders vorgestellt.

– Und wann erfahre ich endlich, wie Du es Dir vorgestellt hast?

– Gleich, sofort … Also los, gehen wir, wir gehen nicht ins *Lipp*, wir gehen zu einer alten Weinstube, in der unser Team sich ab und zu trifft, wir nennen sie nur die Keller-Stube, Gottfried Keller soll dort angeblich fast täglich gesessen und seinen Wein getrunken haben. Es gibt dort eine gute Brotsuppe und guten *Räuschling*, es wird Dir gefallen …

Judith stand auf, sie wollte sich sofort auf den Weg machen, ich hielt sie jedoch noch am Arm, auf keinen Fall wollte ich zu der Keller-Stube zurück und dort vielleicht wiederum Anna begegnen. Anna! ..., sollte ich Judith von unserem Treffen erzählen, oder was sollte ich tun, um sie von ihrem Vorhaben abzubringen?

– Stop, sagte ich, einen Moment noch.

– Was ist denn? fragte Judith, ich denke, Du bist sehr hungrig, und wenn man *sehr* hungrig ist, sehen die Bilder irgendwann auch nicht mehr schön aus.

– Diese Weinstube würde mir sicher gefallen, da habe ich nicht den geringsten Zweifel, antwortete ich, bestimmt ist die Brotsuppe vorzüglich und der *Räuschling* so gut, daß wir nicht nur ein Glas trinken würden ..., aber, um ganz ehrlich zu sein, ich habe bereits den ganzen Nachmittag großen Durst, lieber als einen kühlen *Räuschling* würde ich ein sehr kaltes Bier trinken, ich meine ein richtig gutes, kaltes Bier, eine alte Bierstube wäre am besten, ein kaltes Bier in einer alten Bierstube ..., das wäre mein Vorschlag.

– Johannes? Irgend etwas stimmt nicht mit Dir, was machst Du denn für ein Theater? Die Keller-Stube ist eine alte Wirtschaft von der Art, die Du magst, und die Brotsuppe ist keine hundsordinäre Suppe, sondern ganz ausgezeichnet, und für den Durst werden wir ein kaltes Wasser auftreiben, das ist doch alles gar kein Problem.

– Eben doch! antwortete ich, es handelt sich nämlich um zwei grundverschiedene Konzepte, auf der einen Seite ist da das Brotsuppe-Wein-Konzept, auf der andern das Bratwurst-Bier-Konzept ... Ach, stell Dir das alles doch einmal vor: Ein großes, leicht beschlagenes Glas kaltes

Bier und dazu diese gewissen Bratwürste, deren Namen ich immer wieder vergesse und deren Portion wir uns teilen ..., um dann später noch frischen Kalbskopf zu probieren, Kalbskopf! ..., oder Kutteln! ... oder Siedfleisch ...

— Also Schluß jetzt!, sagte Judith, ich sehe Dir doch an, daß Du an ein ganz bestimmtes Restaurant denkst, gib es zu! Das Wasser läuft Dir ja förmlich im Mund zusammen!

— Du hast recht, sagte ich, ich denke schon die ganze Zeit an das *Kropf* und bete insgeheim zu Gott Vater im Himmel: Gib, daß Judith diese Sehnsucht versteht! Das *Kropf*, mußt Du nämlich wissen, ist eine alte Wirtschaft mit den schönsten Dekorationsmalereien aus den letzten Jahrzehnten des neunzehnten Jahrhunderts, diese Malereien zieren die Decke, die auch durch den Einsatz verschiedenster und seltenster Holzarten zu einem absolut meisterlichen Schnitzwerk geworden ist, so daß man sagen kann: Das *Kropf* ist nicht nur eine alte Wirtschaft von der Art, die wir früher so liebten, nein, das *Kropf* ist zugleich auch ein kunsthistorisches Ereignis ersten Ranges, das Frau Professor Selow zu einem weiteren Traktat über *Raumfluchten im Fin de siècle* animieren wird.

Judith machte sich von mir los, ich spürte, daß ich sie etwas zu sehr gereizt hatte, Du begreifst selbst nicht, was mit Dir los ist, dachte ich, die Begegnung eben mit Anna hat irgend etwas durcheinandergebracht, Du weißt nur nicht, was. Ich stand auf und faßte sofort wieder nach Judiths Hand, hey!, sagte ich, entschuldige, ich bin etwas überdreht, es ist der Hunger, ich bin einfach zu ungeduldig und hungrig.

– Ich habe doch längst verstanden, Johannes, sagte Judith, gehen wir ins *Kropf*, ich verstehe nur nicht, warum Du Dich so ins Zeug legst.

– Das *Kropf* ist ganz nahe, sagte ich, wir brauchen die Limmat nicht mehr zu überqueren.

– Die Keller-Stuben sind ebenfalls höchstens zehn Minuten entfernt, und die Limmat zu überqueren, ist nun wirklich keine große Aktion.

– Habe ich das behauptet?

– Nicht direkt, aber indirekt tust Du so, als wäre die Limmat der Ärmelkanal.

– Die Limmat *ist* der Ärmelkanal, sagte ich, für einen empfindsamen Menschen ist es ein gewaltiger Sprung von einem Ufer zum andern.

– Johannes, ich gebe auf, sagte Judith, laß uns sofort ins *Kropf* gehen, und wenn es Dir nichts ausmacht, umarmst Du bis dahin die Frau Professor, auch wenn sie lauter infame Kenntnisse von Raumfluchten hat.

Ich tat, worum sie mich gebeten hatte, ich legte meinen Arm um ihre Schultern, und dann verließen wir den Lindenhof und machten uns auf direktem Weg zum *Kropf*, wir sagten aber beide kein Wort, denn ein leichter Anflug von Streiterei, an dem ich nicht unschuldig war, lag in der Luft. Du bist zu überreizt, dachte ich, in Dir tickt eine Zeitbombe, denn die gemeinsame Zeit hier in Zürich läuft bedrohlich rasch ab, bald ist das Ende dieser schönen Tage da, und noch immer seid Ihr mit kaum einem Wort auf die letzten achtzehn Jahre und erst recht nicht auf Eure Trennung zu sprechen gekommen. Du hast den Eindruck, daß Judith solchen Gesprächen ausweichen will, nach Deiner Abreise nach Luzern wird sie sich wieder in ihre Projekte vertiefen, und allmählich werden diese Tage hier in Vergessenheit geraten ... Aber nein, dachte ich weiter, natürlich werden diese Tage niemals in Vergessenheit geraten, das glaubst Du doch nicht wirklich, Du bist einfach sehr konfus, Dein ganzer Gefühlshaushalt ist durcheinander, wozu aber nicht zuletzt die verwirrende und verstörende Begegnung vorhin mit Anna beigetragen hat. Wie ruhig und direkt sie doch von ihrer Nähe zu Dir gesprochen hat, das hörte sich alles ganz selbstverständlich und ehrlich an, da gab es nichts zu erklären und gar zu gestehen, *Du bist mir einfach sehr nahe* ..., Punkt, aus und Schluß ..., so sollte es eigentlich sein, so schlicht und überzeugend, ohne weitere Worte. Mit Judith dagegen ist alles viel komplizierter, jede Begegnung mit ihr ist wie eine rasche, lustvolle Vorwärtsbewegung, auf die eine ebenso starke Ausweichbewegung folgt, immerzu geht es hin und her zwischen einer starken Freude und Bereitschaft, sich dem Glück hinzugeben, und einer großen Unsicherheit, ob auch Judith dieser Freude und diesem Glück uneingeschränkt Raum geben will. Im *Kropf* wirst Du ihr keine langen Umwege mehr erlauben, Du wirst sie fragen, ob und wie es weitergehen soll mit Euch beiden ...

Nach kaum fünf Minuten waren wir am Ziel, wir betraten das Restaurant durch einen niedrigen Vorraum, der die ganze Breite des Hauses im Parterre einnahm, von dort aus ging es einige Stufen hinauf in die langgestreckte Bierhalle mit ihren großen Leuchtern und einer mächtigen, tragenden Säule in ihrer Mitte. Beinahe jeder Gast schaut nach dem Betreten der Halle sofort nach oben, die geschnitzte Holzdecke fällt sofort ins Auge, vor allem ziehen aber die in der Höhe entlanglaufenden Deckenmalereien mit ihren tanzenden, singenden und Bier zapfenden bacchantischen Figuren die Blicke an. Ich hatte erwartet, daß Judith von diesem Anblick beeindruckt war, und so war es denn auch, sie blieb gleich nach dem Betreten der Halle stehen und schaute hinauf zur Decke und ging dann, immerzu nach oben schauend, das ganze Rechteck der Halle ab, während ich nach einem freien Tisch suchte, den ich mit Hilfe eines freundlichen Kellners auch sehr bald fand.

– Das ist ja unglaublich, sagte Judith, als sie schließlich an unseren Tisch kam.

– Ja, das ist es wirklich, antwortete ich, man ist nicht darauf gefaßt, draußen denkt man, es handle sich um ein ganz gewöhnliches Restaurant, und dann steht man plötzlich in einem Raum, der etwas ganz einmalig Festliches und Schlichtes zugleich hat. Laß uns ein Bier trinken, tu mir den Gefallen!

Judith lachte …, und als ich sie so lachen sah, war meine Streitlust schon beinahe wieder verflogen, ich winkte den Kellner heran und bestellte zwei große Glas Bier, es dauerte keine Minute, bis sie uns gebracht wurden, im Grunde waren es keine Gläser, sondern Bierkrüge aus Glas, das Bier leuchtete in ihnen so mattgolden und verlockend auf, daß wir sofort einen Schluck nahmen.

– Bringen Sie uns eine Portion der besten Kalbsbratwürste, die Sie haben, sagte ich zu dem Kellner, und bringen Sie uns dazu zwei Bürli.

– Kannst Du Dich noch an weitere der alten Heming-way-Sätze erinnern? fragte Judith, ich meine jetzt die von der Sorte Beim-Essen-kommt-es-auf-jede-Kleinigkeit-an.

– Warte mal, antwortete ich, wenn ich den ersten Satz habe, erinnere ich mich sofort an ganze Abschnitte … Wie hieß es denn noch …? – *In der brasserie saßen nur weni-ge Leute* …?, nein, das ist nicht ganz richtig …

– Ich glaube, es hieß *Es waren nur wenige Leute in der bras-serie* …, oder?

– Ja, richtig, genau so: *Es waren nur wenige Leute in der brasserie, und als ich mich auf die Bank setzte, gegen die Wand, mit dem Spiegel im Rücken und dem Tisch vor mir, und der Kell-ner mich fragte, ob ich Bier haben wolle, bestellte ich Kartoffel-salat und ein distingué, den großen Glaskrug, der einen Liter faßt …*

– Weiter, mach bitte weiter, Johannes, den nächsten Satz noch!

– *Das Bier war sehr kalt und trank sich wunderbar …*

– Ja, genau …, *das Bier war sehr kalt und trank sich wunder-bar*, bis ich diesen Satz damals in Paris von Dir hörte, hat-te ich in meinem ganzen Leben noch kein einziges Bier ge-trunken. Ich mochte kein Bier, es war mir richtiggehend zuwider, und dann saßen wir in dieser *brasserie* auf der Île St-Louis, und Du sagtest plötzlich ganze Passagen von Hemingways Paris-Buch auf, zuvor hatten wir nie über dieses Buch gesprochen, und dann stellte sich heraus, daß es eines Deiner Lieblingsbücher war. Ich hörte also all die-se einfachen, schwärmerischen Sätze und dachte plötzlich an nichts anderes als an sehr kaltes Bier und an Kartoffel-salat, und genau das haben wir dann bestellt und so gefei-ert, als wären es vollkommen rare Delikatessen.

– Warst Du während Deiner Paris-Jahre noch einmal dort?

– Wo?! Wo soll ich gewesen sein?

– Na, in dieser *brasserie* auf der Île St-Louis! Vielleicht warst Du ja noch einmal dort, nicht mit mir natürlich, sondern mit einer anderen männlichen Begleitung, was weiß denn ich?

So, dachte ich, so, meine Liebste, jetzt ist ein Anfang gemacht, jetzt habe ich immerhin einen Punkt gefunden, von dem aus wir über die Vergangenheit sprechen können. Ich sah, daß auch Judith begriff, daß ich sie herausfordern wollte, ich erkannte es daran, wie sie mich anschaute und außerdem daran, daß sie plötzlich den Krug ansetzte und einen sehr großen Schluck nahm, ihn dann aber nicht absetzte, sondern ein zweites und drittes Mal trank, bis er leer war. Ich wollte ihr einen weiteren bestellen, doch sie übernahm die Bestellung selbst, indem sie dem Kellner winkte und ihm auftrug, uns noch zwei Gläser Bier zu bringen, zwei Gläser und dazu einen Kartoffelsalat.

– Sie meinen einen Kartoffelsalat zusätzlich? fragte der Kellner.

– Bringen Sie ihn zusammen mit den Bratwürsten, sagte ich.

– Nein, sagte Judith, bringen sie ihn einzeln und gleich jetzt, zusammen mit dem Bier.

Sie schob das Besteck ganz zur Seite, sie faltete beide Hände, preßte sie kurz zusammen und legte sie auf den Tisch, dann fing sie an:

– Du willst es also ganz genau wissen, habe ich recht?

– Ja, ich möchte es genau wissen, zumindest möchte ich mir nicht länger irgendwelche Phantome vorstellen müssen.

– Also …, dann hör bitte zu! … Nach Paris bin ich damals allein gegangen, ganz allein, ich habe mir ein Zimmer in einem Hotel genommen und von dort aus den Wohnungsmarkt beobachtet. Größere Wohnungen waren sehr teuer, ich brauchte aber schon allein für meine Bücher eine große und bequeme Wohnung. Am Boulevard St-Michel, mitten im Zentrum, bin ich dann im fünften Stock eines Mietshauses fündig geworden, es war eine wunderbare, großzügige und helle Wohnung mit acht Zimmern, in der einen Hälfte wohnte Robert, ein Philosophie-Dozent von der Sorbonne, in die andere zog ich ein. Wir bildeten eine Wohngemeinschaft im Kleinen, wir besaßen nur eine Küche, und, wie es so kommt, wir sahen uns beinahe jeden Tag und unterhielten uns viel über unsere Fachgebiete und unsere Arbeit. Robert war ein munterer, unglaublich redegewandter Mann, ich habe mich nicht in ihn verliebt, nein, das nicht, aber ich habe all die vielen Unterhaltungen mit ihm sehr gemocht. Stundenlang haben wir zusammen in der Küche gesessen und uns unterhalten, Robert hatte eine erotische Beziehung zur Sprache, er erzählte und diskutierte einfach sehr gern, das Sprechen und Miteinander-Reden war der wichtigste Teil seines Lebens, sofort, wenn man ihn traf, ging es los, und immer war es lebendig und interessant. Mit diesem klugen, aber wenig erfolgreichen und übrigens auch nicht besonders attraktiven Mann habe ich einige Jahre meines Lebens verbracht, doch als meine Pariser Dozenten-Jahre abliefen, war für uns beide klar, daß weder ich in Paris bleiben, noch er mir nach Deutschland folgen würde. Wir haben noch einige Zeit lange Telefonate miteinander geführt, dann war es aus.

Der Kellner kam an unseren Tisch und brachte die beiden Bier, die Judith bestellt hatte, mein erstes Glas war noch halb gefüllt, ich setzte es an und trank es rasch leer.

— Die Bratwürste sind bereits fertig, sagte der Kellner leise, als wäre es ihm peinlich, daß die Bratwürste bereits fertig waren.

— Na gut, dann bringen Sie doch die Bratwürste, sagte ich.

— Zu einer Portion Bratwürste gehört aber sowieso bereits ein Kartoffelsalat, sagte er.

— Dann bringen Sie jetzt die Portion Bratwürste mit dem Kartoffelsalat und dazu noch einen weiteren Kartoffelsalat, sagte Judith.

— Und vergessen Sie bitte die Bürli nicht, sagte ich.

Der Kellner sagte nichts, sondern ging wieder hinüber zum Ausschank, plazierte unsere Bestellung auf einem Tablett und servierte uns dann alles auf einmal.

— Eine Portion Bratwürste mit dem obligatorischen Kartoffelsalat, eine zusätzliche Portion Kartoffelsalat und zwei Bürli, sagte er.

Judith lachte wieder, und auch ich mußte lachen, als Judith das bemerkte, schien sich ihre Haltung zu entspannen. Sie griff nach dem Besteck, nahm sich einen Kartoffelsalat und begann zu essen.

— Bitte, Johannes, bitte noch einen Satz, Du weißt schon, von welcher Sorte.

– Nun gut: *Nach dem ersten tiefen Zug Bier trank und aß ich sehr langsam. Als die pommes à huile alle waren, bestellte ich mir noch eine Portion* ...

– Wunderbar, ich kann gar nicht genug davon bekommen.

– Komm, sagte ich, bleib beim Thema, nach der Paris-Folge ist jetzt die Marseille-Folge dran!

– Der Kartoffelsalat schmeckt wirklich gut, ich werde später noch einen essen, sagte Judith.

– Wir essen ihn in Marseille, antwortete ich, wir essen ihn zusammen mit François ...

– Nicht mit François, sondern mit Henri ...

– Wer war Henri? fragte ich, Henri war ein Maler aus der Provence, er liebte satte und grelle Farben, er war ein Farbenfetischist mit ...

– Henri war in der Tat ein bildender Künstler, sagte Judith, er gehörte zu einer Künstlergruppe, deren Arbeiten ich in einer Ausstellung präsentierte. Er war das genaue Gegenteil zu Robert, er sprach und erzählte nicht selbst ununterbrochen, sondern er mochte es, wenn *ich* ununterbrochen sprach und erzählte. Er hatte eine Faible für Kunsttheorie und Ästhetik, er fand, daß ich all die Begriffe, die ihm sehr fremd waren, auf leichte Weise mit ins Spiel brachte, am Ende gab er seinen Arbeiten sogar Titel, die an kunsttheoretische Begriffe angelehnt waren.

– Meinst Du Begriffe wie *déconcertment*? fragte ich.

– Herrgott, nein, sagte Judith, es waren nicht Begriffe wie *déconcertment*, sondern schwere, deutsche Begriffe wie *absolu* oder *être* ... aber was soll das? Warum soll ich Dir das alles detailliert erzählen? Uns beide bringt das keinen Schritt weiter. Ich habe Dir schon gesagt, daß es in den ganzen achtzehn Jahren drei Beziehungen gab, alle drei Beziehungen ergaben sich durch meine Arbeit und begleiteten sie, ich habe mein Leben nicht mit der Suche nach dem Mann meines Lebens verbracht, sondern ich bin drei Verbindungen eingegangen, die mir eine Zeitlang Freude gemacht und mir geholfen haben.

– Du hattest den Mann Deines Lebens ja auch längst gefunden, sagte ich, warum hättest Du ihn dann noch suchen sollen? Du hast nur den Fehler begangen, den Mann Deines Lebens in einem entscheidenden Moment Eures Zusammenseins mit einem anderen Mann zu hintergehen, das, liebe Judith, ist unser Thema, und vielleicht kommen wir damit einen Schritt weiter.

– Auch damit kommen wir keinen einzigen Schritt weiter, das sage ich Dir, antwortete sie. Da Du aber unbedingt darauf bestehst, Licht in diese letztlich banale Sache zu bringen, tue ich Dir den Gefallen und erzähle Dir, was damals passiert ist. Weiterhelfen aber, das sage ich noch einmal, wird uns auch das nicht. Du bist zu sehr mit Dir selbst beschäftigt, Du beschäftigst Dich mit Deiner Kränkung, und Du nimmst Dir wegen dieser ach so furchtbaren Kränkung das Recht, mich nach meinen Beziehungen in den letzten achtzehn Jahren zu fragen, als sei ich Dir Rechenschaft schuldig. Ich bin Dir aber keinerlei Rechenschaft schuldig, trotzdem gehe ich auf Deine Fragen ein. Vorweg nur noch eins: Ich glaube, Du hast Dich gar nicht wirklich mit unserer Liebe beschäftigt, Du hast nicht genau genug über sie nachgedacht, Du hast Dir ein Leben in Deiner ach so furchtbaren Kränkung eingerichtet und Dir, aus dieser Kränkung heraus, lauter elegante Liebschaften erlaubt.

– Was habe ich mir erlaubt? Liebschaften?! Hast Du Liebschaften gesagt?! Ich habe mir keine Liebschaften erlaubt, nie hätte ich so etwas getan, Liebschaften …, das sind unaufmerksame und belanglose Tändeleien, in denen es um nichts geht, nein, es war anders, ich bin Freundschaften eingegangen, viele sehr gute und stabile Freundschaften …, Freundschaften! …, hast Du verstanden?

– Ja, ich *habe* verstanden, entschuldige, ich nehme das Wort Liebschaften zurück. Nichtsdestotrotz glaube ich, daß Du es Dir viel zu leicht machst, Du gehst den Dingen, um die es zwischen uns beiden geht, nicht wirklich auf den Grund, Du denkst nicht scharf genug über sie nach, Du hältst Dich ausschließlich bei den Vorgeschichten und damit an der Oberfläche auf.

– Ich sage dazu jetzt nichts, ich sage vielmehr, daß ich dankbar wäre, wenn Du mit dem angekündigten Licht, das Du ins Dunkel bringen möchtest, ernst machen würdest. Du scheinst nämlich ganz zu vergessen, daß ich unter diesem Dunkel gelitten habe, ich habe unter diesem Dunkel sogar so sehr gelitten, daß ich beinahe daran zugrunde gegangen wäre. Ich möchte darüber nicht sprechen, es ist lange her, und ich habe kein Interesse, mich dabei lange aufzuhalten, aber ich denke schon, daß Du Dir einen Ruck geben solltest, selbst wenn diese alte Geschichte Dir als eine letztlich banale Geschichte erscheint.

Ich war etwas laut und heftig geworden, zum Glück gingen meine lauten Sätze in der noch viel lauteren Geräuschkulisse um uns herum unter, nur der Kellner hatte manchmal zu uns hinübergeschaut und vielleicht etwas bemerkt, jedenfalls kam er plötzlich zu uns an den Tisch und erkundigte sich, ob wir mit dem Essen zufrieden seien.

— Es ist alles in Ordnung, antwortete ich, wir sind sehr zufrieden, die Bratwürste schmecken uns ausgezeichnet.

— Aber Ihre Frau hat die Würste ja noch gar nicht probiert, sagte er.

— Stimmt, antwortete Judith, ich habe sie noch gar nicht probiert, mein Mann läßt es sich schmecken und denkt gar nicht daran, mich probieren zu lassen.

— Ich bringe Ihnen gern noch eine kleine Portion extra, sagte der Kellner.

— Nein danke, antwortete Judith, das ist nicht nötig, ich hoffe, daß mein Mann sich noch besinnt.

— Möchten Sie noch ein Bier? fragte der Kellner.

— Sag's ihm, sagte Judith zu mir, sag ihm, was wir möchten.

— Wir möchten ein *demi*, sagte ich, bringen Sie jedem von uns noch ein *demi*.

— Zwei *demi*, bestätigte der Kellner, und vielleicht noch eine kleine Portion Würste und einen Kartoffelsalat?

— Nein danke, antwortete Judith, zwei *demi*, das reicht uns vorerst.

Der Kellner nickte und ging wieder hinüber zum Ausschank, Judith lehnte sich etwas nach vorn und streckte mir ihre beiden Hände entgegen.

— Es ist vollkommen unnötig, daß wir uns so streiten, sagte sie, es ist nicht nur unnötig, sondern auch dumm. Gib mir Deine Hand, ich möchte Deine Hand halten, wir sollten in Ruhe darüber reden und es hinter uns bringen.

Also, ich bringe jetzt Licht in das verdammte Dunkel, aber vorher tust Du mir den Gefallen und …

– Ist ja gut, sagte ich, ich weiß schon: *Ich wischte alles Öl und alles von der Sauce mit Brot auf und trank das Bier langsam, bis es nicht mehr so kalt war, und dann trank ich es aus und bestellte ein demi und sah zu, wie es abgezogen wurde. Es schien kälter als das distingué, und ich trank es zur Hälfte …*

– Danke, mein Liebster, jetzt stimmt wieder alles, und ich bin im Bilde, und es wird einfacher sein, Licht in das verdammte Dunkel zu bringen. Also …, damals, vor achtzehn Jahren, als Du wegen eines Meisterkurses für einige Wochen in Paris warst, hatten wir an unserem Frankfurter Kunstgeschichtlichen Institut einen finnischen Assistenten zu Gast, der für eine größere Arbeit in Kirchen des Rheingaus recherchierte. Ich habe ihn in diese Kirchen begleitet, ich hatte die Aufgabe, ihm bei seinen Recherchen, so gut ich es eben konnte, zu helfen. Ich war Tag für Tag mit diesem Mann zusammen, er hatte Humor, war sehr freundlich und kannte sich fantastisch in seinen Themenbereichen aus. Er lud mich mehrmals zum Essen ein, er war an allem, was Deutschland und seine Geschichte betraf, sehr interessiert, ja er studierte dieses Land, das er zuvor noch nie besucht hatte, wie ein Forscher, der ethnologische Studien betreibt. Mit der Zeit kamen wir uns näher, er war nicht in mich verliebt und ich gewiß auch nicht in ihn, wir waren nur beide neugierig auf das fremde Wesen, das jedem von uns plötzlich so häufig gegenübersaß und mit dem jeder von uns plötzlich so viel zu tun hatte. Die Zeit, die wir miteinander verbrachten, war genau begrenzt, er wußte, daß ich seit vielen Jahren mit Dir liiert war, und auch er lebte seit vielen Jahren mit einer Freundin zusammen. Als ich ihn schließlich zu einem Abendessen in meine Wohnung einlud, war ich achtundzwanzig Jahre alt und hatte seit acht Jahren mit immer demselben Mann geschlafen. Ich hatte keine Vorstellung davon, wie es wohl wäre, so etwas mit einem anderen Mann zu tun, ich hatte mir das in all den acht Jahren auch nie gewünscht, doch an dem Abend in meiner Wohnung reizte es mich, es zu probieren. Es reizte mich, weil ich genau wußte, daß es keine Konsequenzen haben würde, vielmehr würde ich mit einem Mann schlafen, der wenige Tage später wieder nach Finnland fahren und von dem ich nie mehr etwas hören würde. Mitten in dieser Nacht kamst Du unerwartet aus Paris zurück, Du hast uns überrascht, es gab eine schlimme, häßliche und deprimierende Szene, aber ich hätte nie gedacht, daß Du Dich daraufhin von mir trennen und all meine Versuche, mit Dir wieder Kontakt aufzunehmen, ignorieren würdest. Ich habe es immer wieder und immer von neuem versucht, aber Du hast Dich monatelang entzogen und mir schließlich ausrichten lassen, ich solle Dich nicht mehr mit meinen Nachstellungen behelligen. Das war deutlich und scharf, diese Wendung hat mich verletzt und geschmerzt, von da an habe ich es aufgegeben ...

Sie hielt noch immer meine Hände, sie beobachtete mich die ganze Zeit wie eine Ärztin, die meine Reaktionen überprüfte und im Notfall bestimmte Maßnahmen einleiten würde. Ich machte mich los und nahm einen Schluck Bier, dann faßte ich meinerseits nach ihrer Hand.

— Ich habe mich nicht entzogen, sagte ich, ich war krank, ich hatte gar nicht die Freiheit, mich zu entziehen oder Dich zu ignorieren.

– Ich weiß, antwortete sie, damals aber habe ich erst nach einiger Zeit, und zwar, als ich mit Deiner Mutter Kontakt aufnahm, davon erfahren. Ich wollte Dich ja unbedingt sehen und sprechen, aber Deine Mutter gab mir zu verstehen, daß eine solche Kontaktaufnahme alles nur noch schlimmer machen würde.

– Ja, sagte ich, so war das, und deshalb ist es auch nicht richtig, von so etwas wie einer Kränkung zu sprechen. Ich war nicht gekränkt, und ich habe mich auch nicht in irgendeine exaltierte Verletztheit geflüchtet, nein, ich war krank, und zwar so krank, daß die Ärzte in der Klinik, in der ich mich aufhielt, sogar glaubten, ich werde mein Leben lang nicht mehr Klavier spielen können. Bis zum Zeitpunkt dieses Zusammenbruchs hatte ich mein ganzes Leben vor allem mit zwei Menschen verbracht, mit meiner Mutter und Dir. Die Verbindung mit Dir hatte mich von der sehr engen Kindheit-und-Jugend-Verbindung mit meiner Mutter befreit, sie war nicht nur an deren Stelle getreten, nein, sie hatte mir insgesamt erst den Weg in die Welt hinaus ermöglicht. Ohne Dich, Judith, wäre ich ein Leben lang ein kleiner Glenn Gould des Klaviers geblieben, ein artistischer, aber neurotischer Einzelgänger, der sich vor der Welt abschirmt und sich für seine Kapriolen teuer entlohnen läßt. Für mich war unsere Liebe daher ein einziges großes Glück, ich hatte genau den Menschen gefunden, mit dem ich mich bis ins Innerste so gut verstand, daß darüber kein einziges Wort gewechselt werden mußte. Aus dem engen Kokon meiner Kindheit und Jugend bin ich mit Deiner Hilfe dann wirklich hinaus ins Freie gelangt, erinnere Dich nur an unsere Reisen, erinnere Dich daran, wie wir all die Jahre immer wieder un-

terwegs waren, für mich war es eine einzige Welt-Erobe-
rung, Reise für Reise.

– Ja, Johannes, richtig, so war das, und genau darin bestand ja die Kraft unserer Liebe, daß wir uns so früh kennenlernten und diese Liebe dadurch auf ganz selbstverständliche Weise unser Leben bestimmte. Und ich will
Dir etwas sagen: Ich habe diese Liebe in den letzten Jahren niemals vergessen, und ich habe sie auch nicht verloren. Ich habe mit ihrer Kraft und mit der Sehnsucht nach
ihr gelebt, ich habe mich immer wieder an sie erinnert.
Sich wirklich zu trennen, ist doch überhaupt nicht möglich! Wir haben beide, gib es zu, wir haben beide weiter
mit dieser Liebe gelebt, alle späteren Verbindungen, die
jeder von uns eingegangen ist, fielen gegenüber dieser
Liebe ab und hatten gegen sie letztlich nicht den Hauch
einer Chance. Deshalb irritiert es mich ja auch so, daß Du
darüber unbedingt reden möchtest. Als wir uns hier in
Zürich durch einen unglaublichen Zufall wiederbegegne-
ten, hoffte ich, daß wir diesen Problem-Gesprächen entgehen könnten, ich wollte einfach nicht gleich damit beginnen, mit so etwas nicht, ich wollte mit dem beginnen,
was unser gemeinsames Dasein bestimmt und ausgemacht
hat: Mit unserer Liebe, nur damit! Ich wollte schauen, wie
sich unsere Begegnung für Dich und für mich gestaltet,
ich wollte sie einfach geschehen lassen und in Ruhe beobachten, ob dieses große Glück noch bestand. Und wie
es bestand! Und wie es alles hinwegfegte, was mir in all
den achtzehn Jahren an Grübeleien und Empfindlichkeiten durch den Kopf gegangen war! Vielleicht, habe ich
manchmal gedacht, vielleicht war diese Auszeit von achtzehn Jahren genau richtig, vielleicht war sie nötig, damit

wir um so stärker und selbstverständlicher wieder zusammenfinden konnten! Denn jetzt, jetzt sind wir in der Liebe erwachsen geworden, und jetzt wird uns nichts, aber auch gar nichts mehr trennen!

Sie fuhr sich mit der Rechten durchs Haar und stand abrupt auf, sie machte sich auf den Weg zur Toilette, ich spürte, wie erregt und erschöpft sie jetzt war, auch mir erging es ganz ähnlich, ich fühlte mich erregt und erschöpft und sehr leer, und doch spürte ich auch eine tiefe Befriedigung, ja ein starkes Glück, als hätten wir eine Fahrt durch einen langen, nicht enden wollenden Tunnel jetzt hinter uns und hätten auf der anderen Seite dieses Sankt Gotthard endlich ins Freie gefunden.

Als der Kellner bemerkte, daß ich allein am Tisch saß, kam er zu mir:

— Jetzt sind die guten Bratwürste kalt, sagte er, und Ihre Frau hat nicht einmal davon gekostet.

— Stimmt, antwortete ich, jetzt nehmen Sie die große Portion wieder mit, und bringen Sie uns zwei frische kleine Portionen und noch zwei *demi*, und ich verspreche Ihnen, jetzt werden wir es uns schmecken lassen.

— Zwei kleine Portionen *mit* Kartoffelsalat? fragte er.

— Ja, sagte ich, zwei kleine Portionen bester Sankt Galler Kalbsbratwürste mit Kartoffelsalat, und zwei *demi*!

Ich trank mein Glas leer und fuhr mir mit einem Taschentuch durchs Gesicht, meine Finger waren sehr kalt. Dann aber kam Judith zurück, setzte sich und sagte:

— Ich habe einen unglaublichen Hunger.

– Ich habe bereits bestellt, sagte ich, wir werden sofort zwei *demi* bekommen, und jeder von uns bekommt eine kleine Portion Bratwürste, ich habe alles bestellt.

– … Und wir werden alles Öl und alles von der Sauce mit den Bürli aufwischen und das Bier langsam trinken, bis es nicht mehr so kalt ist, stimmt's?

– Genau das werden wir tun, sagte ich.

– Und morgen wirst Du ein wunderbares Konzert geben, und übermorgen werden wir vor Deiner Abfahrt nach Luzern in der Brasserie *Lipp* zu Mittag essen.

– Auch das werden wir tun, sagte ich, und niemand und nichts werden uns daran hindern.

– Und nach Deinem Konzert in Luzern wirst Du nach Zürich zurückkommen, und wir werden die Eröffnung der Ausstellung gemeinsam erleben und feiern.

– Natürlich werden wir das, sagte ich.

– Und dann werden wir zusammen verreisen, wie früher, sagte Judith. Wir werden Richtung Italien verreisen, ohne bestimmtes Ziel, wir werden den Zug nach Mailand nehmen und dann erst entscheiden, wie es weitergeht.

– Genau, wir werden reisen wie früher, nach Mailand, nach Rom, wohin auch immer.

– Soll ich Dir etwas gestehen?

– Bitte, aber das ist dann wirklich das letzte Geständnis!

– Einverstanden, es ist das absolut letzte. Also …, ich habe ebenfalls im Internet recherchiert, und ich habe herausbekommen, daß Du die nächsten Wochen kein einziges Konzert gibst.

– Stimmt, ich gebe nach Luzern für ein paar Wochen keine Konzerte, deshalb können wir vollkommen entspannt verreisen. *Meinen* Internet-Recherchen wiederum habe ich entnommen, daß Du ein Freisemester hast, auch von Deiner Seite steht also einer längeren Italien-Reise nicht das Geringste im Wege.

– Nicht das Geringste! wiederholte Judith.

– Nicht das Geringste! sagte ich.

Der Kellner kam mit einem leeren Tablett an unseren Tisch und räumte alles ab, dann ging er zurück an den Ausschank und brachte die neue Bestellung.

– Zwei kleine Portionen Kalbsbratwürste *mit* Kartoffelsalat, sagte er, und dazu, voilà, zwei *demi*!

– Voilà! sagte Judith.

– Voilà! sagte ich.

Der Kellner schaute uns an und begann plötzlich zu grinsen.

– Es geht Ihnen gut, das freut mich! sagte er.

– Fabelhaft geht es uns! antwortete ich.

– Ja, fabelhaft, sagte Judith, und noch fabelhafter wird es uns gehen, wenn wir dieses kalte Bier getrunken haben, es trinkt sich wunderbar, ganz wunderbar!

– Das freut mich, sagte der Kellner und ging, weiter grinsend, zurück zum Ausschank.

– So, Liebster, sagte Judith, jetzt stillen wir unseren Hunger, und dann gehen wir durch die herbstliche Zürcher Nacht in mein Hotel, trinken dort noch ein Glas von dem wunderbaren Bordeaux und geben uns der Liebe hin.

– Sie können das ewige Planen nicht lassen, Frau Professor, sagte ich.

– Nein, das kann ich nicht, antwortete Judith. Das

Schöne aber ist doch, daß ich nur ausspreche, was auch *Du* die ganze Zeit denkst.

– Aha, so ist das, ich denke so etwas schon die ganze Zeit?

– Aber ja, gib es zu!, genauso hast Du Dir die Nacht vorgestellt, stimmt's?

– Stimmt, sagte ich, genauso hatte ich mir diese Nacht zurechtkomponiert.

– Dann fehlt nur noch eine letzte Reprise, sagte Judith.

– Gut, sagte ich, in Gottes Namen, ein letztes Mal: *Ich zermahlte etwas schwarzen Pfeffer über den Kartoffeln und tunkte das Brot in das Olivenöl. Nach dem ersten tiefen Zug Bier trank und aß ich sehr langsam …*

23

AM FRÜHEN Morgen des nächsten Tages ging ich in mein Hotel zurück, der See lag noch verhangen in lauter dunstigen, herbstlichen Schleiern, ich ging am Ufer entlang und schaute mir die Boote an, die rings um die Holzplanken der Anlegestellen festgemacht waren. Sie bewegten sich kaum auf der Stelle, sie lagen vollkommen ruhig nebeneinander und spiegelten sich in der glatten, kompakten Fläche.

Als ich das Hotel betrat, begegnete ich Franziska, die gerade aus dem Frühstücksraum zur Rezeption zurückkam.

– Guten Morgen, der Herr! sagte sie, ich sehe, Sie haben erneut eine Nacht nicht in unserem Hause verbracht.

– Liebe Franziska, sagte ich, wir haben jetzt eine Menge Geheimnisse, ich komme mit dem Zählen schon gar nicht mehr nach. Um Buße zu tun, frühstücke ich jetzt sofort in Ihrem angenehmen und hellen Frühstücksraum, außerdem sage ich Ihnen aber noch, daß heute abend an der Abendkasse eine Karte für Sie bereitliegt, und um dem allen die Krone aufzusetzen, lade ich Sie dazu ein, mit einigen Freunden und mir nach dem Konzert heute nacht in einer russischen Bar etwas zu feiern.

– Ist das Ihr Ernst? fragte Franziska.

– Auf solche Fragen antworte ich nicht, sagte ich und ging in den Frühstücksraum, in dem sich zu der frühen Stunde noch kein einziger Gast aufhielt. Franziska folgte mir und gab der Bedienung einige Anweisungen.

– Ein Milchkaffee, ein Croissant, mehr können wir wohl nicht für Sie tun? fragte sie.

– Ein *Café au lait* und ein Croissant und dazu ein winziges Glas Sekt, sagte ich.

– Sie sind so gutgelaunt, was ist denn bloß geschehen? fragte Franziska.

– Sie werden doch wohl nicht behaupten, daß ich in den vergangenen Tagen schlechtgelaunt war? sagte ich, nein, ich war auch in den vergangenen Tagen gutgelaunt, jetzt ist die gute Laune nur explodiert. Wenn Sie mir einen großen Gefallen tun wollen, trinken auch Sie ein winziges Glas Sekt und stoßen mit mir an.

– Es ist etwas früh für ein Glas Sekt, sagte Franziska.

– Solche Angestellten-Sätze hätte ich nicht von Ihnen erwartet, sagte ich.

– Also gut, sagte sie, ich bringe zwei Gläser Sekt, ich stoße mit Ihnen an.

– Da bin ich aber erleichtert, sagte ich.

Ich setzte mich an einen Tisch direkt am Fenster, die Bedienung kam und servierte, was bestellt worden war, dann stieß ich mit Franziska an, ich wollte den zurückliegenden Abend zumindest mit einer kleinen, unscheinbaren Geste mit jemand anderem feiern. Ich hielt mich kaum eine Viertelstunde im Frühstücksraum auf, dann ging ich hinauf auf mein Zimmer. Ich zog mich um und machte mich für eine Fahrradfahrt am See entlang bereit, ich zog ein helles, bequemes Hemd, einen dünnen Pullover und leichte Schuhe an, dann ging ich wieder hinunter zur Rezeption. Franziska reichte mir einen Schlüssel für eines der Hotel-Fahrräder, das im Innenhof des Hotels abgestellt war, damit öffnete ich das Schloß und schob das Rad durch einen schmalen, niedrigen Durchgang hinaus auf die Straße. Die Wege am See waren zu dieser Zeit noch leer, ich fuhr nicht allzu schnell, ich radelte am Ufer entlang und behielt die Umgebung genau im Blick.

Nach einiger Zeit stieß ich ganz in Nähe des Ufers auf ein asiatisch aussehendes Gelände, eine hohe Mauer ringsum ließ keinen guten Einblick zu, doch neben dem großen Eingangstor waren allerhand Informationen angebracht. Offensichtlich handelte es sich um einen chinesischen Garten mit vielen gewundenen Wegen sowie einem kleinen Wasserpalais und einem Teich, in der Mitte des Teichs gab es sogar eine Insel mit einem Pavillon, von dem aus man einen guten Überblick über das Ganze hatte. Der Garten wurde in einer halben Stunde geöffnet, ich beschloß, draußen, am See, zu warten und setzte mich direkt ans Wasser. Die Dunstschleier des frühen Morgens hatten sich längst verzogen, das andere Ufer war deutlich und scharf zu erkennen, und die Sonne hüllte den ganzen See jetzt in eine warme Glocke aus Licht.

Als der Garten geöffnet wurde, besorgte ich mir eine Eintrittskarte und ging hinein. Das Ganze war ein geschlossenes, bis in jede Einzelheit strukturiertes Terrain, dessen Wege, Bauten und Pflanzen einen engen Bezug zur chinesischen Literatur und Philosophie, hier und da aber auch zur unmittelbaren Umgebung aufwiesen. So las ich auf einem Hinweisschild die Übersetzung eines chinesischen Textes, der am Haupttor angebracht war, *hinter schwebenden Wolken öffnet sich die silberfarbene Welt*, hieß es da, in Anspielung auf die nahen Bergspitzen der Alpen. Ich ließ mir Zeit, ich durchstreifte das nicht allzu große, durch seine vielen beredten Details aber abwechslungsreiche Gelände sehr langsam, ich setzte mich in seine Pavillons und ging durch die offenen Wandelgänge, am längsten hielt ich mich auf der kleinen Terrasse des Wasserpalais auf, von wo man die Fische im Teich beobachten konnte. *Wann finden wir die Zeit, mit dem Vollmond und seinem Spiegelbild dreimal anzustoßen ...*, stand in chinesischer Schrift am Eingang, ich stellte mir vor, wie man eine Vollmondnacht auf dieser Terrasse verbringen und die Spiegelung des Mondes und der Gestirne im Wasser erleben würde.

Ich verbrachte mehr als zwei Stunden in dem chinesischen Garten, zu dieser frühen Tageszeit war ich der einzige Besucher, ich sagte mir, daß ich keinen besseren Ort hätte finden können, um mich auf das Konzert am Abend einzustimmen. Danach fuhr ich mit dem Fahrrad zum Hotel zurück, ich aß im Hotel-Restaurant eine Suppe und eine Portion Pasta, dann ging ich wieder hinauf auf mein Zimmer. Ich telefonierte noch einmal mit der Konzertdirektion wegen der an der Abendkasse zurückzulegenden Karten, dann rasierte und duschte ich mich, zog die Vorhänge zu und legte mich ins Bett. Ich las noch eine Weile in einem von Judiths Aufsätzen, die jetzt in einem dicken Stapel neben dem Bett auf meinem Nachttisch lagen, bei einer Bemerkung von Ferdinand Hodler zu seinen See-Bildern blieb ich hängen: *Sehen Sie, wie da drüben alles in Linien und Raum aufgeht? Ist Ihnen nicht, als ob Sie am Rand der Erde stünden und frei mit dem All verkehrten?* Die Müdigkeit ließ mich die Seiten schließlich aus der Hand legen, ich schloß die Augen und spürte, wie ich langsam einschlief, es war ein unglaublich wohltuendes, sich ganz allmählich vollziehendes Einschlafen.

Ich erwachte nach etwas mehr als drei Stunden, ich hatte sehr tief und gut geschlafen, ich trank etwas Wasser, duschte mich noch einmal und blieb dann noch eine Weile auf dem breiten, bequemen Bett liegen. Zwei Stunden vor Beginn des Konzerts machte ich mich auf den Weg zur Tonhalle, ich ging zunächst ohne Umwege in die Garderobe, schaute dann aber noch einmal kurz in den Konzertsaal. Der schwarze, große Flügel stand in all seiner Herrlichkeit weit geöffnet genau in der Mitte des Podiums, ich erkannte, daß der Klavierhocker für meine Verhältnisse zu niedrig eingestellt war, ging jedoch nicht hin, um das zu verändern, sondern zog mich in die Garderobe zurück. Jemand brachte Tee und etwas Gebäck, und ich trank einen Schluck, dann zog ich mich langsam aus, brachte meine Straßenkleidung in einem Schrank unter und zog den Frack an, der schon vor einigen Tagen vom Hotel aus hierher gebracht worden war. Ich stellte mich vor den großen Spiegel, ja, gut, es ist alles in Ordnung, dachte ich. Ich trank noch etwas Tee, dann setzte ich mich in einen kleinen Sessel und schloß die Augen.

Kurz vor 20 Uhr klopfte es an der Tür der Garderobe, ich stand auf, trat noch einmal kurz vor den Spiegel, öffnete die Tür und ging hinaus auf den schmalen Gang. Eine junge Frau ging schweigend voraus und blieb vor der Tür zum Podium einen Moment stehen, sie drehte sich nach mir um, sie lächelte, dann nickte ich, und sie öffnete die Tür. Als ich das Podium betrat, brandete der Beifall auf, ich zuckte etwas zusammen, es war ein kurzer Anfall von Rührung, doch ich hatte mich rasch wieder im Griff und ging mit dem Blick auf den Boden auf den Flügel zu. Ich berührte ihn kurz mit der rechten Hand, als hielte ich mich an ihm fest, dann verbeugte ich mich und nahm auf dem Klavierhocker Platz, ich drehte ihn etwas höher und hielt die Luft einen kurzen Moment an. Dann atmete ich aus und begann mit dem langsamen Satz der *Sonate in Es-Dur, Köchelverzeichnis 282*.

Der Abend wurde ein großer Erfolg, ich war sehr zufrieden, es war mir gelungen, die hohe Konzentration bis zum Schluß zu erhalten, schließlich spielte ich noch zwei Zugaben, erst kurz nach 22 Uhr waren die Besuherscharen bereit, mich ziehen zu lassen. Ich ging zurück in die Garderobe, ich nahm einen Schluck kalten Tee, dann sprach ich noch eine Zeitlang mit einigen Besuchern, die auf dem Gang darauf warteten, daß ich eine CD oder auch einfach nur das Konzertprogramm signierte. Ich hatte mich mit Judith, Anna und Franziska in der russischen Bar verabredet, ich genoß es, nach dem Konzert ein kleines Stück allein zu Fuß zu gehen, ich trug wieder den Straßenanzug und mischte mich unter die Zuhörer, von denen ein großer Teil zum Bellevueplatz strömte, um dort eine Straßenbahn zu bekommen. Erst eine halbe Stunde vor Mitternacht betrat ich die Bar, es war wie ein zweiter Auftritt, denn als ich mich durch die dichten Gäste-Gruppen hineinzwängte, brandete zum zweiten Mal an diesem Abend der Beifall auf. Er war lauter und stürmischer als der in der *Tonhalle*, nach einiger Zeit ging er über in ein anhaltendes, rhythmisches Klatschen, ich hatte keine Wahl, sie ließen mich gar nicht erst zur Ruhe kommen, so ging ich, nachdem ich Judith und Anna und Franziska begrüßt hatte, hinüber zum Flügel und begann erneut zu spielen. Ich spielte Skrjabin, ich konnte nicht aufhören, Skrjabin zu spielen.

Die Nacht in der Bar dauerte bis zum Morgengrauen, immer wieder setzte ich mich an den Flügel und spielte kleinere Stücke, dazwischen unterhielt ich mich ausführlich mit den Gästen und darunter besonders lange mit Anna, die inzwischen von Judith erfahren hatte, wie eng wir vor vielen Jahren miteinander befreundet gewesen waren. Einen Moment lang tat Anna, als nehme sie mir übel, daß ich ihr davon nichts erzählt hatte, dann aber sprach sie mit mir über mein Konzert, ich hätte mir keine genauere Beobachterin und Zuhörerin wünschen können.

– Du kommst in ein paar Tagen wieder nach Zürich zurück? fragte sie.

– Ja, sagte ich, und ich wünsche mir, daß Du und niemand anders mich vor der Eröffnung durch die Ausstellung führst.

– Das wollte ich Dir sowieso vorschlagen, antwortete sie, ich führe Dich durch die Ausstellung und danach lädst Du mich in die *Kronenhalle* ein. Nur wir beide, ohne Judith, ich habe sie bereits gefragt, sie ist einverstanden.

– Gut, sagte ich, ich freue mich sehr darauf.

Wir frühstückten alle zusammen in der Bar, nur noch ein kleiner Kreis war geblieben, gegen 10 Uhr machte ich mich mit Judith auf den Weg zum Hotel. Ich legte meinen Arm um ihre Schultern, und wir gingen ein letztes Mal zusammen am See entlang. Wir hatten die ganze Nacht nur wenig miteinander sprechen können, jetzt aber erzählte Judith von meinem Konzert, ich hörte ihr zu, ich fragte nicht nach und sagte nichts, so erlebte ich das Ganze noch einmal, vom ersten Moment des Auftritts bis zu den Zugaben. Im Hotel half sie mir beim Packen, sie sprach immer weiter, laufend fielen ihr andere und neue Beobachtungen ein. Als sie den Stapel mit ihren Aufsätzen auf meinem Nachttisch entdeckte, schüttelte sie den Kopf, kam zu mir und küßte mich. Für einige Minuten standen wir eng umschlungen und vollkommen ruhig inmitten des Durcheinanders, das sich in dem Hotelzimmer ausgebreitet hatte. Gegen 12 Uhr bestellte ich ein Taxi, und wir fuhren zusammen zum Bahnhof.

Ich brachte meine Sachen in zwei Schließfächern unter, dann ging ich mit Judith die wenigen Schritte die Bahnhofstraße entlang zur *Brasserie Lipp*. Als ich von draußen die lange Flucht der weiß gedeckten, kleinen Zweier-Tische, die blau-weißen Bodenkacheln und die großen Leuchter erkannte, war die Frankreich-Illusion komplett. Wir setzten uns direkt ans Fenster, in die Nähe der Austernbar, und der Kellner brachte uns die Karte mit den *Plats de midi*.

— Petite faim oder faim solide? fragte ich Judith.

— Was fragst Du noch? antwortete sie, ich habe gestern kaum etwas und vorgestern abend nur zwei kleine Würste mit etwas Kartoffelsalat gegessen.

— Stimmt, sagte ich, wir waren auf der puristischen Welle des frühen Hemingway, jetzt aber halten wir uns an seine Spätzeit.

— Genau, sagte Judith, ich nehme die *variation de poissons*, und vorher nehmen wir Austern, und zwar ein Dutzend *Spéciale de claires No4*, einverstanden?

— Sehr einverstanden, sagte ich, auch ich nehme die *variation de poissons*, und ich kümmere mich um den Wein.

Wir speisten lange, wir sprachen ausschließlich über die letzten Tage, wie wir in der *Kronenhalle* gemeinsam gegessen hatten und Judith davongelaufen war, wie sie mich am nächsten Morgen unerwartet angerufen und sich mit mir verabredet hatte, wie wir dann nicht mehr voneinander hatten lassen können und die gegenseitige Anziehung immer stärker geworden war. Erst gegen 15 Uhr verließen wir die *Brasserie* und gingen zum Bahnhof zurück. Ich holte mein Gepäck aus den Schließfächern, und dann

standen wir in der Mitte der großen und leeren Bahnhofs-
halle, wo wir vor sechsundzwanzig Jahren einmal als junges Paar angekommen waren.

– Ich möchte nicht, daß Du mit auf den Bahnsteig gehst,
sagte ich, so etwas hat immer etwas Schmerzliches, ich
möchte, daß wir uns hier verabschieden und ich allein
zum Zug gehe.
   – Gut, mein Liebster, antwortete Judith, dann machen
wir es auch so, denn es ist kein Abschied. Seit ein paar
Tagen sind wir wieder zusammen, und wir haben nicht
vor, uns jemals wieder zu trennen, habe ich recht?
   – Was haben wir für ein Glück, hat der Meister in seiner Spätzeit über seine Paris-Jahre geschrieben, sagte ich,
und jetzt denke ich, er meinte mit diesem *wir* nicht nur
seine junge Frau und sich selbst, sondern uns, sagte ich.
   – Ja, was haben wir für ein Glück, antwortete Judith,
was haben wir für ein unerwartetes, einzigartiges Glück.

Wir standen inmitten der großen und leeren Bahnhofs-
halle und küßten uns, ihre Haut roch leicht herb und
ganz so wie früher, für einen Moment schloß ich die Augen …, gerade waren wir in Zürich angekommen, schau
doch …, rief Judith, und ich schaute auf und hörte die ersten Takte einer neuen Musik.

btb

Hanns-Josef Ortheil

Die große Liebe

Roman. 380 Seiten
72799

»Eine schöne, meisterhaft erzählte Liebesgeschichte.«
Die Zeit

Der Beginn einer Obsession: Zwei, die eigentlich
mit beiden Beinen im Leben stehen, lernen sich
an der italienischen Adria-Küste kennen und
verfallen einander. Sie erkennen, dass sie füreinander geschaffen sind – eine Erfahrung, die
keiner von beiden vorher gemacht hat. Zuerst
langsam, dann mit rapide wachsender Intensität
versuchen sie ihre Liebe gegen alle inneren und
äußeren Widerstände zu behaupten.

www.btb-verlag.de